Un programme personnalisé et complet de remise en forme

la forme

Matt Roberts

sur mesure

la forme sur mesure

Matt Roberts

Photographies de John Davis

HACHETTE

À Mike,
en pensant à toi et en te souhaitant
plein de bonheur.

Édition originale
Première publication en Grande-Bretagne en 2002
par Dorling Kindersley Limited, Londres
Titre original : *Fitness for life manual*
Copyright © 2002 Dorling Kindersley Limited, Londres
Text copyright © 2002 Matt Roberts Personal Training

Édition française
Traduction : Olivier Cechman
Adaptation et réalisation : Marie Vendittelli – Looping

© 2002 Hachette Livre (Hachette Pratique)
pour la traduction française

Couverture : Nicole Dassonville

Dépôt légal : mars 2003
23-28-6792-01-8
ISBN : 2-01-23-6792-5

Imprimé en Italie par Mondadori

Sommaire

Introduction

Le but de cet ouvrage est de servir d'outil
de référence pour vous permettre de muscler
une partie spécifique de votre corps ou de
comprendre les effets des différentes techniques
d'entraînement sur le développement
musculaire.

On sait désormais qu'il est essentiel de comprendre
comment le corps répond aux efforts physiques.
Or, les objectifs évoluent et diffèrent selon les
individus. À partir de cette constatation, nous avons
conçu 20 programmes personnalisés, qui couvrent
de multiples objectifs : perte de poids, renforcement
musculaire, raffermissement des fessiers, remise
en forme postnatale, ou encore préparation
à un marathon. Il vous suffira de déterminer
votre quotient forme avant de commencer
tout entraînement, et de travailler toujours
à un rythme correspondant à votre niveau.

Tout programme de remise en forme sérieux doit
inclure des recommandations nutritionnelles.
C'est pourquoi le chapitre sur l'alimentation
souligne l'importance d'un régime équilibré,
suffisamment énergétique et s'intégrant sans
contrainte à votre vie quotidienne. Dans certains
programmes individuels, on procédera parfois
à de légers ajustements diététiques afin
de vous aider à atteindre vos objectifs.

▶ **Définissez vos objectifs**
Avant de débuter tout programme de musculation, il convient
de déterminer avec précision les buts que vous voulez atteindre.

Afin que les conseils prodigués dans cet ouvrage soient accessibles à tous, j'ai demandé à cinq personnes – homme et femmes – de bien vouloir suivre ma méthode. J'ai surveillé leurs progrès au moyen de photographies et de carnets de bord. Les résultats parlent d'eux-mêmes.

Les industries du sport et de la santé prennent de plus en plus d'importance. Aujourd'hui plus que jamais, on trouve une multitude de cours, de professeurs, de moniteurs particuliers, d'appareils d'entraînement et de salles de sport. Naturellement, un tel choix peut entraîner une certaine confusion. Les cours collectifs sont une façon plaisante de se remettre en forme (et de le rester) ; c'est pourquoi j'ai répertorié les plus populaires du moment dans la section « Guide des cours en salle », où j'explique ce que l'on peut attendre d'un cours et les résultats que l'on obtiendra avec un peu d'assiduité.

La rubrique « Les bons choix » vous aide à opter pour les accessoires appropriés, une salle de sport valable et un instructeur particulier qualifié. En effet, de nombreuses personnes s'autoproclament « coaches particuliers » mais ignorent les bases des principes de nutrition et d'entraînement. Il existe pourtant des instructeurs très compétents ; le vôtre devra être qualifié et capable de vous aider à définir et atteindre des objectifs de remise en forme réalistes et personnalisés.

Votre hygiène alimentaire et physique doit devenir partie intégrante de votre vie – tout en vous procurant du plaisir. Elle ne doit en aucun cas régenter votre vie mais, au contraire, l'améliorer et vous maintenir en forme tout au long de votre existence.

J'espère que mon manuel vous servira d'outil de référence et vous encouragera à définir de nouveaux – et surprenants - objectifs forme.

▶ **Jogging les pieds dans l'eau**
Les photos en plein air furent un moment privilégié. Une activité sportive ne se pratique pas obligatoirement en salle.

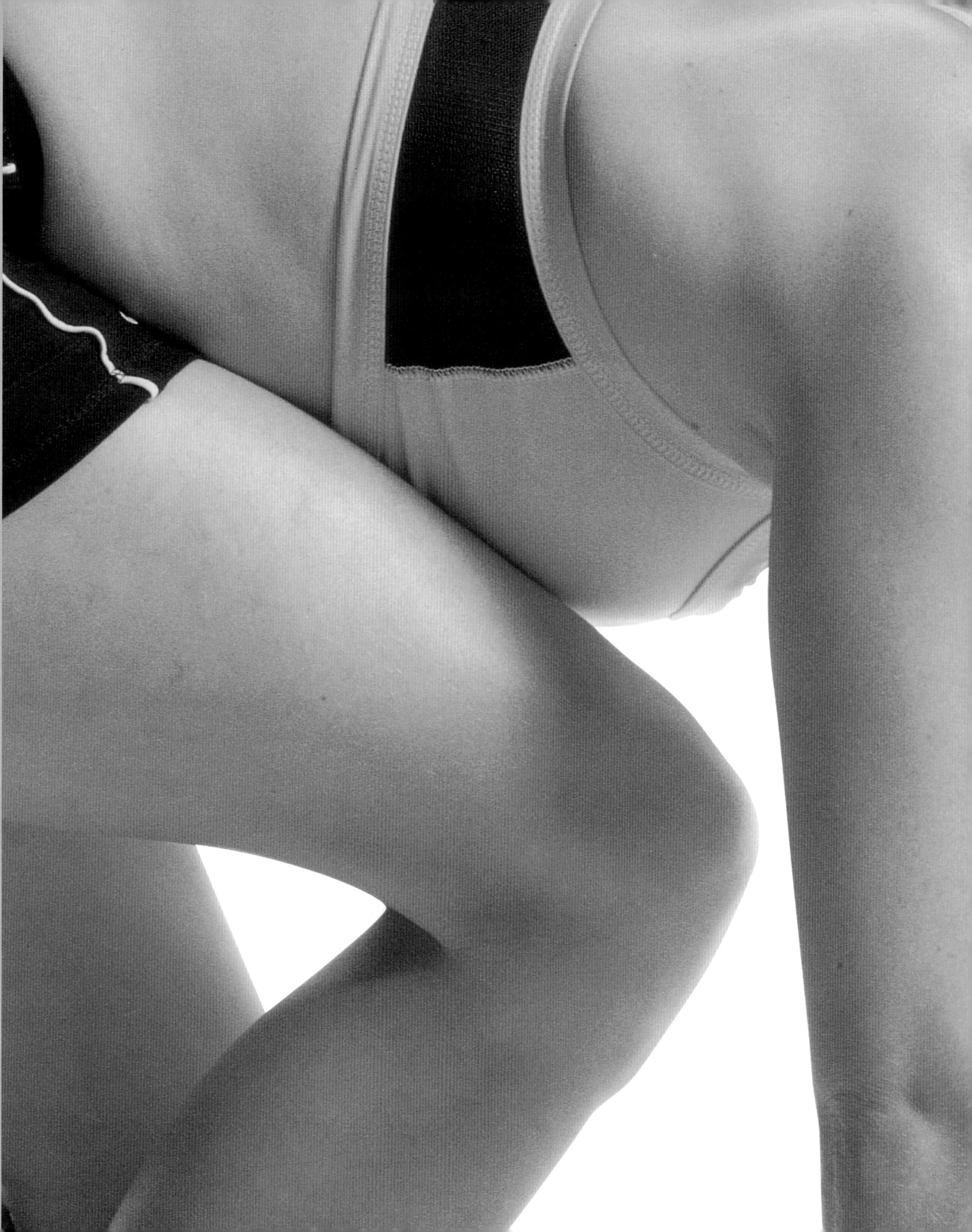

Point
de départ

Avant de débuter un programme de remise en forme ou de modifier son mode de vie, il est essentiel de comprendre comment fonctionne son corps. Ce chapitre explique la façon dont les différents systèmes de l'organisme se complètent pour vous maintenir alerte et en bonne santé. Il vous indique également comment les entretenir et les renforcer. Une fois que vous aurez compris les impacts de l'exercice physique et de l'alimentation sur l'organisme, vous pourrez définir des objectifs nutritionnels et sportifs qui vous correspondront au plus près. Tout d'abord, répondez aux questionnaires des pages 20 à 23 ; vous pourrez alors établir votre point de départ et votre quotient de forme actuel.

Le corps humain

Le corps humain est constitué de nombreux systèmes organiques, chacun remplissant une fonction bien déterminée. Tous ces systèmes se soutiennent mutuellement et travaillent de concert pour nous maintenir en vie et en bonne santé. Plus nous prenons soin de notre corps, et plus celui-ci sera efficace et résistant.

Le squelette

Au premier abord, le squelette est loin d'être d'une conception parfaite. L'homme a commencé à se déplacer à quatre pattes, puis s'est tenu voûté à l'âge des cavernes, avant de marcher debout, droit sur ses deux jambes. Au fur et à mesure que le corps a évolué, sa structure initiale – parfaite pour les efforts alors requis – s'est révélée moins adaptée. Si on demandait à un ingénieur de concevoir le corps humain, en tenant compte des tâches quotidiennes que nous devons accomplir, de la mobilité des articulations et du poids que la structure doit supporter, il y a peu de chance pour qu'il conçoive le squelette humain tel que nous le connaissons ! Pourtant, en dépit de toutes ces imperfections, nous fonctionnons remarquablement bien. Le squelette sert de structure aux muscles, ces derniers ayant entre autres pour fonction de le protéger. Les muscles travaillent étroitement avec le squelette pour permettre les mouvements, que ce soit agiter le petit doigt ou frapper une balle de tennis, ce qui requiert coordination et puissance. Les muscles soutiennent également le corps et maintiennent la posture ; sans eux, nous ne pourrions pas nous tenir debout, ni garder la tête droite.

Les os

Le squelette est constitué de multiples os, chacun étant composé de tissu vivant qui ne cesse de se développer et de se régénérer. C'est la moelle osseuse, située au centre de chaque os, qui produit la majeure partie des globules rouges de l'organisme.

Les os révèlent votre sexe, poids, taille, et jusqu'à votre alimentation ! En prenant soin de ses os dès l'enfance (grâce à une alimentation équilibrée, riche en calcium, et la pratique d'une activité physique), on réduit plus tard les risques de maladies osseuses, comme l'ostéoporose et l'arthrite.

Les articulations

Une articulation résulte de la jonction de deux os. Les articulations sont recouvertes d'un cartilage lubrifié, permettant ainsi une liberté de mouvement. Là où la mobilité des articulations est réduite, les os sont reliés entre eux par de puissants ligaments et offrent généralement davantage de stabilité ; c'est le cas notamment des pieds, de la colonne vertébrale et des poignets. L'articulation la plus complexe est sans conteste l'épaule, qui est montée sur pivot ; elle peut bouger dans n'importe quelle direction mais aussi pivoter. Le genou, quant à lui, est une articulation plus complexe. Il s'agit d'une articulation charnière – tout comme le coude –, ce qui signifie qu'elle se replie de haut en bas sur le même plan d'espace. Il peut également légèrement pivoter.

Les muscles

Les muscles constituent environ la moitié de la masse corporelle. Tous nos mouvements volontaires reposent sur le relâchement et la contraction des muscles (*voir ci-contre*). Parce que les muscles ne peuvent que tirer (et non pousser), ils sont souvent situés d'un côté d'une articulation, afin de permettre des mouvements opposés. Les muscles sont attachés aux os par des tendons : je compare souvent leur structure aux câbles d'un pont suspendu. Les muscles du côté droit et du côté gauche doivent donc être symétriquement forts afin de préserver l'équilibre de la structure. Et pour cause : si les câbles d'un pont suspendu étaient plus solides d'un côté que de l'autre, le pont pencherait et manquerait de stabilité. Il en va de même pour le corps humain. Si un groupe musculaire est plus contracté d'un côté que de l'autre, l'équilibre est menacé. Des déséquilibres musculaires peuvent survenir quand, par exemple, on porte toujours un sac lourd sur la même épaule ou que l'on s'assoit dans une mauvaise position.

Les effets d'un tel déséquilibre se font surtout sentir au niveau des lombaires. Ainsi, lorsque les ischio-jambiers sont contractés et que les quadriceps manquent de vigueur, les lombaires subissent trop de tension, et des douleurs apparaissent. Cet état de fait est dû le plus fréquemment à de longues périodes en position assise et à une trop grande sédentarité. On peut éviter les déséquilibres musculaires en pratiquant régulièrement un sport et en étirant les muscles pour les assouplir.

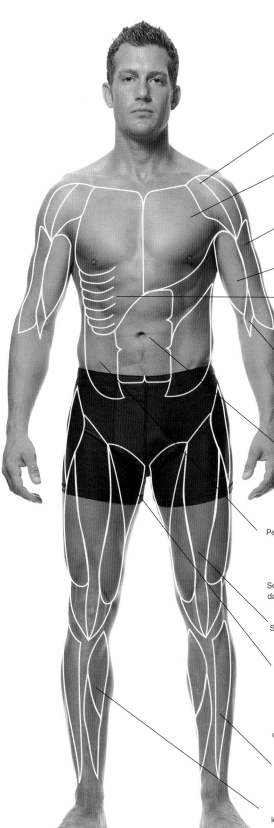

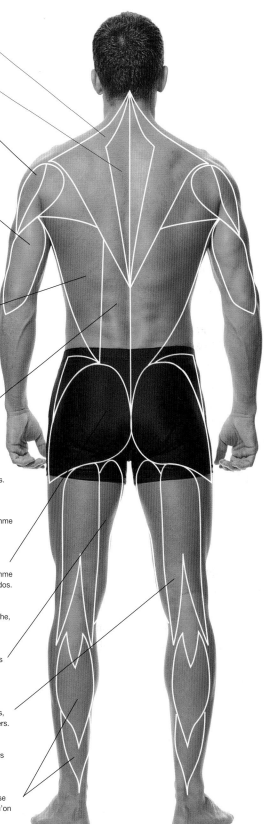

Trapèzes
Sollicités quand on hausse les épaules,
ou qu'on les soulève vers les oreilles.

Rhomboïdes
Permettent les mouvements de rame
et protègent la colonne vertébrale.

Deltoïdes
Sollicités dans les grands mouvements de
bras et de soulèvements de charges.

Pectoraux
Sollicités pour croiser les bras et pour
pousser.

Triceps
Permettent de tendre et contracter les bras,
et de pousser contre une résistance.

Biceps
Permettent de plier les bras et de diriger
la main vers le visage.

Muscles intercostaux
Aident à la respiration.

Dorsaux
Permettent de ramener les bras vers
le buste, contre une résistance.

Brachial
Aide le biceps à plier le bras
et renforce la poigne.

***Erector spinae* (extenseur du rachis)**
Permet les mouvements arrières
de la colonne vertébrale et protège
le bas des vertèbres.

***Rectus abdominus*
(grand droit de l'abdomen)**
Permet tous les mouvements obliques du
tronc, y compris les inclinaisons sur les côtés.

Oblique abdominal
Permet les mouvements diagonaux du torse, comme
se pencher sur le côté.

***Gluteus maximus* (fessiers)**
Sollicité pour ramener la jambe vers l'arrière, comme
dans la course à pied, ou bien relever le bas du dos.

Quadriceps
Sollicités lorsque l'on tend la jambe, qu'on marche,
qu'on se lève d'un siège, qu'on saute, etc.

Adducteurs
Sollicités lorsqu'on serre l'intérieur des jambes
l'une contre l'autre.

Ischio-jambiers
Groupe musculaire situé à l'arrière des cuisses,
qui permet de ramener les talons vers les fessiers.

***Anterior tibialis* (tibia)**
Permet de soulever les pieds, par exemple lors
de la marche ou de la course.

***Gastrocnemius* et *soleus* (mollets)**
Muscles des mollets ; sollicités lorsqu'on presse
les pieds vers le sol, et pour les stabiliser lorsqu'on
se lève, marche ou court.

Point de départ

Le fonctionnement de l'organisme

Pour obtenir et conserver un corps sain et en pleine forme, il est essentiel de veiller à ce que tous les mécanismes complexes de l'organisme soient solides et capables de fonctionner aussi efficacement que possible. Les systèmes digestif, cardio-vasculaire et nerveux ont tous un rôle bien déterminé dans l'organisme, mais doivent également travailler conjointement pour vous maintenir en parfaite santé.

Le système digestif

Le rôle du système digestif est de digérer la nourriture grâce à des processus physiques et chimiques complexes, de façon que les aliments soient absorbés dans le sang sous forme de nutriments, tout en fournissant de l'énergie à l'organisme.

Le système digestif se compose de la bouche et de ses glandes salivaires, de l'œsophage, de l'estomac, du foie, de la vésicule biliaire, du pancréas, et des intestins (gros et grêle) – y compris le colon. Les déchets sont excrétés par l'anus. On compte près de 9 m de tubulure musculaire entre la bouche et l'anus.

La digestion est affectée par notre état émotionnel, en particulier le stress, mais aussi par la vitesse à laquelle on mange, la qualité de notre alimentation ainsi que l'environnement chimique du système digestif.

Plus on est stressé, plus le système digestif est acide, et moins l'organisme est efficace pour digérer les aliments et en extraire les nutriments. En conséquence, la quantité des bons nutriments passant dans le sang pour alimenter les cellules est réduite. Le stress s'en trouve alors renforcé ; or, quand il ne dispose pas d'énergie suffisante, l'organisme ne peut fonctionner de manière optimale.

La bouche

C'est dans la bouche que se produit le premier stade de la digestion. Les aliments sont humidifiés, puis fractionnés en petits morceaux, à la fois par la salive (celle-ci étant produite par les glandes salivaires situées sous la langue et dans les joues) et par la mastication.

▲ **L'harmonie des systèmes organiques**
Il est bon de comprendre comment les différents systèmes de l'organisme œuvrent ensemble pour vous maintenir en vie et en bonne santé. Prenez soin de votre corps, et il vous servira bien.

Lorsque les aliments ne sont pas correctement fractionnés dans la bouche, l'organisme est obligé de travailler davantage pour en extraire les nutriments.

Amenés à observer un groupe de personnes actives qui présentaient tous les symptômes d'un dérèglement digestif (de la léthargie au manque de concentration), nous avons découvert que leur système digestif était stressé, acide, et ne fractionnait pas correctement les aliments. Nous n'avons apporté aucun changement à leur régime alimentaire, si ce n'est de leur demander de boire 2 litres d'eau par jour et de mâcher leurs aliments jusqu'à obtention d'une consistance pulpeuse. Au bout de six semaines, rien qu'avec ces deux modifications, la digestion de chaque personne s'était considérablement améliorée et chacun avait gagné en tonus.

L'estomac

Une fois la nourriture mastiquée, elle est avalée et prend quelques secondes pour passer de l'œsophage à l'estomac. Arrivés là, les aliments sont de nouveau fractionnés grâce aux contractions et aux sucs gastriques – qui sont très acides ; la digestion a alors commencé.

Les aliments restent jusqu'à quatre heures dans l'estomac, le temps que leur mixture, appelée « chyme », soit libérée dans l'intestin grêle. La rapidité à laquelle ce processus se produit dépend du type d'aliments ingérés. Ainsi, des aliments alcalins passeront très rapidement, tandis que la viande rouge, par exemple, qui est très acide, prendra davantage de temps et nécessitera une production d'acide plus importante pour sa digestion. En général, les aliments alcalins, complets, non raffinés, n'agressent pratiquement pas le système digestif, car l'estomac n'a pas besoin de produire beaucoup d'acide pour les digérer.

L'intestin grêle

Nous arrivons maintenant à l'étape la plus importante de la digestion et de l'absorption. Dans la première section de l'intestin grêle, appelée « duodénum », les aliments semi-digérés entrent en contact avec trois différentes substances qui vont poursuivre le processus de digestion.

- **La bile** est produite par le foie et stockée dans la vésicule biliaire. La bile fractionne les graisses, de telle sorte qu'elles soient digérées et absorbées par le sang.
- **Les sucs pancréatiques** sont produits dans le pancréas. Ils sont alcalins. Leur rôle est de neutraliser l'acidité du chyme, produit par l'estomac. Les aliments très raffinés ou lourds à digérer, comme la viande rouge par exemple, nécessitent un surcroît de travail dans cette étape de la digestion. En effet, l'intestin grêle doit travailler plus dur pour les fractionner et en extraire les nutriments. Les sucs pancréatiques contiennent également certaines enzymes qui fractionnent au maximum les graisses, les protéines et les hydrates de carbone, pour qu'ils puissent être absorbés dans le sang.
- **Les sucs intestinaux.** Ces sucs sont produits dans les intestins et contiennent d'autres enzymes digestives. Une alimentation riche en produits raffinés peut affecter la quantité de ces sucs ; ces aliments raffinés ont un effet purgeant et drainant sur le métabolisme, et l'organisme est alors moins efficace pour extraire les nutriments de l'alimentation.

Le gros intestin

Les aliments non digérés passent dans le gros intestin. À cause d'une mauvaise digestion ou en période de stress, les aliments non digérés ainsi que les déchets peuvent s'y accumuler. Il en résulte alors la formation de gaz pouvant induire ballonnements, vents et douleurs gastriques. C'est également dans le gros intestin que les fèces sont stockées avant de passer dans le colon et d'être finalement évacuées.

L'équilibre du système digestif

Quand tout le système digestif est bien équilibré, les aliments sont rapidement et facilement digérés, permettant ainsi à l'organisme d'extraire les nutriments dont il a besoin et de fonctionner efficacement. Une alimentation déséquilibrée, le stress, des produits raffinés, l'inactivité et un mauvais état général peuvent affecter l'efficacité de la digestion. L'organisme est alors agressé ; il en résulte des problèmes dermatologiques, de concentration et de léthargie, sans compter l'augmentation des risques de troubles plus sérieux.

◄ **Optez pour la variété**
Vous devez apporter à votre organisme une alimentation saine et équilibrée, mais cela ne veut pas dire pour autant qu'elle doive être insipide et triste. Innovez donc avec de nouveaux ingrédients et osez les influences culinaires inédites.

Point de départ

Le système cardio-vasculaire

Il est formé par le cœur, le sang, les vaisseaux sanguins et le système lymphatique. De tous les organes, le cœur est le muscle le plus important et le plus fabuleux. Les avancées de la médecine ont considérablement réduit le nombre de troubles vasculaires, notamment une insuffisance valvulaire (longtemps première cause des crises cardiaques) ; toutefois, dans les pays industrialisés, les infarctus demeurent la première cause de mortalité chez les plus de 35 ans. La recrudescence des troubles cardio-vasculaires est principalement due à une mauvaise hygiène de vie. Tabac, aliments riches en cholestérol, consommation excessive d'alcool et surcharge pondérale, entraînant diabète, hypertension, mauvaise condition physique sont autant de facteurs qui concourent à affaiblir le système cardio-vasculaire.

Au repos, le cœur pompe environ 6 à 7 litres de sang par minute. Quand le sang passe par les poumons, il se charge en oxygène qui navigue alors des alvéoles (petits sacs à air) aux vaisseaux sanguins qui assureront sa distribution dans tout le corps. Le sang débarrasse les déchets de dioxyde de carbone accumulés dans les poumons, d'où ils sont rejetés lorsque l'on expire. Plus on s'active, plus l'organisme a besoin d'oxygène, et plus le volume du flux sanguin par minute augmente. Lorsqu'on respire plus rapidement, on amène davantage d'oxygène aux poumons. Une fois l'oxygène transporté par les cellules sanguines, il peut alimenter les muscles actifs et les organes internes – y compris le cerveau – sans oublier le cœur lui-même.

Il est important de comprendre les troubles susceptibles d'affecter le cœur si l'on veut le protéger.

L'athérosclérose est une des causes les plus fréquentes des pathologies cardio-vasculaires. Cet état est le résultat d'un excès de graisses et de cholestérol dans le sang, qui provoque alors une accumulation de dépôts graisseux sur les parois des artères. En conséquence, l'intérieur des artères se rétrécit, augmentant la pression, réduisant le flux sanguin et risquant finalement de s'obstruer entièrement. L'athérosclérose entraîne des douleurs au niveau de la poitrine (angine de poitrine). En fait, le cœur a de plus en plus de mal à fonctionner et les risques de mort sont probables.

▶ **Variez vos activités sportives**
Une activité régulière, demandant coordination et grands mouvements dynamiques, améliore votre capacité aérobique et permet ainsi de stimuler les autres systèmes vitaux de l'organisme.

Il est donc indispensable de maintenir un système cardio-vasculaire sain et un bon bilan sanguin. Cela signifie que le sang qui est pompé doit être suffisamment riche en nutriments pour alimenter l'organisme et ainsi optimiser son efficacité. Néanmoins, si les artères se bouchent à cause d'une alimentation trop riche en graisses et en sucres, même le cœur le plus solide aurait du mal à résister !

Une activité physique régulière diminuerait aussi les risques de thrombose (caillot dans un vaisseau empêchant le flux sanguin). Parfois, des particules du caillot peuvent se fractionner et se loger à différents endroits. Si un caillot atteint les poumons, c'est l'embolie, qui peut entraîner la mort.

La tension artérielle

Il s'agit de la pression exercée par le sang sur les parois des artères. De nos jours, l'hypertension – tension artérielle constamment trop élevée – touche une population de plus en plus large. Ce trouble est généralement dû à l'accumulation de graisses à l'intérieur des artères, dont les parois s'épaississent et perturbent alors le passage du flux sanguin. Il en découle une augmentation de la pression au niveau des artères et une sollicitation plus importante du cœur puisqu'il doit travailler plus dur pour pomper le sang.

Les experts ont établi un lien entre hypertension et stress, si bien que même sans présenter le moindre symptôme, le risque d'attaque cardiaque et d'infarctus redouble. Une bonne alimentation, notamment pauvre en graisses et en sel, et une activité sportive régulière, associées à des plages de repos et de sommeil réparateurs peuvent réduire considérablement l'hypertension.

L'hypotension peut, elle aussi, créer des problèmes. Elle survient lorsque le sang circule dans les artères avec moins de force qu'il ne le devrait. Cet état est moins dangereux que l'hypertension, mais révèle cependant une déficience de l'organisme. Une tension artérielle normale est indispensable pour alimenter en sang et en nutriments tout l'organisme. L'hypotension peut entraîner une mauvaise circulation sanguine. Les symptômes vont de la tête qui tourne, à l'engourdissement ou au refroidissement des extrémités (doigts et orteils). On peut remédier à l'hypotension liée à l'anémie (carence en fer) en consommant beaucoup d'aliments ferrugineux (*voir page 31*).

Le système nerveux

Il s'agit sans aucun doute du système organique le plus complexe : en effet, il est à l'origine de chaque action (volontaire et involontaire). Le cerveau reçoit des signaux nerveux en réponse à une stimulation externe ou interne, puis envoie des messages sous forme de signaux chimiques et électriques aux différents organes du corps.

Même si ce réseau de chemins nerveux est d'une technicité extraordinaire et sait s'adapter à de nouvelles situations, il est incroyablement fragile ; il est donc vital d'en prendre soin, car des terminaisons nerveuses endommagées ne se régénèrent jamais totalement. Néanmoins, quand on les sollicite, les nerfs ont une remarquable capacité à se développer et s'adapter ; c'est pourquoi, au fil du temps, les séances d'entraînement

▲ **La puissance musculaire**
Le sport renforce les muscles, mais améliore aussi les réflexes qui, eux-mêmes, accroissent les performances sportives.

deviendront plus faciles et plus rapides. La puissance musculaire ne dépend pas uniquement du gain de volume. Lorsqu'on sollicite les muscles pour s'entraîner ou simplement accomplir une tâche, il y a augmentation de la stimulation nerveuse, et par conséquent, augmentation de l'activité électrique au niveau des nerfs ; il en résulte une plus forte sollicitation des fibres musculaires. C'est cette stimulation qui va accroître la puissance musculaire sans pour autant augmenter le volume des muscles. Le sport habitue l'organisme à répondre rapidement à de nouvelles situations, améliorant ainsi les communications entre le cerveau et les autres parties du système nerveux. La maladie, les virus, les troubles circulatoires et les drogues sont autant de facteurs affectant les nerfs et brouillant les messages chimiques que le cerveau envoie. C'est pourquoi après la consommation d'alcool ou de drogues, toutes nos réactions sont affaiblies.

Des études ont prouvé qu'une activité sportive régulière associée à une alimentation équilibrée réduisait les risques de crise cardiaque. Tous les exercices de cardio-training sont particulièrement bénéfiques car ils améliorent la circulation sanguine et augmentent l'apport de sang vers le cerveau.

Définir ses objectifs

L'échec de la plupart des méthodes ou programmes de remise en forme n'est pas dû à un manque de concentration ou de motivation de la part des participants, mais plutôt à l'absence de directives. Il ne suffit pas de faire un peu de sport en dilettante pour se remettre en forme. En effet, chaque individu réagit différemment à une sollicitation, il convient donc de bien connaître ses besoins et ses capacités. Avant de débuter n'importe quel programme ou méthode, il est impératif de définir clairement et de façon concrète des objectifs.

Comment procéder ?

Essayez de vous voir de manière objective. C'est votre santé qui est en jeu, et vous seul pouvez décider de la renforcer, de la négliger ou de la ruiner totalement. Il peut être utile de repenser à d'anciennes tentatives de régime ou de remise en forme infructueuses et réfléchir aux causes de ces échecs. Peut-être étaient-elles difficiles à suivre et à intégrer dans votre vie quotidienne ? Quel était l'obstacle majeur ?

Examinez vos performances lorsque vous avez réussi à suivre un programme de fitness. J'emploie le terme « performances » car l'objectif est d'évaluer vos tentatives passées de la même façon qu'on évaluerait un projet professionnel. D'ailleurs, pourquoi votre programme de santé devrait-il être différent en terme de priorité, d'effort et d'engagement qu'un dossier professionnel ? Vous pouvez peut-être aller travailler chaque matin sans gros effort particulier, mais il peut vous sembler quasi-impossible d'inclure une séance de sport dans votre emploi du temps ou de résister à un pain au chocolat. Votre travail est-il réellement plus important que votre santé ? Parfois, il n'est pas facile d'intégrer une activité sportive dans son environnement, mais il est essentiel de trouver un compromis, parce qu'un corps

sain et en forme affecte positivement chaque aspect de votre vie. Votre santé et votre condition physique nécessitent le même sérieux qu'un projet professionnel ; il faut donc leur consacrer le temps qu'elles méritent.

Chaque personne est différente – leurs objectifs aussi – mais elles peuvent avoir en commun un programme bien déterminé ou un carnet de bord qui les aide à atteindre leurs objectifs. Que ce soit une simple remise en forme, une préparation à un marathon ou un amaigrissement ciblé, tout le monde peut bénéficier d'un circuit motivant et correspondant exactement à ses besoins.

▶ **Fixez-vous des objectifs à long terme**
Aucun programme n'est capable de donner des résultats instantanés ; ce sont les objectifs progressifs qui vous garderont constamment motivé et vous permettront d'atteindre votre but à long terme.

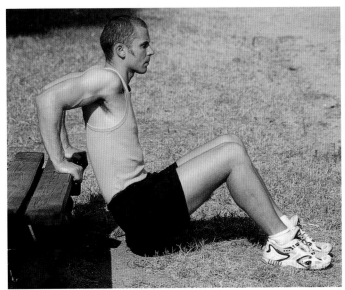

▲ **Bougez davantage**
Oubliez la voiture et marchez, descendez du bus un arrêt plus tôt, ou entraînez-vous en plein air (*voir programme pages 188-189*).

▲ **Réservez du temps pour faire du sport**
Votre santé et votre forme sont primordiales. Accordez-leur une place suffisante dans votre vie.

Les objectifs à long terme

La première étape est d'acheter un carnet de bord et d'y inscrire votre objectif. Il doit être réalisable en trois à six mois, car ce laps de temps est plus facile à gérer – au delà, on perd intérêt et motivation. Notez donc dans votre carnet cet objectif, la date à laquelle il devra être atteint et les paramètres de succès et d'échec. Un objectif fréquemment recherché est la perte de poids, mais il serait utopique de prendre comme but une perte de 25 kg en dix semaines, alors qu'on sait pertinemment que perdre 2,5 kg par semaine est aussi dangereux qu'inconscient. Alors, restez raisonnable ; un mauvais objectif ne peut causer que déception et échec.

Les programmes de cet ouvrage vous guideront et vous aideront à définir des objectifs réalistes ; les circuits d'entraînement stimuleront votre corps sans l'épuiser ; les conseils nutritionnels et diététiques fourniront à l'organisme les nutriments dont il a besoin pour fonctionner de façon optimale. Votre objectif à long terme doit être clair et contenir une cible spécifique vers laquelle vous vous dirigerez. Soyez très précis. Combien voulez-vous perdre exactement ? À quelle vitesse voudrez-vous courir ? Quelle sera votre nouvelle taille de vêtements ? Il est impératif de tenir son engagement et de considérer son objectif comme s'il s'agissait du projet personnel le plus important jamais entamé. Si vous ne le prenez pas suffisamment au sérieux, vous trouverez des prétextes pour ne pas le mener à terme. Attention : vous définissez votre objectif pour vous-même, et personne d'autre.

Les objectifs à court terme

Dans le carnet, étalez votre objectif à long terme du premier au dernier jour du programme, en établissant plusieurs objectifs à court terme. Notez des buts hebdomadaires ou quotidiens que vous barrerez au fur et à mesure de leur accomplissement. Les objectifs à court terme doivent être réservés à vos séances d'exercices, vos plages de repos et votre alimentation ; ils doivent être aussi clairs et précis que possible. Ainsi, vous pouvez décider d'augmenter progressivement les charges avec lesquelles vous travaillez, les répétitions, les distances de course parcourues, ou encore votre consommation d'eau – pensez à diminuer le thé et le café. Les programmes définissent des objectifs à court terme sportifs et nutritionnels. Les consigner dans votre carnet de bord vous aidera à suivre correctement les circuits et à atteindre votre objectif final. Chaque fois qu'un objectif n'est pas atteint, inscrivez-le de nouveau sur votre liste d'objectifs à court terme.

En dehors de vos objectifs quotidiens déterminés par votre programme sportif, fixez-vous plusieurs buts hebdomadaires. Considérez cette démarche comme un projet professionnel ou une carte routière qui vous mènera à destination. Votre succès en dépendra.

Point de départ

L'importance de la motivation

Même avec la meilleure des volontés, nous connaissons tous des moments de découragement où nous nous trouvons toutes sortes d'excuses : « je rattraperai demain, je m'y remettrai sérieusement la semaine prochaine »… Nous invoquons tous ces prétextes pour nous justifier de ne pas accomplir les choses nécessitant un effort supplémentaire. Cependant, trop d'excuses comme celles-ci risquent de vous empêcher d'atteindre votre objectif ultime. En notant votre programme par écrit et en respectant les objectifs, vous multipliez les chances de réussite.

Rester motivé

Parfois, on peut perdre de vue son objectif à long terme et céder à des pulsions de paresse occasionnelles, car après tout, nul n'est parfait (d'ailleurs, ce serait trop ennuyeux). Toutefois, il faut savoir que la plupart de nos actions ont des conséquences positives ou négatives sur l'organisme ; une bonne hygiène de vie permet de contrebalancer ces répercussions et d'atteindre un équilibre parfait.

Cela dit, il y a des moments où il n'est pas possible de suivre un programme qui exige un profond engagement. Un traumatisme, comme un deuil ou une autre tragédie personnelle, peut vous contraindre à interrompre momentanément votre programme. Il est important de prendre un certain recul face aux événements – cela concourt à votre équilibre général. Parfois, un simple désintérêt pour l'objectif fixé peut suffire à faire vaciller vos bonnes résolutions. Vous pouvez peut-être regretter la vie que vous meniez avant de démarrez votre programme. Vos enfants vous occupent peut-être trop et lorsqu'ils sont au lit, vous n'aspirez qu'à vous reposer. Peut-être n'êtes-vous pas entièrement convaincu d'obtenir le corps désiré et pensez que tous vos efforts sont vains…

▶ **Restez ferme, mais tendre avec vous-même**
Prenez vos objectifs au sérieux, mais conservez un certain recul. Une petite entorse à la règle n'est pas catastrophique et ne doit en aucun cas fournir un motif d'abandon.

Le manque de confiance en soi est très démotivant. Si vous n'êtes pas convaincu de vos chances de réussite, l'échec est inévitable, mais à moins d'essayer, vous ne saurez jamais ce dont vous êtes capable, et sans définir des objectifs clairs et réalistes, vous diminuerez vos chances de réussite. Si vous pensez manquer de temps pour un programme de remise en forme à cause du travail, des enfants ou des obligations familiales, essayez de donner la priorité à vos propres besoins. En fait, vous constaterez qu'une activité sportive régulière augmentera vos performances au travail, vous donnera plus d'énergie avec vos enfants et enrichira les moments passés en famille.

Adaptez votre programme

Il est évident que, certains jours, vous ne pourrez pas vous entraîner, mais il est toujours possible de rattraper un objectif à court terme. Déterminez ce que vous avez éliminé et travaillez un peu plus lorsque cela s'avérera nécessaire. Ainsi, lorsque vous sautez une séance de cardio-training, travaillez un peu plus au cours de la prochaine. Il est inutile de paniquer si vous manquez une séance dans le mois. Toutefois, si vous en annulez une à deux par semaine, il faudra redéfinir votre objectif à long terme. De même il n'y a pas lieu de s'inquiéter si, deux jours sur sept, vous sautez le petit déjeuner. En revanche, si cela arrive cinq jours par semaine, il convient de reprendre des bonnes habitudes.

Si, en dépit de vos efforts les plus acharnés, vous ne parvenez pas à atteindre vos objectifs – à court et long termes – vous pouvez toujours les redéfinir. Dans ce cas, vos anciens objectifs à court terme deviendront vos nouveaux objectifs à long terme, que vous devrez néanmoins atteindre dans un court délai. En effet, au-delà, vous risquez de perdre de vue votre objectif à long terme, et celui-ci deviendra de plus en plus difficile à atteindre. Attention : cette stratégie ne diminue en rien le rôle des objectifs à long terme ; au contraire, elle souligne justement l'importance de buts raisonnables, ainsi que la prise en compte de vos propres limites et degré de motivation.

Les clés de la réussite

Ce sont les premiers pas vers une vie plus saine qui coûtent le plus. Peu à peu, les étapes deviendront plus faciles. Si vous vous sentez vaciller, repensez à tous les projets que vous avez menés à bien dans votre vie, et rappelez-vous que même les tâches les plus ardues paraissent rétrospectivement moins impressionnantes.

Il est plus facile de rester motivé lorsque l'on est soutenu par son entourage : amis, famille, collègues. Méfiez-vous néanmoins des personnes trop négatives ou désireuses de recommander un programme sportif ou un régime alimentaire miracle : mieux vaut rester concentré sur son propre programme et ne pas perdre de vue son objectif personnel.

Cependant, vous multiplierez vos chances de succès si vous pouvez compter sur le soutien d'au moins une personne. Passez du temps avec celle qui, selon vous, sera la plus susceptible de vous comprendre, et discutez de votre programme avec elle. Repérez par avance les points qui demanderont le plus d'effort et les moments où vous aurez

Objectif : perdre 6 kilos en 2 mois			
Date :	12/11	14/11	17/11
Développé couché	(35 kg/16 r/2 s)	(40 kg/14 r/2 s)	(40 kg/15 r/2 s)
Tirage des dorsaux	(40 kg/16 r/2 s)	(40 kg/16 r/2 s)	(45 kg/14 r/2 s)
Flexion de jambe	(25 kg/16 r/2 s)	(30 kg/14 r/2 s)	(30 kg/16 r/2 s)
Squat avec ballon	(25 fois)	(30 fois)	(30 fois)
Élévations latérales	(10 kg/12 r/1 s)	(10 kg/12 r/2 s)	(10 kg/14 r/2 s)
Remarques :	Me suis senti fatigué, bonne séance...	Cardio 85 % FCM, ai couru 20 min, bonne séance...	Ai mesuré mon taux de graisse et ai perdu 2 %...

r = répétitions

s = séries

▲ **Sachez planifier**
Définissez des objectifs clairs, réalistes, et surveillez vos progrès. Gardez un carnet de bord (*voir pages 216-217*) et, après chaque séance, notez vos impressions.

besoin d'encouragements. Vous seriez surpris de l'influence positive qu'un ami peut avoir et de son désir de vous aider à ne pas flancher. Cette personne peut être votre partenaire, un ami, un membre de votre famille, ou même un collègue – quelqu'un qui vous apprécie suffisamment pour souhaiter votre réussite. Impliquez cet allié dans votre vie, de façon qu'il ait un intérêt personnel dans votre succès. Qui sait, un jour, vous ferez peut-être la même chose pour lui !

Une fois votre allié en place, et votre programme choisi, vous voilà prêt à prendre les premières mesures qui changeront votre santé et votre condition physique pour le restant de vos jours. Mais ne perdez jamais de vue vos objectifs personnels et votre motivation. Souvenez-vous qui est le bénéficiaire de ce programme : vous !

Questionnaire nutritionnel

Ce questionnaire a été conçu pour vous faire réfléchir sur votre alimentation
et à ses répercussions sur l'organisme. Il s'agit également de déterminer votre niveau
d'hydration et votre équilibre acide/alcalin – qui peut affecter votre état général
et vous rendre apathique. Reportez-vous page 215 pour les résultats.

1 Quel volume d'eau buvez-vous par jour ?

a Moins d'un demi-litre
b Entre un demi-litre et un litre
c Plus d'un litre

2 Quelle est votre consommation quotidienne de thé ou café ?

a Plus de 4 tasses
b Entre 2 et 4 tasses
c 1 tasse ou moins

3 Quelle est votre consommation quotidienne de boissons gazeuses ou sucrées ?

a Plus de 4
b Entre 2 et 4
c 1 ou moins

4 Combien de fruits mangez-vous par jour ?

a de 0 à 1
b de 1 à 3
c Plus de 3

5 Combien de légumes frais mangez-vous par jour ?

a De 2 à 4
b De 4 à 7
c Plus de 7

6 Vous prenez un petit déjeuner copieux et équilibré...

a Jamais
b Parfois
c Toujours

7 Combien de fois dînez-vous après 20 heures ?

a Régulièrement
b De temps en temps
c Jamais

8 Combien de fois par jour mangez-vous de la viande ?

a 2 fois
b 1 fois
c Jamais

9 Combien de vos repas quotidiens contiennent-ils du blé ou des dérivés ?

a 3 repas
b 2 repas
c 1 repas

10 Souffrez-vous de l'estomac quand vous êtes contrarié ou stressé ?

a Souvent
b Parfois *(entouré)*
c Jamais

11 Avant ou après vos repas, souffrez-vous de douleurs intestinales ou abdominales ?

a Souvent
b Parfois
c Jamais *(entouré)*

12 Avez-vous des indigestions ou prenez-vous régulièrement des pansements gastriques ?

a Souvent
b Parfois *(entouré)*
c Jamais

13 Combien de doses d'alcool consommez vous par semaine ?
(1 dose = 1 verre de vin, 1 mesure d'alcool fort ou la moitié d'un demi de bière)

a Homme : plus de 21 doses
Femme : plus de 16 doses
b Homme : de 14 à 20 doses
Femme : de 8 à 15 doses
c Homme : moins de 13 doses *(entouré)*
Femme : moins de 7 doses

14 Après les repas, souffrez-vous de ballonnements ?

a Souvent *(entouré)*
b Parfois
c Jamais

15 Mastiquez-vous suffisamment vos aliments ?

a Non *(entouré)*
b Oui

16 Souffrez-vous de constipation ou de diarrhée ?

a Souvent
b Parfois *(entouré)*
c Jamais

17 Avez-vous des aigreurs d'estomac ?

a Souvent
b Parfois
c Jamais *(entouré)*

18 Souffrez-vous d'ulcères ou de gastrites ?

a Souvent
b Parfois
c Jamais *(entouré)*

19 Avez-vous des coups de pompe dans l'après-midi ?

a Souvent
b Parfois *(entouré)*
c Jamais

20 Raffolez-vous de sucreries comme le chocolat ?

a Souvent
b Parfois
c Jamais *(entouré)*

21 Mangez-vous très rapidement? Avalez-vous la nourriture sans la mâcher ?

a Oui *(entouré)*
b Non

22 Passez-vous plus de quatre heures sans manger ?

a Souvent
b Parfois *(entouré)*
c Jamais

23 Combien de vos repas ou en-cas quotidiens sont-ils composés de pain, pommes de terre, pâtes ou riz blanc ?

a 3 ou plus
b 1 à 2 *(entouré)*
c 0

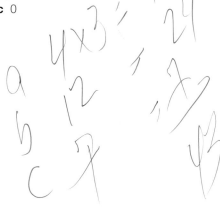

Point de départ

21

Questionnaire physique

Les tests ci-dessous vont déterminer votre capacité cardio-vasculaire, votre force, votre souplesse et votre morphologie. Vos réponses permettront d'évaluer votre quotient-forme actuel. Avant de démarrer un programme, il est impératif de répondre à ce questionnaire. Reportez-vous ensuite à la page 215 pour les résultats.

1 Indice de Masse Corporelle (IMC) Ce test détermine votre poids en fonction de votre taille et indique où il se situe par rapport à un poids idéal. Divisez votre poids (en kilogrammes) par votre taille au carré (en centimètres).

Par exemple, si vous pesez 52 kg pour 1,72 m, vous élevez votre taille au carré (1,72 x 1,72 = 2,96), puis vous divisez 52 par 2,96, ce qui vous donne un IMC de 18.

a Homme : 26,1 ou plus
Femme : 26,1 ou plus
b Homme : de 21 à 26
Femme : de 21 à 26
c Homme : jusqu'à 20,9
Femme : jusqu'à 20,9

2 Trois minutes de steps. Il s'agit de tester votre forme cardio-vasculaire. Montez et descendez d'un step ou d'un banc d'environ 40 cm de hauteur (*voir page 109*). Essayez d'avoir une cadence de 30 pas par minute. Faites l'exercice pendant 3 minutes, en respirant normalement. Arrêtez vous et prenez votre pouls pendant 15 secondes (*voir page 55*). Multipliez ce nombre par 4. Vous obtiendrez alors le nombre de battements par minute.

a Homme : 157 ou plus
Femme : 167 ou plus
b Homme : 131 à 156
Femme : 141 à 166
c Homme : 120 à 130
Femme : 128 à 140

3 Une minute de pompes. Il s'agit de tester la puissance du haut du corps. Exécutez un maximum de pompes ou de demi-pompes (*voir page 85*) en 1 minute. Vous garderez le même mode de pompes choisi pour vous tester à nouveau dans le futur. Si vous ne pouvez pas faire 1 minute entière de pompes, comptez le nombre de répétitions correctement effectuées.

Pompes

a Homme : 9 ou moins
Femme : 4 ou moins
b Homme : 10 à 30
Femme : 5 à 15
c Homme : 31 ou plus
Femme : 16 ou plus

Demi-pompes

a Homme : 29 ou moins
Femme : 24 ou moins
b Homme : 30 à 50
Femme : 25 à 40
c Homme : 51 ou plus
Femme : 41 ou plus

58
345

6 **Rapport hanches-taille.** Il s'agit
d'évaluer votre morphologie et
la répartition de la masse graisseuse.
Mesurez vos hanches (juste en dessous
du bassin) puis votre taille (au niveau
du nombril). Divisez ensuite la mesure
des hanches par celle de la taille.

a Homme : plus de 0,95
  Femme : plus de 0,86
b Homme : de 0,81 à 0,94
  Femme : de 0,71 à 0,85
c Homme : moins de 0,8
  Femme : moins de 0,7

4 **Une minute de relevés de buste.**
Il s'agit de tester vos abdominaux
(muscles de l'estomac). Effectuez
un maximum de relevés de buste en
1 minute (*voir page 102*). Faites une
pause si vous en ressentez le besoin,
mais maintenez une technique correcte.

a Homme : 24 ou moins
  Femme : 24 ou moins
b Homme : 25 à 45
  Femme : 25 à 45
c Homme : 46 ou plus
  Femme : 46 ou plus

5 **Élongation du buste en position
assise.** Il s'agit d'évaluer la
souplesse de votre colonne vertébrale
et de vos jambes. En position assise,
adossé contre un mur, les jambes
étendues, penchez-vous en avant
et essayez d'attraper vos chevilles.
Notez où vous vous arrêtez.

a Cuisses
b Genoux
c Tibias ou plus bas

$a = 1 = 1$
$b = 3 = 6$
$c = 2 = 6$
13

Une alimentation équilibrée

Une alimentation équilibrée

Tout programme sportif ou de remise en forme doit s'accompagner de conseils diététiques avisés. Même avec un entraînement régulier, vous n'optimiserez jamais votre condition physique à moins d'apporter parallèlement à votre organisme les aliments nourrissants dont il a besoin pour fonctionner efficacement. Le but n'est pas d'imposer des interdits et des recommandations draconiens qui doivent dicter votre vie, mais plutôt de vous donner l'opportunité d'apprécier ce que vous consommez.

Tout savoir sur les régimes

La plupart du temps, le mot « régime » évoque automatiquement une perte de poids. Or, un régime définit simplement un type d'alimentation défini. Dans la majeure partie du monde occidental, à cause d'une alimentation trop riche et d'un mode de vie sédentaire, l'obésité prend des proportions endémiques. Pour lutter contre ce phénomène, il ne suffit pas de faire la guerre aux calories, mais il convient d'apporter à l'organisme assez d'énergie et de nutriments – sous forme d'aliments nutritifs – afin qu'il fonctionne correctement et se renforce.

Les régimes les plus courants

Dans notre quête du régime idéal, nous avons analysé différents schémas alimentaires afin de trouver une réponse aux problèmes nutritionnels modernes. Parmi tous les régimes proposés aujourd'hui, difficile d'en recommander un en particulier, mais on peut déconseiller ceux qui excluent certains types d'aliments. Voici toutefois le point de vue d'un diététicien et d'un psychologue sur les régimes les plus couramment pratiqués.

Le régime hyperprotéiné

Ce régime préconise une forte consommation de viande, volaille, poisson, œufs et fromages, mais pas d'hydrates de carbone. La théorie est la suivante : une forte consommation d'hydrates de carbone élève le taux d'insuline dans le sang, et, comme l'insuline favorise le stockage des graisses, obésité et problèmes de santé sont inévitables. Les protéines sont des nutriments essentiels à l'organisme et à la base des processus de croissance, de régénération et de régulation. Tout excès de protéines peut fournir un apport énergétique à l'organisme, même si ce n'est pas sa source d'énergie préférée. L'organisme utilise les hydrates de carbone (sucres et amidon) pour réguler le taux de glycémie. Le glucose est utilisé comme énergie par

les cellules et le cerveau. Si notre consommation en hydrates de carbone est faible, l'organisme doit puiser son énergie ailleurs ; c'est ainsi qu'il utilisera les protéines pour fabriquer du glucose. De plus, les graisses sont également digérées différemment, produisant une source d'énergie alternative appelée « corps cétoniques ». Si la consommation en hydrates de carbone est trop faible, l'organisme se retrouve en tel manque, qu'il se met en mode « ralenti ». Il produit alors trop de corps cétoniques, bouleversant ainsi son équilibre acido-basique et éliminant par les urines des minéraux comme le potassium. Cette perte excessive de fluides explique la rapide perte de poids initiale. Les autres effets secondaires de ce régime entraînent également vertiges, fatigue, maux de tête, nausées et une haleine très chargée.

▶ **Mangez bien, vivez bien**
Beaucoup de fruits, de légumes, et une grande quantité d'aliments nutritifs sauront satisfaire les besoins de l'organisme.

D'après nos études, la perte de poids est uniquement due aux restrictions imposées : peu d'aliments gras et sucrés, et davantage de fruits et légumes. De plus, ce régime est tellement contraignant à suivre dans le cadre d'une vie normale que l'on finit par manger de moins en moins, et donc par perdre du poids.

Le régime méditerranéen

Ce régime est souvent cité en exemple. Effectivement, on peut constater que le pourcentage de maladies cardio-vasculaires dans les pays méditerranéens est inférieur à celui recensé au Royaume-Uni, aux États-Unis et dans d'autres pays européens, ce qui corrobore les effets positifs de ce type d'alimentation. Pourtant, on y utilise beaucoup d'huile d'olive et, par conséquent, le pourcentage de lipides ingérés est nettement supérieur aux recommandations diététiques traditionnelles. La raison réside peut-être dans la nature des corps gras utilisés qui sont ce que j'appelle des « bonnes graisses », c'est-à-dire des graisses mono-insaturées. De plus, les Méditerranéens consomment beaucoup de fruits et de légumes. Les gens font souvent leur marché au jour le jour et préparent leurs repas à partir d'aliments non raffinés, garants de fraîcheur. De surcroît, l'alimentation ne contient que très peu de sucres raffinés.

Culturellement, les Méditerranéens prennent aussi le temps de manger et accompagnent souvent leur repas d'un verre de vin. Cela signifie que la nourriture est bien mastiquée dans la bouche, avant d'être avalée, permettant alors une meilleure digestion. Par contraste, partout ailleurs, le rythme de vie a tendance à être plus rapide, plus stressant, ne laissant que peu de temps pour les repas.

Toutefois, le régime méditerranéen contient trop d'hydrates de carbone (amidon) comme les pâtes et le pain, et apporte beaucoup trop de calories. De plus, les matières grasses de l'alimentation sont peut-être « bonnes », mais un mode de vie sédentaire n'évite pas le stockage des calories sous forme de graisse, induisant alors une surcharge pondérale – les risques de troubles cardio-vasculaires sont cependant réduits par rapport à ceux déclenchés par l'alimentation occidentale traditionnelle. En résumé, il vaut mieux éviter le régime méditerranéen si l'on désire perdre du poids ; mais si on est actif, sans problème de surcharge pondérale, il ne présente aucun aspect négatif. D'ailleurs, le régime que nous vous proposons page 33 en optimise les points forts tout en éliminant ses problèmes.

▲ Le régime méditerranéen en question
Il est riche en fruits et légumes, mais également en lipides et hydrates de carbone (amidon). En d'autres termes, associé à un mode de vie sédentaire, ce régime peut favoriser la prise de poids.

Le régime dissocié

Selon ses principes, l'association de certains aliments contrarie leur bonne digestion. Ainsi, le régime dissocié interdit de consommer des hydrates de carbone et des protéines à un même repas, ce qui rend difficile la conception d'un repas. Par exemple, sont interdits les spaghetti à la bolognaise, les plats de poisson ou de viande accompagnés de pommes de terre, ou encore les quiches.

Selon la théorie des adeptes du régime dissocié, le temps de digestion varie en fonction du type d'aliments. Donc, un repas ne doit comprendre que des aliments qui nécessitent le même temps de digestion car l'organisme ne pourrait mener de front plusieurs processus digestifs.

Les aliments clés

Pour fonctionner de façon optimale, l'organisme a besoin d'une vaste palette de nutriments. Chaque nutriment présent dans l'alimentation a un rôle bien défini à jouer, mais il y a interaction avec tous les autres nutriments. Sans nutriments essentiels (hydrates de carbone, lipides, protéines, fibres, vitamines et minéraux) et sans eau, l'organisme tourne rapidement au ralenti. Afin de choisir son régime en toute sécurité, il convient donc de connaître les règles de base d'une alimentation parfaitement équilibrée.

Les hydrates de carbone

Le rôle principal des hydrates de carbone est de fournir une source d'énergie à l'organisme. Ce dernier les transforme en glucose, qui est utilisé comme énergie. Les hydrates de carbone constituent une source d'énergie particulièrement importante pour le cerveau. Ils sont divisés en sucres simples et sucres complexes, composés d'amidon et de fibres alimentaires.

Les sucres simples ou rapides

Ils sont constitués d'unités – ou « molécules » – de sucre et sont généralement d'une saveur douce. Ces sucres proviennent des fruits, de certains légumes, du lait et du saccharose ou sucre de table (issu de la canne à sucre ou de la betterave). On ajoute du saccharose aux aliments comme les glaces, les biscuits, le chocolat, les pâtisseries, ainsi qu'à la plupart des sodas. Les sucres simples fournissent de l'énergie rapidement disponible, ce qui signifie que l'organisme les digère sans attendre. C'est pourquoi, après avoir consommé un aliment riche en sucre, on ressent un regain d'énergie. Tous ces aliments ont un indice glycémique élevé.

Les sucres complexes ou lents

Ils sont constitués d'amidon et de fibres. Leur structure est plus complexe que celle des sucres simples et, par conséquent, l'organisme met davantage de temps à les digérer. C'est aussi

▲ Le pain complet
Remplacez le pain blanc (à base de farine raffinée) par du pain complet qui, lui, est fabriqué avec de la farine complète, c'est-à-dire riche en nutriments, et garant d'énergie prolongée.

pourquoi on ne ressent pas de « pic d'énergie » après leur consommation. En effet, l'énergie est libérée graduellement et son action est plus durable. Les sources de sucres complexes incluent les céréales et les produits céréaliers comme le pain et les pâtes, les fruits, les légumes frais et secs, et les produits laitiers. Parmi les féculents, on distingue les hydrates de carbone « lourds », comme le pain blanc, le riz blanc, les pâtes blanches et les pommes de terre, et les hydrates de carbone « légers », comme le pain complet, le riz brun ou sauvage, les légumes frais et secs, et les céréales.

Les hydrates de carbone lourds possèdent un indice glycémique élevé (entraînant une forte production d'insuline) et sont plus difficiles à digérer.

On classe les fibres parmi les hydrates de carbone. Elles proviennent de la partie structurale des plantes et ne peuvent être digérées par l'organisme. Les fibres facilitent le passage des aliments digestibles à travers les intestins (gros et grêle) et constituent une bonne arme contre les problèmes de constipation. On trouve des fibres dans les légumes, les fruits, les légumes secs, et les céréales complètes.

Les hydrates de carbone et l'insuline
Il y a cinquante ans, notre alimentation contenait davantage de féculents et de fibres et moins de sucres ajoutés.

Il a été prouvé que les aliments riches en hydrates de carbone et rapidement digérés, comme la plupart des produits sucrés et raffinés et autres hydrates de carbone lourds (comme le riz blanc et les pommes de terre) élevaient rapidement la glycémie et provoquaient une rapide décharge d'insuline. En revanche, les hydrates de carbone lentement digérés – hydrates de carbone légers comme le pain complet, le riz brun, les légumes frais et secs – n'élèvent pas la glycémie de la même manière et induisent une libération d'insuline plus graduelle. En privilégiant les hydrates de carbone légers, on produit moins d'insuline et, par conséquent, l'appétit est mieux régulé. Une forte concentration d'insuline empêche également l'organisme d'utiliser les graisses comme source d'énergie, rendant donc plus difficile leur élimination.

Les graisses
Il faut rappeler que les matières grasses sont réparties en « bonnes » et « mauvaises » graisses. Les bonnes sont indispensables à l'organisme car elles jouent un rôle dans la production d'énergie et la protection du système immunitaire ; elles améliorent aussi l'état de la peau et des cheveux. Les mauvaises, quant à elles, n'ont pas le moindre effet positif sur l'organisme.

Les bonnes graisses
On appelle « bonnes graisses » les corps gras insaturés : huiles et graisses poly et mono-insaturées, qui se trouvent, à température ambiante, généralement à l'état liquide et qui, en raison de leur relative fragilité chimique, peuvent rapidement tourner si elles ne sont pas conservées correctement. L'organisme exploite ces graisses comme source d'énergie et comme aide pour extraire l'énergie d'autres sources alimentaires. On trouve ces graisses dans l'huile d'olive, les noix, les œufs, l'huile de lin et les graines de tournesol, ainsi que dans les poissons gras comme le maquereau, le thon frais, le saumon et les sardines. Les bonnes graisses aident à la production d'énergie et accélèrent le métabolisme. Elles renforcent aussi le système immunitaire, favorisent le transport des vitamines, purifient le sang et luttent contre les troubles cardio-vasculaires, certains cancers, l'arthrite et les problèmes articulaires.

◀ **Les poissons gras**
Tâchez de manger souvent des poissons gras. Ils regorgent de nutriments et d'acides gras essentiels qui ont d'innombrables effets positifs sur tout l'organisme.

Une alimentation équilibrée

Les mauvaises graisses

Il s'agit des graisses saturées que l'on trouve, à l'état solide, à température ambiante. Elles sont souvent utilisées dans les produits raffinés. Ces graisses obstruent les artères (un peu comme les dépôts calcaires dans les canalisations) et épaississent le sang, ce qui entraîne une élévation de la tension artérielle et un accroissement du risque de crise cardiaque. Ces graisses proviennent des viandes grasses, du beurre, de la margarine, des fromages et des pâtisseries.

Les graisses visibles et cachées

Il existe des graisses « visibles », comme le beurre, les huiles et le gras de la viande, et des graisses « invisibles », que l'on avale sans le savoir et qui échappent à notre attention, comme celles contenues dans les biscuits, gâteaux, sucreries, noix, fromages et autres produits laitiers ou d'origine animale. Tous ces corps gras se divisent en bonnes et mauvaises graisses ; il suffit de savoir quels aliments les contiennent.

Les graisses hydrogénées

De nombreuses margarines contiennent des huiles hydrogénées – c'est-à-dire qui ont subi un traitement de solidification. Ce processus d'hydrogénation dénature la composition chimique des bonnes graisses qui acquièrent alors les caractéristiques des mauvaises. C'est pour cela que l'on considère toutes les graisses hydrogénées comme mauvaises, quelle que soit l'huile de base. Leur consommation à faible dose est sans danger, mais elles se trouvent souvent en grande quantité dans les aliments raffinés. Choisissez donc une margarine ou pâte à tartiner sans graisses hydrogénées.

Les protéines

Les protéines constituent les fondations de l'organisme. La perpétuelle reconstruction, croissance et régénération de l'organisme dépend entièrement des protéines et des acides aminés qui les composent. Sans protéines dans l'alimentation, l'organisme ne peut fonctionner efficacement et on assiste au ralentissement de ses fonctions vitales. Un excès de protéines peut être converti en énergie, mais ne devrait en aucun cas constituer la principale source d'énergie (voir « le régime hyperprotéiné » page 26).

La viande constitue une bonne source de protéines, mais il en existe d'autres, généralement pauvres en graisses saturées (à l'exception des fromages) : noix, graines, œufs (de préférence bio), soja, tofu, légumes secs et fromages. Quand on est végétarien, il est important de diversifier l'origine de ses protéines, parce qu'il n'existe que peu d'aliments végétaux contenant tous les acides aminés essentiels. Par conséquent, mangez aussi varié que possible, pour répondre aux besoins de l'organisme.

Les minéraux

Il est possible d'obtenir tous les minéraux indispensables à partir d'une alimentation équilibrée. Les minéraux sont essentiels à l'entretien et à la croissance des os et des dents, au transport des nutriments vers et à l'intérieur des cellules, ainsi qu'au contrôle de la composition des fluides organiques. Les minéraux jouent le rôle de catalyseurs d'enzymes dans la production d'énergie et ont une fonction importante dans le maintien de la qualité et de la composition du sang.

▼ **Faites le plein de vitamines et de minéraux**
Les légumes verts sont riches en vitamines A et C. Mangez-les crus ou légèrement cuits, afin qu'ils conservent le maximum de nutriments.

◄ Les fraises
Elles sont très riches en vitamine C, et pauvres en calories.

Phosphore : Essentiel pour les dents et les os; meilleures sources : poissons, fruits de mer, volaille, fromages, œufs, yaourts.

Potassium : régule la tension artérielle et les fonctions nerveuses et musculaires; meilleures sources : concentré de tomate, jus, fruits, noix, légumes secs, légumes, vin rouge.

Sélénium : important pour les enzymes antioxydants fabriqués par l'organisme et luttant contre les radicaux libres; meilleures sources : noix, algues, poissons, crevettes, céréales complètes, viande.

Sodium : régule l'équilibre aqueux de l'organisme et les fonctions nerveuses; meilleures sources : sel de table, pain complet.

Zinc : entretient la santé des nerfs, des tissus du cerveau et du système immunitaire; meilleures sources : viande, foie, œufs, haricots secs, miso (sorte de tofu japonais), graines de citrouille.

Vitamines

L'organisme a besoin de vitamines pour réguler ses fonctions vitales, entretenir les os, la peau, le sang et les nerfs, et rester fort. Tâchez de consommer un maximum de vitamines.

Vitamine A : essentielle pour la vue, la peau et les tissus cellulaires; meilleures sources : produits laitiers, poissons, foie, jaune d'œuf.

Vitamine B : essentielle dans la production d'énergie, l'élimination de l'alcool, le métabolisme des acides aminés, les globules rouges et les fonctions nerveuses; meilleures sources : viande, germe de blé, œufs, cacahouètes.

Vitamine C : nécessaire pour l'entretien des tissus conjonctifs et des fonctions immunitaires; antioxydant puissant; aide à la régénération du corps; meilleures sources : agrumes, tomates, poivrons verts, légumes crucifères (choux…), fraises.

Vitamine D : entretient les os et aide à l'assimilation du calcium dans le sang; meilleures sources : produits laitiers, huile de foie de morue, poissons gras, œufs.

Vitamine E : puissant antioxydant; entretient la peau et ralentit le vieillissement; meilleures sources : huiles de germes de blé et de tournesol, graines, noisettes, avocats, et dans une moindre mesure : céréales, fruits, viande et épinards.

Vitamine K : essentielle dans la coagulation sanguine; meilleures sources : légumes crucifères, céréales, viande, yaourts et œufs.

Les minéraux suivants sont considérés comme essentiels et très importants pour la santé.

Calcium : construit les dents et les os, coagule le sang; meilleures sources : lait, fromage, légumes verts, légumes secs.

Chrome : régule le métabolisme et la production d'insuline; meilleures sources : légumes secs, céréales complètes, viandes, levure de bière.

Cuivre : aide à la production d'hémoglobine, améliore la qualité du sang et la condition de la peau et des cheveux; meilleures sources : foie, poissons, graines de tournesol, noix, champignons et pruneaux.

Fer : à l'origine des globules rouges et d'un sang sain; meilleures sources : céréales complètes, légumes verts, légumes secs, fruits secs, poissons gras et viande rouge.

Magnésium : assure la solidité des os, protège les membranes cellulaires; meilleures sources : légumes secs, graines, noix, cacao.

Les compléments alimentaires

La question de savoir s'il est nécessaire ou non de prendre des compléments alimentaires reste ouverte. Les diététiciens pensent qu'une alimentation saine et équilibrée peut apporter tous les nutriments indispensables. Cela dit, nous menons une vie de plus en plus stressée et trépidante, ce qui peut avoir des conséquences sur l'organisme. À cause de ce rythme effréné, il est de plus en plus difficile de contrôler nos repas, et ce, au détriment de la qualité de notre alimentation.

On n'a jamais autant consommé de produits de masse, cultivés sur des sols appauvris (car surexploités) et qui n'ont pas suffisamment de temps pour reconstituer leurs réserves de nutriments. C'est pour cela que certains chercheurs pensent que notre alimentation est moins nutritive.

Il peut donc arriver que l'organisme ait besoin d'un coup de pouce pour assurer un fonctionnement aussi optimal que possible. On ne peut cautionner l'utilisation massive des compléments alimentaires, mais il est courant que certaines personnes souffrent de carences, notamment en certains minéraux – magnésium, potassium et zinc – et ont de ce fait besoin d'apports en antioxydants.

Une alimentation variée

Autrefois, notre alimentation suivait le rythme des saisons. Ce rythme était bénéfique car il fournissait à l'organisme une vaste gamme de nutriments issus d'aliments cueillis à pleine maturité. Aujourd'hui, comme la plupart des fruits et légumes sont disponibles toute l'année, nous n'avons pas besoin d'adapter notre alimentation. Pourtant, malgré l'abondance des choix, nous sommes nombreux à manger toujours les mêmes choses. Une étude récente a montré que la composition de notre panier variait de moins de 10 % tout au long de l'année.

Il n'est pas nécessaire – et d'ailleurs très compliqué – de revenir à une alimentation saisonnière, même si certains affirment que ce serait plus naturel et plus sain. Par contre, il faut diversifier au maximum son alimentation, afin de l'équilibrer et fournir à l'organisme une vaste palette de nutriments.

Suivre les saisons

Quand il fait froid, l'organisme a un besoin instinctif de prendre du « gras » pour se tenir au chaud. C'est pourquoi on privilégie la consommation de féculents (pain, pâtes,

▲ Haricots secs et légumineuses
Les légumes secs constituent une bonne source de nutriments, sont pauvres en graisses et ont un faible indice glycémique. Ils aident à réguler les intestins et donc nettoient l'organisme.

pommes de terre), de ragoûts et de soupes. On dépense aussi plus d'énergie pour se réchauffer, et les hydrates de carbone fournissent au corps une bonne source d'énergie à libération prolongée.

Quand le climat se réchauffe, l'organisme n'a plus besoin de s'étoffer pour se protéger du froid, et donc, dépense moins d'énergie. Par conséquent, le besoin de féculents et de repas copieux se fait moins sentir. Autrement dit, il est plus difficile de perdre du poids en hiver qu'en été.

Une alimentation équilibrée

Une alimentation antistress

L'alimentation moderne doit pouvoir compenser les effets du stress. Elle doit également palier les forts taux d'oxydation de l'organisme, qui surviennent en cas de carences en nutriments et d'inactivité physique.

Les aliments acides et alcalins

Afin d'affronter cette situation, il faut privilégier les aliments capables de nettoyer le système, lutter contre l'oxydation et neutraliser les radicaux libres. De plus, en période de stress intense, il serait judicieux d'éviter les aliments susceptibles d'accroître le taux de toxines de l'organisme. Il est logique que les différents types d'aliments aient chacun leur propre vitesse de digestion. Nous pensons que les aliments les plus difficiles à digérer créent davantage de déchets toxiques lors de leur digestion. Nous appelons ces aliments « acides » car, après leur digestion, ils augmentent le taux de toxines dans l'organisme. En revanche, les aliments faciles à digérer sont dits « alcalins ».

Nous croyons qu'une alimentation alcaline contribue à diminuer les concentrations de toxines. De plus, les aliments alcalins agressent moins le système digestif car, par nature, ils sont digestes et réclament donc moins de travail à l'organisme.

Indice glycémique des aliments

L'indice glycémique (IG) évalue les aliments selon leur rapidité à affecter le taux de glucose sanguin. Plus l'indice glycémique d'un aliment est élevé, plus vite le taux de glucose augmente. Inversement, plus l'IG est faible, plus la montée de la glycémie est progressive. Le guide nutritionnel pages 34-35 répartit les aliments les plus usuels en trois catégories : index glycémique faible, modéré et élevé.

L'alimentation occidentale moderne est très riche en aliments à IG élevé : des produits comme les pommes de terre, le riz blanc, la plupart des pains blancs, les céréales, biscuits et autres aliments sucrés ont tous des IG élevés. En d'autres termes, ils libèrent rapidement de l'énergie dans l'organisme. Ce soudain pic d'énergie oblige l'organisme à produire une forte dose d'insuline pour synthétiser et transporter le sucre. Mais le pic d'énergie est éphémère et, dès sa disparition, l'appétit est stimulé et l'organisme est en état de manque. Hélas, l'énergie demandée est une énergie à libération rapide, devant être délivrée par un aliment à indice glycémique élevé. Cet engrenage marque le début d'un cycle ponctué de hauts et de bas énergétiques, alimenté par des grignotages hautement glucidiques.

Si votre alimentation est riche en aliments à IG élevé, vous trouverez difficile, voire impossible, de renoncer aux sucreries. Le seul moyen de briser le cercle infernal est de consommer davantage d'aliments à faible IG, qui fournissent de l'énergie libérée graduellement, sans occasionner de pics et creux glycémiques. Ainsi, l'avoine, les légumes secs, le pain complet et les fruits (frais et secs) ont tous des IG faibles. De plus, une alimentation très riche en sucres rapides provoque une production excessive d'insuline. Mon équipe et moi pensons que trop d'insuline empêche l'organisme d'utiliser les graisses comme source d'énergie, et rend donc moins efficace leur combustion. Autrement dit, il est plus dur de perdre du poids.

En conclusion, une alimentation riche en aliments alcalins à faible ou moyen IG devrait permettre de vous redonner tonus et vitalité, et sera aussi saine que facile à adopter.

◀ **Les pommes**
Les pommes ont un faible indice glycémique et sont alcalines ; de plus, elles sont riches en vitamine C et en fibres solubles.

Guide nutritionnel

Ce petit guide nutritionnel classe les aliments en fonction de leur indice glycémique (*voir page 33*) et de leurs propriétés acido-basiques.

Aliments alcalins et à faible indice glycémique

Ces aliments doivent représenter 40 % de votre alimentation.

Fruits

Abricots (frais)
Cerises
Citrons verts
Dates (fraîches)
Figues (fraîches)
Fruits de la passion
Fruits rouges (sauf myrtilles)
Groseilles à maquereau
Kiwis
Mangues
Melons (toutes les variétés)
Papayes
Poires
Pommes
Raisins

Légumes

Asperges
Aubergines
Brocolis
Carottes
Céleri
Chicorée
Choux
Choux-fleurs
Choux de Bruxelles
Concombre
Courgettes
Épinards
Gingembre (frais)
Navets
Patates douces
Poireaux
Poivrons
Potiron
Rhubarbe

Céréales

Avoine
Millet
Riz brun

Légumineuses

Haricots
Haricots beurre
Haricots rouges
Lentilles
Petits pois
Pois chiches
Soja (tous les produits à base de soja, y compris tofu)

Noix et graines

Amandes
Noix du Brésil
Châtaignes
Sésame

Huiles

Huile d'amande
Huile d'avocat
Huile d'olive
Huile de carthame
Huile de sésame
Huiles de poissons

Aliments alcalins et à indice glycémique moyen

Ils doivent composer jusqu'à 30 % de votre alimentation.

Fruits

Ananas
Fraises

Produits laitiers

Lait de vache (écrémé)
Laits « alternatifs » (soja, riz, etc.)

Pâtisseries, biscuits, gâteaux
Pétales de blé
Riz basmati

Fruits
Agrumes
Airelles
Pruneaux
Prunes
Tomates

Noix
Cacahouètes
Noix
Noix de cajou
Noix de Macadamia
Noix de Pécan
Pistaches

Autres aliments et boissons à consommer très modérément
Alcool
Chocolat
Plats préparés, sucreries…
Thé, café
Viande rouge

Céréales
Avoine
Couscous
Millet soufflé
Pain complet
Pâtes complètes
Riz brun
Riz soufflé

Graines
Graines de potiron
Graines de tournesol

Légumes
Maïs

Aliments alcalins et à indice glycémique élevé
Ces aliments doivent composer moins de 10 % de votre alimentation.

Sucres
Miel - Sirop

Légumes
Pommes de terre - Panais

Fruits
Bananes
Fruits secs

Aliments acides
Ces aliments ne doivent pas composer plus de 20 % de votre alimentation.

Produits laitiers
Beurre
Crème fraîche
Crème pâtissière
Fromage
Lait entier
Yaourts entiers sucrés

Céréales
Pain blanc
Pâtes

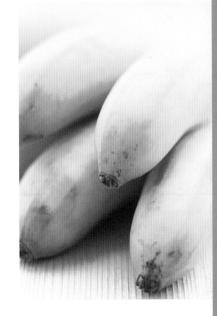

Une alimentation équilibrée

Quelques menus santé

Une salade de fruits vous donne du tonus pour démarrer votre journée.

Une alimentation équilibrée devrait optimiser votre apport nutritionnel sans altérer votre plaisir. Il est recommandé de privilégier les aliments alcalins à faible indice glycémique (*voir pages 33-35*). Préférez les fruits et les légumes frais et crus ; innovez avec de nouveaux ingrédients. Voici quelques suggestions de repas, aussi goûteux que nutritifs. La plupart sont rapides à préparer et ne demandent pas d'être un fin cordon bleu pour les réussir !

Petit déjeuner

Le petit déjeuner est le repas le plus important de la journée. Il doit être suffisamment copieux pour vous mener jusqu'au déjeuner sans vous pousser à avoir recours au grignotage. Pensez à varier les menus.

Céréales sans blé avec du lait écrémé ou demi-écrémé.

Salade de fruits avec du yaourt maigre, à manger à la cuillère ou mixée en cocktail.

Pain complet avec un peu de confiture.

Muësli sans blé, lait écrémé.

Œufs (bio de préférence) pochés sur un toast de pain complet.

Blancs d'œufs en omelette avec champignons et poivrons.

Déjeuner

À midi, l'organisme a besoin de nutriments et d'aliments énergétiques. Votre repas doit être constitué à 70 % de sucres lents.

Salade de riz sauvage avec haricots et asperges.

Salades de haricots avec saumon fumé.

Salade de pâtes complètes, sauce pesto (basilic, pignons et un filet d'huile d'olive).

Pâtes complètes avec tomates séchées.

Sushis au poisson ou aux légumes.

Sandwich à l'avocat et aux crudités sur pain complet (sans mayonnaise).

Taboulé avec poulet ou tofu.

Salade de haricots avec huile d'olive, citron et piments.

Les crudités regorgent de vitamines et de minéraux.

Les sushis : une bonne idée de déjeuner pauvre en graisses.

Une salade de haricots est aussi goûteuse que consistante.

Dîner

Plus tard vous mangez, et plus le repas doit être alcalin. En effet, les aliments alcalins sont plus digestes. Plutôt que d'ajouter de l'huile ou du beurre pour assaisonner vos plats, essayez de cuisiner avec des épices et des herbes fraîches.

Légumes à la vapeur avec poisson grillé ou au four.

Curry de lentilles avec légumes grillés.

Brochettes de fruits de mer avec légumes grillés.

Poêlée de légumes (brocolis, courgettes, carottes, poivrons et champignons).

Poulet grillé avec salade de céleri-rave et céleri en branche.

Épinards et salade de lentilles.

Collations

Il est important de s'accorder quelques petites collations, mais évitez les grignotages sucrés. Vos repas principaux devraient vous permettre de tenir toute la journée, mais en cas de petit creux, un en-cas est tout à fait permis.

Fruits frais : poires, bananes, pommes, raisins, papayes, fruits rouges, mangues, kiwis.

Amandes ou noix du Brésil.

Une petite poignée de fruits secs (raisins, abricots ou pruneaux).

Graines de tournesol.

Graines de potiron.

Au restaurant

Quand on suit un régime, manger au restaurant peut s'avérer compliqué. Suivez ces quelques recommandations pour vous nourrir l'esprit léger.

Préférez la cuisson à la vapeur, au four ou au gril plutôt qu'en friture ou en sauce.

Évitez les sauces au beurre et à base de crème fraîche.

Demandez une cuisson sans beurre.

Évitez de manger du pain.

Ne commandez qu'occasionnellement des plats à base de viande rouge.

Pour le dessert, choisissez une compote, une salade de fruits, ou un sorbet.

Une alimentation équilibrée

La souplesse

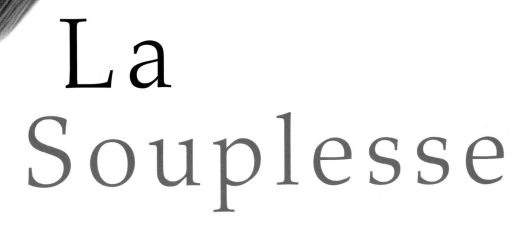

La Souplesse

Avec l'âge, il est normal de ressentir certaines raideurs musculaires, mais cela ne doit pas signifier l'arrêt de toute activité physique et sportive. Par des étirements réguliers, permettant de maintenir – voire d'améliorer – souplesse et mobilité, on retrouve légèreté et vitalité. Pour les sportifs, une bonne souplesse peut faire la différence au moment crucial. Et pour chacun d'entre nous, c'est grâce à la souplesse que l'on évite les blessures et que l'on retrouve le bien-être.

Qu'est-ce que la souplesse ?

Le mouvement des articulations dépend des muscles ; or avec l'âge, ceux-ci perdent de leur élasticité et la mobilité s'en trouve peu à peu réduite. Heureusement, la pratique régulière d'étirements permet de différer ou de ralentir ce processus.

La bonne façon de s'étirer

Un bon programme d'assouplissement doit prendre en compte à la fois les contraintes matérielles de la vie quotidienne et les particularités physiques de chacun.

Le fait de passer de nombreuses années derrière un bureau sans avoir surveillé sa posture a pour conséquence de contracter les muscles avant du corps, notamment les fléchisseurs des hanches, et d'allonger, au contraire, ceux situés à l'arrière (lombaires), entraînant alors un tassement de la colonne vertébrale. D'autre part, de longues périodes passées en position assise peuvent causer une contraction des ischio-jambiers et donc infliger une pression trop importante à la région pelvienne lorsque l'on se lève. Un assouplissement régulier des zones délicates comme le dos, les genoux et les chevilles allonge les muscles et les aide à maintenir une vaste amplitude dans leurs mouvements. Il faut toutefois prendre garde de ne pas étirer les muscles outre mesure. En effet, ce sont eux qui soutiennent le squelette et protègent les articulations ; lorsqu'un muscle est trop étiré, les articulations deviennent alors hypermobiles – c'est-à-dire qu'elles se fléchissent ou s'allongent bien au-delà de leurs limites normales. D'où un risque accru de blessures puisque les articulations sont plus vulnérables. Les femmes enceintes gagnent en souplesse car leur corps produit une hormone, la relaxine, qui facilite l'accouchement. Par conséquent, elles ne devraient pas solliciter leur corps au-delà de ses limites habituelles car elles pourraient se blesser. La meilleure façon d'accroître sa souplesse est de pratiquer régulièrement, et en douceur, des exercices d'étirements qui, graduellement, augmenteront le champ de mouvement des articulations.

Quand s'étirer ?

L'idéal serait de s'étirer en douceur tous les jours pendant une dizaine de minutes. Attention : il est impératif de s'étirer après une séance de sport. En effet, l'activité physique contracte et rétrécit les muscles, et diminue leur souplesse.

Le fait de s'étirer après une séance, alors que les muscles sont encore chauds – et donc plus réactifs – atténue le rétrécissement musculaire et favorise l'élimination de l'acide lactique accumulé au cours de l'entraînement. Vous réduirez également les risques de blessures de façon significative.

Avant l'entraînement, quelques exercices d'étirement restent toujours les bienvenus mais ne sont pas indispensables. Un bon échauffement, lent et progressif, stimulant la mobilité des zones qui seront sollicitées ultérieurement suffit à bien préparer les articulations.

▼ **Apprenez à conserver votre souplesse**
Parce qu'elle amplifie le champ de mouvement, une bonne souplesse facilite toutes sortes d'activités.

Testez votre souplesse

Les cinq exercices ci-dessous testent la flexibilité de différentes parties du corps et permettront d'isoler celles qui nécessitent un assouplissement. Reportez-vous aux pages 42-49 pour les exercices d'étirement.

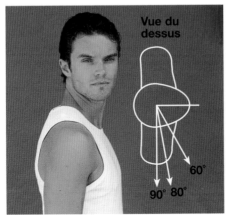

▲ **Flexion du cou.** Placez-vous debout, les bras le long du corps, et relâchez la tête et le cou. Tournez la tête vers votre épaule, aussi loin que cela vous est possible. Mesurez l'angle de mobilité du cou. **Inférieur à 75°** : médiocre ; **entre 75 et 80°** : bon ; **entre 80 et 90°** : très flexible.

◀ **Bras et épaules.** Placez-vous debout ou assis, le dos bien droit, les épaules relâchées, et les bras le long du corps. Tendez un bras à la verticale, dans l'axe de la tête. Contractez les abdominaux, gardez le coude tendu et les paumes de mains vers l'intérieur. Mesurez l'angle du mouvement. **Jusqu'à 170°** : médiocre : **entre 170 et 180°** : bon ; **supérieur à 180°** : très flexible.

▼ **Fléchisseur de la hanche et ischio-jambiers.** Allongez-vous sur le dos, jambes tendues. Soulevez une jambe à la verticale, et mesurez l'angle de mobilité de la hanche. **Jusqu'à 75°** : médiocre ; **entre 75 et 90°** : bon ; **supérieur à 90°** : très flexible.

▼ **Lombaires.** Allongez-vous sur le dos, ancrez les épaules au sol et écartez les bras en croix. Maintenez la jambe gauche tendue, fléchissez la jambe droite à 90° et croisez-la par-dessus le bassin. Dirigez le genou droit vers le sol, mais arrêtez au moment où votre épaule commence à se soulever. Mesurez l'angle du mouvement. **Inférieur à 45°** : médiocre ; **entre 45 et 75°** : bon ; **supérieur à 75°** : très flexible.

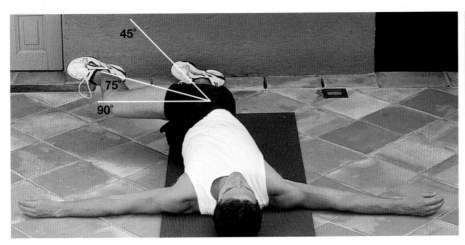

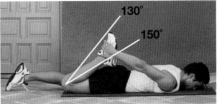

▲ **Genou et quadriceps.** Sur le ventre, les bras le long du corps. Tendez le bras droit vers l'arrière et attrapez le pied droit avec la main, en tâchant de le ramener vers les fessiers. **Jusqu'à 130°** : médiocre ; **entre 130 et 150°** : bon ; **supérieur à 150°** : très flexible.

Étirements du cou et des épaules…

Les muscles du cou et des épaules doivent travailler sans relâche, et sont particulièrement sollicités, surtout si on travaille en position statique, devant un écran d'ordinateur ou penché sur un bureau. C'est également à cet endroit que se concentrent les tensions, d'où l'importance d'acquérir et de conserver une bonne souplesse.

◀ **Étirement du cou.** Placez-vous debout, pieds écartés à la largeur du bassin, épaules relâchées et bras le long du corps. Penchez doucement la tête vers le côté gauche, de façon à bien sentir l'étirement du côté droit. Bloquez la position pendant 10 à 12 secondes, en veillant bien à ne pas étirer le cou outre mesure. Répétez l'exercice du côté droit.

▶ **Étirement avant de la nuque.** Placez-vous debout, pieds écartés largeur de bassin, épaules relâchées et bras le long du corps. En maintenant le dos droit, basculez la tête vers l'avant, jusqu'à ce que vous ressentiez un étirement au niveau de la nuque et du haut du dos. Conservez la position 10 à 15 secondes.

▶ **Étirement des épaules.** Debout, pieds écartés largeur de bassin, et jambes un peu fléchies. Fléchissez le bras gauche et ramenez le devant vous, de sorte que la main soit au niveau de l'épaule droite. Placez la main droite sur le haut du bras et poussez afin d'accentuer l'étirement que vous devriez ressentir derrière votre épaule. Bloquez la position environ 10 secondes. Répétez l'exercice avec l'autre bras.

▶▶ **Deltoïdes antérieurs.** Debout, pieds écartés largeur de bassin et dos bien droit. Ramenez un bras derrière vous et, en l'attrapant par le poignet, tirez-le derrière le dos. Conservez la position une dizaine de secondes, jusqu'à ce que vous ressentiez un étirement à l'avant de l'épaule. Répétez l'exercice avec l'autre bras.

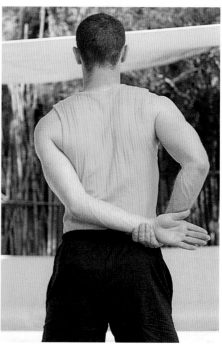

...de la poitrine et des bras

La poitrine est aussi un foyer de tensions et, par conséquent, ses muscles peuvent se raidir et se contracter, causant des problèmes de posture et les douleurs. Des triceps et des biceps puissants et mobiles peuvent éviter les tensions au niveau de la poitrine et du haut du dos.

▲ **Étirement des triceps.** Debout, pieds écartés largeur de bassin et jambes un peu fléchies. Soulevez le bras droit et placez la main droite par-dessus votre dos, comme pour attraper le bas de la colonne vertébrale. Avec la main gauche, poussez le bras droit et accentuez l'étirement que vous devriez ressentir derrière le bras. Bloquez la position 10 secondes, puis répétez avec l'autre bras.

▲ **Étirement des biceps et de la poitrine.** Placez-vous debout, à une longueur de bras d'un mur ou d'un point d'appui, et posez-y la paume de la main. En gardant le bras tendu, pivotez doucement le buste du côté opposé au bras tendu, de façon à ressentir un étirement au niveau de la poitrine et du bras. Bloquez la position pendant 15 secondes, puis répétez l'exercice avec l'autre bras.

▲ **Étirement de la poitrine.** Placez-vous debout, pieds écartés largeur de bassin et jambes légèrement fléchies. Contractez les abdominaux et relâchez la tête, le cou et les épaules. Joignez les mains derrière le dos et, en gardant le dos droit, soulevez les bras derrière vous, jusqu'à ce que vous ressentiez un étirement au niveau de la poitrine. Bloquez le mouvement pendant 10 à 14 secondes.

La souplesse

Étirements du dos

C'est dans le dos que s'accumulent le maximum de tensions. Au terme d'un entraînement, il est impératif de bien s'étirer le dos, parce qu'au cours d'une séance, ces muscles ont tendance à se contracter et à accroître les tensions.

▲ **Étirement du haut du dos.** Debout, pieds écartés largeur de bassin et jambes légèrement fléchies. Tendez les bras et joignez les mains devant vous. En maintenant les lombaires immobiles et le buste droit, poussez doucement les mains devant vous. Vous devriez ressentir l'étirement en haut du dos et derrière les épaules. Bloquez 10 secondes.

▶ **Hyperextension du dos.** Allongez-vous à plat ventre. Collez les coudes contre le buste. En maintenant le bassin en contact avec le sol, soulevez le buste jusqu'à ce que tout le poids du corps repose sur les coudes. Veillez à relâcher la nuque. Bloquez pendant 15 secondes.

▲ **Étirement des lombaires (bas du dos).** Allongez-vous sur le dos. Attrapez le sommet des tibias et ramenez vos genoux vers la poitrine. Rapprochez-les un peu plus, jusqu'à ce que vous ressentiez un étirement dans les lombaires. Bloquez le mouvement pendant 10 secondes.

◀ **Rotation vertébrale.**
Allongez-vous sur le dos, les bras
en croix à hauteur des épaules.
Fléchissez les jambes à 90°, puis
basculez les genoux à gauche,
jusqu'à ce que le genou gauche
touche le sol. Ne décollez pas les
omoplates ; ne forcez pas. Bloquez
le mouvement 10 secondes, puis
répétez de l'autre côté.

▼ **Dos rond.** Placez-vous à
quatre pattes, en maintenant le
dos plat. Arrondissez la colonne
vertébrale, de façon à créer
une courbe au milieu du dos.
Bloquez le mouvement pendant
5 secondes, puis retournez
à la position de départ.

La souplesse

45

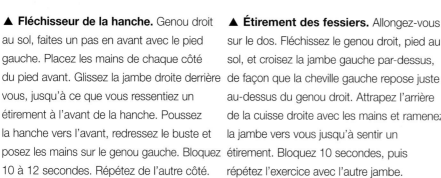

Étirements des jambes

Ces étirements ciblent les principaux muscles des jambes. Il est important d'étirer certains muscles que l'on oublie ou néglige trop souvent, comme les fléchisseurs des hanches. Après une longue marche ou un jogging, les étirements des ischio-jambiers sont vivement recommandés.

▲ **Fléchisseur de la hanche.** Genou droit au sol, faites un pas en avant avec le pied gauche. Placez les mains de chaque côté du pied avant. Glissez la jambe droite derrière vous, jusqu'à ce que vous ressentiez un étirement à l'avant de la hanche. Poussez la hanche vers l'avant, redressez le buste et posez les mains sur le genou gauche. Bloquez 10 à 12 secondes. Répétez de l'autre côté.

▲ **Étirement des fessiers.** Allongez-vous sur le dos. Fléchissez le genou droit, pied au sol, et croisez la jambe gauche par-dessus, de façon que la cheville gauche repose juste au-dessus du genou droit. Attrapez l'arrière de la cuisse droite avec les mains et ramenez la jambe vers vous jusqu'à sentir un étirement. Bloquez 10 secondes, puis répétez l'exercice avec l'autre jambe.

▲ **Étirement des ischio-jambiers au sol.** Sur le dos, jambe droite fléchie. Attrapez la jambe gauche d'une main derrière la cuisse, et de l'autre derrière le mollet. Gardez la jambe gauche tendue au maximum, et ramenez-la vers vous jusqu'à ce que vous ressentiez un étirement derrière la cuisse. Gardez la position environ 10 secondes, afin de bien étirer le muscle.

▶ **Étirement des ischio-jambiers, debout.** Placez le pied droit sur un banc et tendez la jambe droite. Fléchissez la jambe d'appui (gauche). Penchez-vous en avant à partir du bassin, jusqu'à ce que vous ressentiez un étirement à l'arrière de la cuisse et du genou, et au sommet du mollet. Bloquez la position pendant 8 secondes, sans à-coups, puis, lentement, penchez-vous un peu plus afin d'intensifier l'étirement. À mesure de vos progrès, vous relèverez la hauteur du banc. Répétez l'exercice avec l'autre jambe.

◀ **Étirement des quadriceps, debout.** Vous pouvez vous servir d'un mur ou d'une barrière comme point d'appui. Placez-vous debout, très droit, et fléchissez légèrement votre jambe d'appui (gauche). Pliez la jambe droite, attrapez l'avant du pied et ramenez-le vers les fessiers. Gardez les genoux serrés, le bassin immobile et le dos aussi droit que possible. Pour intensifier l'étirement, insistez sur le mouvement. Bloquez la position pendant 10 secondes, puis répétez l'exercice avec l'autre jambe.

▲ **Étirement des quadriceps au sol.** Allongez-vous sur le ventre. Maintenez le bassin au sol, ramenez la jambe droite vers les fessiers et attrapez l'avant du pied. Gardez la tête baissée et la nuque relâchée. Gardez la position pendant 10 à 12 secondes, puis répétez l'exercice avec l'autre jambe.

▲ **Abducteurs (extérieur des cuisses).** Asseyez-vous avec la jambe droite tendue devant vous et la gauche croisée par-dessus. Utilisez le bras droit pour pousser le genou gauche vers l'avant. Vous devriez ressentir un étirement au niveau des abducteurs. Bloquez 12 secondes, puis répétez l'exercice de l'autre côté.

◀ **Étirement des mollets.** Si vous utilisez un mur comme point d'appui, placez-vous à une longueur de bras de celui-ci et posez-y les mains à hauteur de la poitrine. Restez pieds joints, puis faites un pas en arrière avec la jambe gauche, talon au sol et jambe droite fléchie. Gardez le dos bien droit, les pieds parallèles, vers l'avant, et les talons plaqués au sol. Imaginez qu'une ligne droite vous parcourt de la tête jusqu'à l'arrière du talon. Intensifiez l'étirement en reculant encore la jambe gauche. Gardez la position 8 secondes. Au moment de relâcher l'étirement, reculez encore un peu le pied gauche, en plaquant fermement le talon au sol, et bloquez le mouvement pendant 4 secondes. Répétez l'exercice trois fois, puis changez de jambe.

▲ **Adducteurs (intérieur des cuisses).** Asseyez-vous, dos bien droit. Placez les plantes de pieds l'une contre l'autre, et en vous aidant des mains, ramenez les pieds vers vous. Maintenez l'étirement, que vous devez ressentir au niveau des adducteurs, tandis que les jambes se relâchent vers le sol. Pour intensifier l'étirement, placez les mains sur les chevilles, les coudes sur les genoux, et, en redressant le dos, basculez doucement le buste vers le bassin. Si vous êtes très souple, pressez doucement le sommet des adducteurs avec vos coudes, jusqu'à ce que vous ressentiez l'étirement. Bloquez la position pendant 10 à 12 secondes, puis accentuez encore un peu l'étirement.

Enchaînement d'étirements

Nous avons tous notre lot quotidien de stress ; aussi, quel plaisir de relâcher toute la tension accumulée par une bonne séance d'étirements ! Pensez également à vous étirer après chaque séance de sport afin de décontracter les muscles et diminuer les courbatures ou les raideurs musculaires. Les durées indiquées dans les exercices qui suivent sont nécessaires pour que les muscles se dénouent véritablement. Néanmoins, rien ne vous empêche de bloquer les positions plus longtemps. Dans ce cas, surveillez bien le moment où les muscles commencent véritablement à se décontracter, et insistez un peu plus sur le mouvement pour les étirer.

Enchaînement intégral

Prenez votre temps, et veillez à toujours bien respirer. Si vous le souhaitez, travaillez avec une musique relaxante en fond sonore.

Enchaînement des membres inférieurs

Si vous avez sollicité intensément le bas du corps (musculation, course, marche…) et disposez d'un temps suffisant, cet enchaînement est idéal.

Enchaînement express, debout

Ce bref enchaînement est parfait pour récupérer après un jogging ou une partie de football. À défaut de l'enchaînement intégral, celui-ci comprend tous les exercices à faire debout, ne demande que peu de temps et étire les muscles principaux.

Enchaînement intégral

Durée : 5 à 10 minutes ; les temps de blocage suggérés sont des minimums.

| Étirement de la poitrine *p. 43* **Bloquez 15 secondes** | Étirement du haut du dos *p. 44* **Bloquez 15 secondes** | Étirement des épaules *p. 42* **Bloquez 10 secondes** | Étirement des triceps *p. 43* **Bloquez 10 secondes** | Étirement des mollets *p. 47* **Bloquez 20 secondes** | Étirement des adducteurs *p. 47* **Bloquez plus de 30 s.** |

| Rotation vertébrale *p. 45* **Bloquez 15 secondes** | Étirement des lombaires *p. 44* **Bloquez 15 secondes** | Étirement des fessiers *p. 46* **Bloquez plus de 15 s** | Étirement des ischio-jambiers *p. 46* **Bloquez 30 secondes** | Étirement des quadriceps *p. 47* **Bloquez 30 secondes** | Fléchisseur de la hanche *p. 46* **Bloquez 30 secondes** |

Enchaînement des membres inférieurs
Durée : 5 minutes ; les temps suggérés sont des minimums.

Étirement des adducteurs *p. 47*
Bloquez plus de 30 s

Rotation vertébrale *p. 45*
Bloquez 15 secondes

Étirement des lombaires *p. 44*
Bloquez 15 secondes

Étirement des fessiers *p. 46*
Bloquez plus de 15 secondes

Étirement des ischio-jambiers au sol *p. 46*
Bloquez plus de 30 s

Étirement des quadriceps au sol *p. 47*
Bloquez 30 secondes

Fléchisseur de la hanche *p. 46*
Bloquez 30 secondes

Étirement des mollets *p. 47*
Bloquez 20 secondes

Enchaînement express, debout
Durée : 5 minutes ; les temps suggérés sont des minimums.

Étirement des mollets
p. 47
Bloquez 20 secondes

Étirement des ischio-jambiers, debout *p. 46*
Bloquez 20 secondes

Étirement des quadriceps, debout *p. 46*
Bloquez 20 secondes

Étirement de la poitrine
p. 43
Bloquez 15 secondes

Étirement du haut du dos *p. 44*
Bloquez 15 secondes

La souplesse

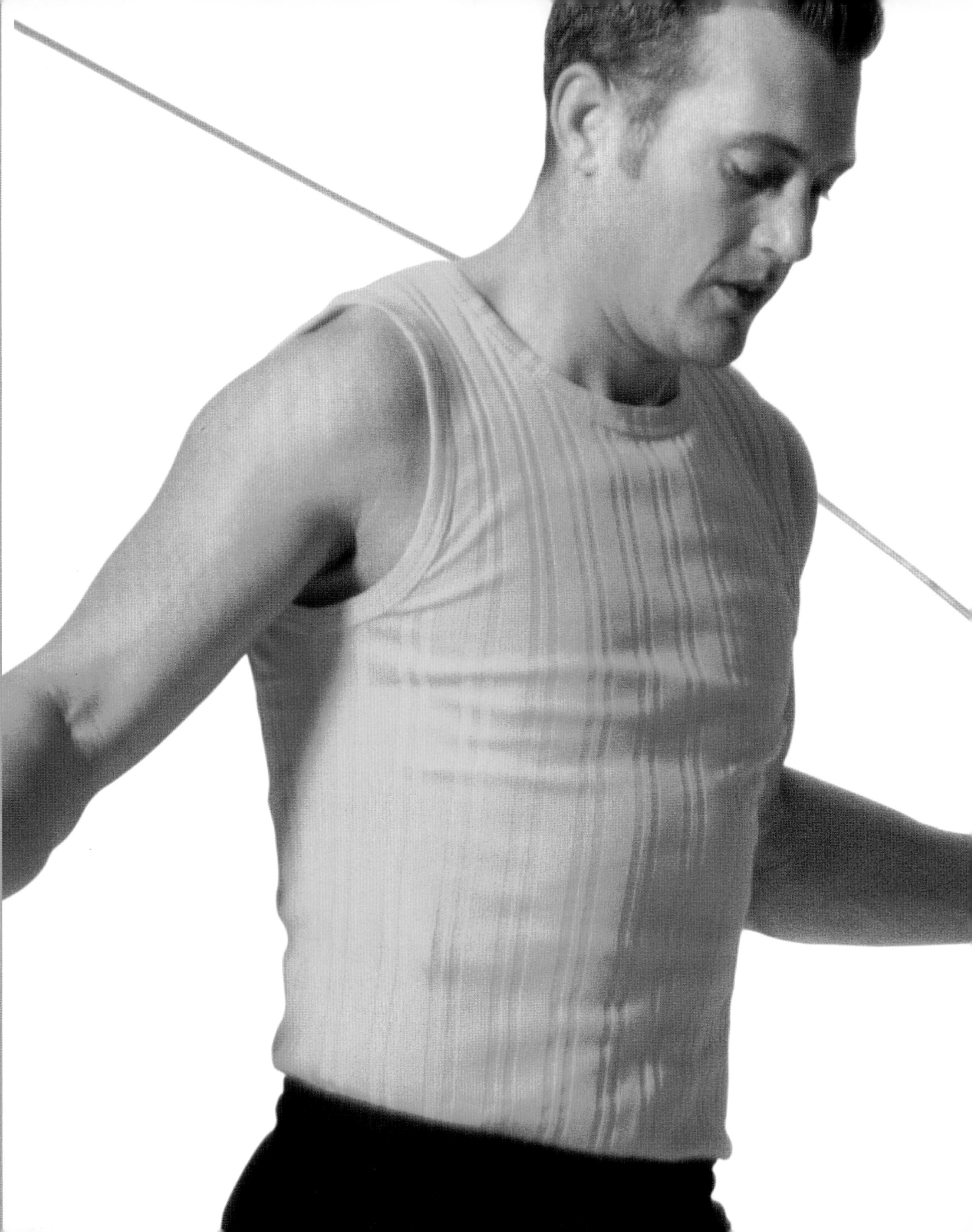

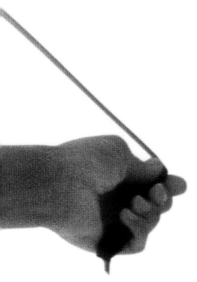

L'aérobic

L'aérobic regroupe le exercices qui élèvent le rythme cardiaque, renforcent le cœur et brûlent les graisses. Il joue un rôle important dans la santé et l'activité physique. À vrai dire, la discipline d'aérobic la plus efficace pour perdre du poids et améliorer sa résistance sera celle qui vous plaira le plus et que vous pratiquerez régulièrement. Ce chapitre vous indique comment optimiser vos séances d'aérobic – appelé aussi cardio-training –, qu'il s'agisse de courir, de marcher, de nager ou de faire du vélo, et ce en salle ou en plein air.

Qu'est-ce que l'aérobic ?

L'aérobic, ou « cardio-training », est fondamental dans tout programme sportif. Il renforce le cœur et les poumons, améliore la condition physique, et a d'innombrables effets positifs : plus de tonus, meilleure concentration, diminution des troubles cardio-vasculaires… Quand on fait du sport, la demande en oxygène de l'organisme augmente, un peu comme une voiture qui réclame davantage de carburant lorsqu'elle roule vite. Toute activité qui oblige le cœur à travailler plus dur et élève le rythme cardiaque (course, marche rapide, rameur, vélo, ski, natation, rollers, etc.) est une forme d'exercice d'aérobic.

Le fonctionnement de l'aérobic

L'oxygène, récupéré par les poumons à partir de l'air respiré, agit comme un carburant pour l'organisme. Dans un entraînement aérobic, on augmente la consommation en oxygène de l'organisme et, pour une meilleure combustion énergétique, on travaille à une intensité spécifique. L'organisme utilise de l'oxygène quand on s'assoit, se tient debout ou marche dans la rue.

Lorsque l'on fournit trop d'efforts, on se met à travailler de façon anaérobic, c'est-à-dire « sans air ». En effet, l'organisme ne parvient plus à répondre aux besoins des muscles en oxygène, si bien que l'on s'épuise rapidement. À mesure que vous progressez, l'organisme fournit plus efficacement l'oxygène aux muscles, permettant alors un entraînement plus intense et d'une durée plus longue.

L'intérêt de l'aérobic

Le cœur est un muscle qui répond à toute sollicitation comme le ferait n'importe quel autre muscle : quand on le pousse à travailler plus dur, il répond en se renforçant. Un cœur résistant a une cadence de pompage plus importante (il pompe davantage à chaque battement) et, par conséquent, n'a pas besoin de travailler aussi dur pour répondre aux besoins accrus en oxygène de l'organisme. Votre corps peut alors repousser ses limites d'épuisement.

▲ **Pour être en forme : transpirez !**
L'aérobic sollicite le cœur et les poumons, lutte aussi contre le stress et l'insomnie.

En revanche, au repos, votre rythme cardiaque ralentit, ce qui signifie une moindre charge sur le système cardio-vasculaire. En clair, vous êtes en meilleure condition physique.

Lors d'une activité physique, les artères et les vaisseaux capillaires se dilatent, ce qui accélère la circulation sanguine. Un entraînement régulier induit à long terme des effets positifs : tension artérielle plus basse, moindres risques de crise cardiaque, diminution des troubles circulatoires (mains et pieds froids). À mesure que votre condition physique s'améliore, les muscles intercostaux – qui entourent la cage thoracique – se renforcent et améliorent l'efficacité des poumons.

Lorsque l'on respire, on n'utilise qu'un faible pourcentage de notre capacité pulmonaire, mais la pratique régulière d'aérobic augmente ce pourcentage. En conséquence, les alvéoles – petits sacs en forme de ballons situés dans les poumons et qui transmettent l'oxygène vers le sang – peuvent absorber l'oxygène plus efficacement. Fumer endommage les alvéoles, diminue leur efficacité et perturbe ces systèmes de transmission. C'est pourquoi on s'essouffle vite.

L'aérobic brûle des calories, et donc des graisses. Même au repos, la combustion des réserves de graisse et de sucre utilisées comme sources d'énergie se poursuit. Le travail aérobic épuise d'abord les sources d'énergie les plus facilement disponibles, à savoir les réserves de sucre présentes dans le sang et les muscles (glycogène) et, dans une moindre mesure, celles de graisses. On brûle davantage de sucres que de graisses, mais le sport augmente la rapidité de leur combustion. Autrement dit, pour perdre du poids, il faut faire du cardio-training.

Aux nombreux avantages physiologiques engendrés par l'aérobic, viennent s'ajouter des répercussions psychologiques non négligeables. En plus de renforcer le système immunitaire, solidifier les os et améliorer la posture, la pratique régulière d'aérobic renforce en effet la confiance en soi, améliore la concentration, aide à mieux gérer le stress et à lutter contre les insomnies. Le sport réveille donc l'instinct naturel qui pousse à se dépasser pour améliorer ses performances. Ce qui explique l'engouement de certains pour les marathons.

Physiquement, l'aérobic permet de mieux connaître son corps, mais ses effets peuvent engendrer des bénéfices multiples. Certaines personnes vont même jusqu'à affirmer avoir récolté succès et promotions professionnelles après avoir pratiqué des exercices de manière assidue. Il est vrai que l'organisme libère des substances chimiques euphorisantes : l'adrénaline et la sérotonine. Associées à l'augmentation d'oxygène dans le sang, elles procurent une sensation de bien-être général ; on appelle cela le « nirvana du coureur ». De nombreux sportifs utilisent leur entraînement pour évacuer stress et soucis. Des études ont même démontré que la pratique régulière d'une activité physique contribuait à vaincre la dépression.

▶ **Du sport pour l'optimisme**
Une activité sportive régulière rend optimiste et dynamise.
C'est un moyen sain et naturel de gérer le stress.

Les contre-indications

Il y a des périodes où il vaut mieux éviter le sport. Si, par exemple, on se sent grippé, il est nécessaire d'interrompre son entraînement. En effet, quand on est malade, le système immunitaire doit travailler dur pour combattre l'infection. Des exercices vigoureux amenuisent les réserves d'énergie de l'organisme, si bien que les symptômes peuvent s'aggraver, la maladie se prolonger et la guérison tarder.

En cas de vertiges ou de malaise, stoppez immédiatement tout exercice. Cela signifie que vous sollicitez trop votre organisme et qu'il est submergé. C'est pour cela qu'il est important de surveiller sa fréquence cardiaque et de travailler dans sa zone d'entraînement optimale (*voir pages 54-55*). Avant de débuter un programme, remplissez le questionnaire physique (*voir pages 22-23*) et travaillez toujours avec une FCM (Fréquence Cardiaque Maximum) bien déterminée.

L'aérobic

Entraînement et rythme cardiaque

Connaître son rythme cardiaque lors d'une activité est déterminant pour tirer le plus de bénéfices possibles de l'exercice, en évitant tout risque de blessure. Il convient donc de travailler à une fréquence cardiaque spécifique, de façon à solliciter efficacement le cœur et les poumons. Quel que soit l'objectif recherché (perte de poids, marathon ou amélioration de ses performances dans une discipline), il est crucial de connaître la fréquence cardiaque de sa zone d'entraînement. Cela permet de surveiller les réactions de l'organisme par rapport à différentes intensités d'entraînement, et donc d'optimiser ses séances.

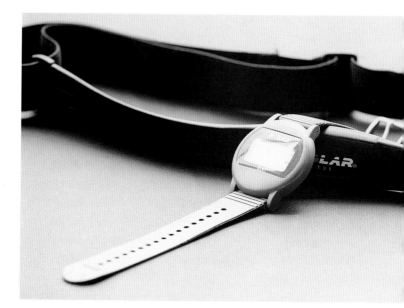

▲ **Accessoire essentiel.** Pour optimiser vos séances, surveillez votre fréquence cardiaque avec un cardio-fréquencemètre. Il en existe de nombreux modèles dont certains à des prix vraiment très accessibles.

Zone d'entraînement optimale

La manière la plus efficace de solliciter le cœur et les poumons tout en brûlant les graisses est de travailler entre 65 et 85 % de sa fréquence cardiaque maximum (FCM), ce que l'on appelle aussi « zone d'entraînement optimale ». Pour calculer sa FCM, on part du principe qu'à la naissance, celle-ci est de 220, et que chaque année, elle diminue d'une unité. Par conséquent, la FCM = 220 − son âge. Donc, si vous avez 35 ans, votre FCM est de 185 battements par minute (bpm). 65 % de 180 (0,65 x 185) font 120, et 85 % de 185 (0,85 x 185) font 157. Pendant votre entraînement, vous devez donc cibler un rythme cardiaque situé entre 120 bpm et 157 bpm. Si vous sortez de votre zone d'entraînement optimale, vous travaillerez de façon anaérobic et votre organisme ne pourra faire face à la demande en oxygène. Par conséquent, vous serez incapable de poursuivre un exercice d'une telle intensité et vous vous épuiserez très rapidement. C'est pour cela qu'il faut impérativement respecter sa zone d'entraînement personnelle. Le meilleur moyen de surveiller son rythme cardiaque est d'utiliser un cardio-fréquencemètre (*voir photo ci-contre*) ou de prendre son pouls manuellement.

À mesure que vous apprendrez comment votre corps réagit à l'effort, vous évaluerez intuitivement votre rythme cardiaque sans avoir à le mesurer scientifiquement. Servez-vous du tableau des équivalences (*ci-contre*)

qui quantifie les manifestations physiques correspondant aux différents niveaux de fatigue.

Âge	65 % FCM	70 % FCM	75 % FCM	80 % FCM	85 % FCM
18 à 25	130	139	149	159	169
26 à 30	127	134	144	153	163
31 à 36	124	130	140	149	158
37 à 42	120	126	135	144	153
43 à 50	116	121	129	138	147
51 à 58	112	116	124	133	141
59 à 65	108	110	118	126	134
+ de 65	104	106	114	121	129

Contrôler sa fréquence cardiaque

La méthode la plus sûre pour vérifier sa fréquence cardiaque est de prendre son pouls manuellement ou d'utiliser un cardio-fréquencemètre. Quand vous interpréterez mieux les réactions de votre organisme à l'effort, vous pourrez consulter l'échelle de perception de l'effort (EPE).

Manuellement

On peut prendre son pouls au poignet ou au cou. Au poignet, on le trouve en suivant la ligne du pouce et en plaçant deux doigts environ 2 cm sous l'articulation du poignet. Au cou, le point de prise se situe juste au-dessous de la mâchoire. On prend toujours le pouls avec deux doigts (majeur et index). On compte alors pendant 15 secondes, puis on multiplie ce chiffre par 4 pour obtenir un résultat en bpm.

Avec un cardio-fréquencemètre

Il s'agit de la méthode la plus simple et la plus précise. On attache une courroie autour de la poitrine qui vérifie la fréquence cardiaque et transmet un signal à une sorte de montre portée au poignet.

Selon l'échelle de perception de l'effort (EPE).

Si on ne dispose pas d'un cardio-fréquencemètre, l'échelle de perception de l'effort constitue une bonne alternative pour connaître l'intensité de son entraînement. Pour chaque niveau d'effort, l'échelle indique des manifestations physiques notées de 1 à 10 : 1, on est au repos, et à 10, à son maximum. Chaque nombre correspond aussi à un pourcentage de FCM. Dans le tableau ci-dessous, l'estimation de la FCM commence au niveau 6 parce qu'au repos, nous avons tous un rythme cardiaque différent. Regardez les descriptions des sensations que vous pourrez éprouver en fonction de l'intensité de l'effort ; une fois que vous serez habitué au système, vous pourrez contrôler l'intensité de votre entraînement et l'adapter en fonction de ce dernier.

De nombreuses personnes préfèrent cette méthode car elle donne une idée concrète des réactions de l'organisme à l'effort. Notez bien que les valeurs de cette échelle sont assez générales. De temps à autre, comparez votre fréquence cardiaque avec les chiffres du tableau afin de vérifier si votre perception de l'intensité de votre entraînement est juste ou non.

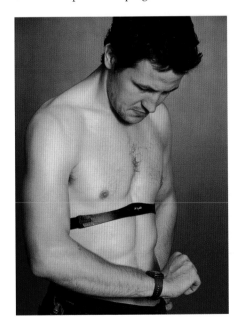

▲ Précis et pratique
La courroie autour de la poitrine contrôle l'activité électrique du cœur et transmet les signaux à une sorte de montre-récepteur portée au poignet. Un cardio-fréquencemètre permet de ne pas interrompre son activité pour prendre son pouls.

Échelle de perception de l'effort (EPE)

Au repos	**1**	Fréquence cardiaque habituelle
Activité minimale (travailler, rester assis)	**2**	Fréquence cardiaque habituelle
Activité légère (balade à pied)	**3**	Fréquence cardiaque habituelle
Faire du shopping	**4**	Fréquence cardiaque habituelle
Marche dynamique	**5**	Fréquence cardiaque habituelle
Marche rapide ou rythmée	**6**	60 % FCM
La respiration devient plus difficile	**7**	65 à 75 % FCM
Respiration accélérée, efforts pour parler	**8**	80 % FCM
Transpiration intense, élocution difficile	**9**	85 % FCM
Effort maximum	**10**	Fréquence cardiaque maximum

L'aérobic

Les techniques d'entraînement

On dénombre deux techniques principales : l'entraînement linéaire, à vitesse constante, qui renforce l'endurance (force nécessaire pour une activité de longue durée), et l'entraînement fractionné, qui renforce la résistance (force nécessaire pour les sports d'équipe quand on doit souvent s'arrêter et repartir ou alterner régulièrement les intensités).

L'entraînement à vitesse constante

Se dit lorsque l'on travaille sur de longues durées à un rythme constant ou quand on maintient une fréquence cardiaque peu élevée. C'est une technique qui renforce l'endurance, aide l'organisme à utiliser plus efficacement l'oxygène et augmente la capacité pulmonaire et l'endurance musculaire localisée. Même si on brûle moins de graisse qu'avec l'entraînement fractionné, cette technique est indispensable pour acquérir de bonnes bases de fitness et améliorer ses performances sportives, quelles qu'elles soient.

L'entraînement fractionné

Il s'agit de travailler à forte intensité durant une courte durée, de récupérer en diminuant l'intensité sur une brève période, avant de répéter le cycle initial à forte intensité. Cette technique renforce la puissance et la résistance aérobics car elle sollicite intensément les systèmes respiratoire et cardio-vasculaire. La sollicitation intense du cœur et des poumons les oblige à se renforcer pour faire face à la « demande », ce qui, à terme, permet d'améliorer la condition physique. L'entraînement fractionné exige beaucoup d'énergie. Cette méthode est la plus efficace pour brûler les graisses parce qu'elle augmente le métabolisme basal, c'est-à-dire l'efficacité avec laquelle on brûle les calories au repos. De plus, l'entraînement fractionné a un effet à retardement : il élève le coefficient métabolique jusqu'à 18 heures après la fin de la séance.

L'action cardiaque périphérique (ACP)

C'est une technique de musculation qui conditionne également le cœur. Elle alterne les exercices sollicitant le haut du corps, puis le bas, de manière à ce que le cœur doive travailler plus dur pour approvisionner en sang les différents muscles. L'effet est similaire à l'entraînement fractionné, à savoir une élévation de la fréquence cardiaque en réponse aux importants mouvements de sang entre les différentes parties du corps. En musculation traditionnelle, on peut sentir son cœur s'accélérer, mais cette accélération est davantage due à une élévation de la tension artérielle (conséquente aux efforts intenses) qu'à une véritable accélération cardiaque. L'entraînement en circuit utilise la méthode ACP; en vous reposant entre les différents exercices, vous entraînez des montées et des descentes de la fréquence cardiaque.

Techniques d'entraînement et fréquence cardiaque

Ces diagrammes illustrent les effets que les entraînements linéaires et fractionnés ont sur la fréquence cardiaque. On distingue les effets des périodes d'échauffement et de récupération. En technique linéaire, vers la fin de l'exercice, il faut parfois diminuer l'intensité de l'entraînement afin de maintenir une fréquence cardiaque constante. Beaucoup éprouvent des difficultés à maintenir le rythme de la méthode fractionnée durant l'intégralité de la session. À mesure de vos progrès, vous contrôlerez mieux votre rythme cardiaque et récupérerez plus rapidement.

Entraînement linéaire

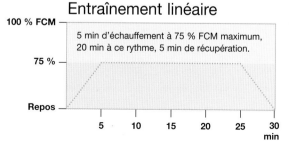

5 min d'échauffement à 75 % FCM maximum, 20 min à ce rythme, 5 min de récupération.

Entraînement fractionné

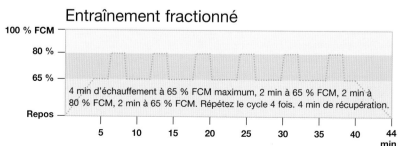

4 min d'échauffement à 65 % FCM maximum, 2 min à 65 % FCM, 2 min à 80 % FCM, 2 min à 65 % FCM. Répétez le cycle 4 fois. 4 min de récupération.

▲ **La course à pied : pour brûler des calories**
La course à pied est une forme d'activité linéaire. C'est un bon exercice aérobic qui vous permettra de brûler des calories, mais pour en optimiser les résultats, il faut travailler en fractionné.

▲ **Jeu, set et match !**
Pour une bonne séance de travail fractionné, diminuez les temps de récupération entre les points. Les professionnels, pour désarçonner leurs adversaires, accélèrent la cadence entre les échanges.

Entraînement et sport

Tout comme les techniques d'entraînement font travailler le corps de différentes manières, la plupart des sports et activités physiques sont spécifiques et induisent un comportement linéaire ou fractionné. En fonction des exigences de l'activité envisagée, on développe son endurance ou sa résistance. Ainsi, parce que le football réclame de brefs pics d'énergie lorsqu'on attaque pour se saisir du ballon ou qu'on court pour échapper à un autre joueur, le footballeur doit privilégier un entraînement fractionné.

En revanche, en supposant un terrain plat et une vitesse régulière, la course s'accompagne d'une fréquence cardiaque constante : il s'agit donc d'une forme d'entraînement linéaire. Le rythme cardiaque s'élève en raison de la fatigue et non

d'une augmentation de l'intensité de l'exercice. Le nombre de calories dépensées est élevé car la fréquence cardiaque reste toujours au même niveau (modéré à fort). Pour brûler encore davantage de calories, essayez de travailler votre course en fractionné.

Par ailleurs, le tennis est une forme d'activité fractionnée même si les périodes de forte intensité sont généralement très brèves. Un match de tennis moyen permet des pauses relativement longues entre les points et les échanges, durant lesquelles la fréquence cardiaque diminue. Si vous jouez assidûment au tennis, réduisez les temps de récupération entre les points joués et la fin de chaque set. De cette façon, vous augmenterez votre fréquence cardiaque et les dépenses caloriques.

L'aérobic

La natation

Exécutée convenablement, la natation est un exercice formidable : non seulement, elle améliore votre condition physique et brûle davantage de calories que de nombreuses autres activités, mais elle renforce aussi le système cardio-vasculaire, tout en raffermissant les principaux groupes musculaires. Pour optimiser une séance de natation, il est impératif d'avoir un bon programme. Pensez à la piscine comme à un appareil d'entraînement et considérez la natation comme un véritable exercice physique.

L'importance du crawl

Quelques longueurs de brasse constituent un bon échauffement, mais pour un entraînement vraiment efficace, rien ne vaut le crawl. N'hésitez pas à vous dépenser ; concentrez-vous sur la technique et travaillez aussi intensivement que possible. Le crawl est un des mouvements de natation les plus difficiles à maîtriser, mais si votre technique est correcte, vous resterez plus longtemps dans l'eau et obtiendrez d'excellents résultats.

▼ Inspirez

Dans le crawl, la respiration est le problème le plus fréquent. Inspirez en tournant la tête d'un côté, en rapprochant l'oreille de l'épaule, et non pas en soulevant la tête hors de l'eau.

La respiration

Une respiration correcte est indispensable pour vraiment tirer parti des exercices de natation. Le fait d'inspirer et d'expirer uniquement quand la tête est hors de l'eau ne permet pas aux poumons d'emmagasiner suffisamment d'air : les mouvements deviennent trop rapides et irréguliers, et l'épuisement guète. Pourtant, il suffit tout simplement d'expirer sous l'eau : vers la fin du mouvement, il faut expirer, tête sous l'eau, et inspirer quand on tourne la tête sur le côté. Entraînez-vous avec une planche de flottaison : placez un bras sur la planche, en la rapprochant du buste, et utilisez l'autre pour exécuter le mouvement crawlé. Nagez lentement et entraînez-vous à expirer sous l'eau. Pour inspirer, détournez la tête de la planche en rapprochant l'oreille de l'épaule et non pas en soulevant la tête hors de l'eau.

Commencez par respirer tous les deux mouvements de crawl, puis une fois que vous aurez pris de l'assurance, éliminez la planche et entraînez-vous à respirer tout en nageant avec les deux bras. Continuez à respirer tous les deux mouvements et toujours du côté duquel vous vous êtes entraîné avec la planche. À mesure de vos progrès, respirez tous les trois mouvements, en alternant les côtés. Une fois les principes de respiration acquis, le reste viendra facilement et vous ne peinerez pas à chercher votre souffle.

▼ Expirez

Respirez aussi régulièrement que possible. Il convient d'expirer sous l'eau vers la fin du mouvement. Au début, respirez tous les deux mouvements de crawl.

▲ Position correcte des mains
Allez chercher droit devant vous. Quand le bras fend l'eau, repliez
très légèrement la main ; cela facilitera votre propulsion vers l'avant.

Les mouvements des bras

Effectuez des mouvements longs, réguliers et vigoureux.
• Allez chercher droit devant vous, mais sans étirer l'épaule
outre mesure. La main (les doigts joints) doit fendre l'eau
dans une position légèrement repliée.
• Quand le bras entre dans l'eau, gardez-le légèrement fléchi
et ramenez-le vers le buste. À la fin de l'action, tendez le bras
pour vous propulser vers l'avant.

Les mouvements de jambe

On se fatigue souvent lorsque l'on nage trop vigoureusement.
• Essayez de minimiser les éclaboussures et les mouvements
en surface.
• Le mouvement doit partir du bassin et pas seulement des
fessiers, de façon à solliciter la jambe entière. Vous travaillerez
ainsi les abdominaux et tonifierez la sangle abdominale.
• Débutez par des mouvements longs et lents pour vous
habituer à travailler depuis le bassin, puis accélérez peu à peu.
• Gardez les pieds tendus mais non crispés.

Programme de crawl avant

6 longueurs de crawl avant à votre rythme. Allongez
les mouvements, et essayez d'en réduire le nombre pour
chacune des longueurs.

Reposez-vous 30 secondes.

6 longueurs en plaçant une planche de flottaison entre
les jambes, de façon à utiliser les bras pour 80 % de l'effort.

Reposez-vous 30 secondes.

6 longueurs à 90 % de vos possibilités.

Reposez-vous 30 secondes.

6 longueurs en tenant une planche de flottaison
à bout de bras.

Reposez-vous 30 secondes.

4 longueurs à 100 % de vos possibilités.

Reposez-vous 30 secondes.

6 longueurs à vitesse moyenne, à 70 % de vos
possibilités, en réduisant au maximum le nombre
des mouvements de crawl.

L'aérobic

La marche rapide

La marche est accessible à tous, quelle que soit la condition physique. Cet exercice n'agresse pas les articulations, sollicite les muscles des fessiers et ceux des jambes, notamment les quadriceps et les ischio-jambiers. On peut pratiquer la marche en plein air, mais en cas de conditions climatiques défavorables, un tapis de course dans une salle de sport conviendra parfaitement. Parce qu'il est facile de surveiller et contrôler l'intensité du travail fourni, la marche est un bon moyen de comprendre les fluctuations de la fréquence cardiaque à l'effort.

Une bonne technique

De nombreux sportifs sont handicapés par leur mauvaise technique et ainsi ne s'entraînent pas efficacement ou épuisent leur organisme. Il convient donc de bien surveiller sa posture et tâcher de garder le corps toujours bien aligné.

La nuque et les épaules

Dans la marche, une des erreurs les plus fréquentes est de contracter la nuque et les épaules.

• Avant de commencer, relâchez ces dernières en basculant doucement la tête sur les côtés; vous allongerez et décontracterez les muscles du cou et du haut des épaules.

• Lorsque vous marchez, étirez la nuque mais gardez vos muscles aussi relâchés que possible. La posture doit être allongée et élégante, et non pas contractée ou voûtée.

• Marchez avec le menton relevé, et le regard dirigé vers l'avant plutôt que vers le sol. Laissez un espace suffisant entre le menton et le cou. Évitez de rentrer et contracter le cou et les épaules : votre respiration en sera facilitée.

• Relâchez les épaules en les laissant tomber et retrouver elles-mêmes leur position naturelle. Essayez de maintenir cette position naturelle tout au long de votre séance.

▼ Allongez les foulées

Plus les enjambées seront longues, moins vous devrez fournir d'effort, et plus vous vous économiserez. La puissance doit se concentrer sur la jambe arrière au moment où elle se décolle du sol.

Relâchez la **nuque** et les **épaules**.

Contractez les **abdominaux** afin de maintenir le **buste** immobile et stable.

Marchez à un **rythme** qui ne vous oblige pas à faire pivoter le **bassin**.

Maintenez les **bras** près du buste.

◀ En avant, marche !

Quand vous avancez, c'est le talon qui doit d'abord se planter dans le sol, suivi du poids du corps. Quand le poids du corps est transféré, poussez sur la jambe arrière pour vous propulser en avant.

• Lorsque vous marchez, évitez de trop basculer en arrière ou en avant, car cela fatigue le bassin et la colonne vertébrale.
• Respirez profondément. Essayez de respirer par le ventre ; cela augmente la capacité pulmonaire et favorise ainsi une plus grande absorption d'oxygène. Quand on fait du sport, on a trop souvent l'habitude de respirer avec le thorax si bien que ce sont les muscles intercostaux qui fournissent tout le travail. En respirant plus profondément, le diaphragme se contracte et permet aux poumons d'emmagasiner plus d'air.

Le bassin et les fessiers

Le bassin sert de stabilisateur, mais ce sont les muscles des fessiers qui travaillent le plus puisque c'est de là que vient la puissance de la marche.

• Gardez le bassin immobile et de face ; imaginez qu'il s'agit du pare-chocs d'une voiture. Ainsi, les jambes travailleront davantage et vous éviterez de faire pivoter les lombaires.
• Dans la marche, la phase la plus importante est l'impulsion de la jambe arrière, initiée par les muscles des fessiers. Si votre technique est correcte, vous devriez sentir les muscles des fessiers et les ischio-jambiers (arrière des cuisses) travailler.

Les jambes et les pieds

N'essayez pas d'allonger à tout prix vos enjambées, car cela ne ferait que vous ralentir.

• Faites des foulées courtes pour empêcher le tronc de pivoter depuis le bassin.
• Quand vous avancez, c'est le talon qui doit d'abord se planter dans le sol, suivi du poids du corps. Quand le poids du corps est transféré, poussez sur les muscles des fessiers. Enroulez alors le pied arrière en gardant les orteils au sol jusqu'à la fin de la foulée.
• La phase d'extension arrière de la jambe doit être plus longue et plus puissante que le pas vers l'avant.
• Gardez le bassin, les genoux et les pieds alignés et dirigés vers l'avant. Si vos pieds ont tendance à dévier naturellement, vous devrez faire des efforts et persévérer pour maintenir l'alignement.
• Gardez les pieds aussi relâchés que possible, afin de prévenir les contractions des tibias.

Les bras

Les mouvements de bras équilibrent ceux des jambes.

• Quand vous marchez, gardez les bras fléchis à 90°, avec les avant-bras relâchés et les mains repliées, mais non crispées.
• Le mouvement arrière des bras est très important et doit accompagner celui des jambes, afin de gagner en puissance.
• Le mouvement avant ne doit pas être trop long : ramenez la main à hauteur de la poitrine, de sorte que le coude dépasse légèrement du buste. Les mouvements de bras de grande amplitude ne servent à rien, sinon à pomper votre énergie et à vous épuiser.

Le buste

Un buste stable permet aux jambes de travailler plus vite ; il ne doit quasiment pas bouger lorsque vous marchez.

• Gardez les abdominaux contractés et le buste bien droit, ou alors très légèrement penché en avant.

L'aérobic

Les problèmes les plus courants

La marche rapide entraîne moins de blessures que la course
à pied. Quelques problèmes peuvent néanmoins survenir.

Les tibias douloureux

Quand on débute en marche rapide, il n'est pas rare de se
plaindre de douleurs aux tibias, douleurs qui peuvent même
nécessiter l'arrêt de l'activité. Les muscles du tibia doivent
travailler plus dur pour soulever sans cesse les orteils du sol.
Chez la plupart des gens qui ne sont pas des marcheurs
confirmés, les tibias sont vulnérables, même si les mollets sont
développés. Pourtant, il existe quelques exercices simples pour
les renforcer et éviter ces désagréments. Par exemple, placez-
vous debout et essayez de décoller les orteils du sol, de façon
à sentir les muscles des tibias travailler. De même, après une
marche rapide, on peut parfois ressentir des raideurs au
niveau des mollets – auxquelles on remédie par un simple
étirement (*voir page 47*).

Quand cela est possible, marchez sur l'herbe qui absorbe
les chocs et réduit les impacts sur les tibias. Les tapis de
course sont intéressants car ils sont plus souples et absorbent
mieux les chocs que les routes ou autres surfaces dures.

Les chevilles douloureuses

Les douleurs aux chevilles proviennent souvent du port de
chaussures mal adaptées. Que vous marchiez avec les pieds en
pronation (glissant vers l'intérieur) ou en supination (glissant
vers l'extérieur), il est important de porter des chaussures
qui assurent un maintien convenable et une correction
de la position du pied. Prenez conseil auprès d'un vendeur
compétent pour trouver le modèle le mieux adapté à vos besoins.

Bien choisir ses chaussures

Quand on marche, les pieds sont perpétuellement en contact
avec le sol. C'est pourquoi il est essentiel de leur fournir une
base de réception solide, un soutien correct et une bonne
protection tout au long du mouvement. Cela est d'autant plus
important que l'on marche en pronation ou en supination.
Pour vérifier si l'on est sujet à l'un ou l'autre, il suffit
d'examiner une vieille paire de chaussures. Si la partie
interne de la semelle est la plus usée, vous marchez
vraisemblablement en pronation, c'est-à-dire le pied tourné
vers l'intérieur. Choisissez donc une chaussure qui soutienne
bien la voûte plantaire et prévienne cet effet de glissement.

Redressez le **dos**.

Dans la marche
rapide, on sollicite
principalement
les **muscles
glutéaux** (fessiers)
pour se **propulser**
vers l'avant.

▲ **Raffermir les muscles**
Ce sont les muscles des fessiers, véritable fabrique d'énergie,
qui fournissent toute la puissance. La marche rapide permet ainsi
de raffermir les muscles, d'affiner et de sculpter les fessiers.

L'aérobic

En revanche, si vos semelles s'usent davantage sur l'arête externe, vos marchez sans doute en supination. Autrement dit, votre pied a tendance à glisser vers l'extérieur. Choisissez des chaussures qui soutiennent les côtés externes du pied et qui soient suffisamment larges pour éliminer les risques de glissement. Prenez également en compte les critères suivants :

• Bon amorti au niveau du talon pour un meilleur soutien en réception.

• Souplesse pour ne pas entraver le mouvement naturel du pied et faciliter la marche.

• Semelle assez large pour éviter les glissements du pied.

• Hauteur correcte pour maintenir les chevilles.

• Légèreté afin de ne pas alourdir les jambes et entraîner des douleurs musculaires, notamment au niveau des mollets.

L'importance des étirements

Après votre séance, prenez le temps d'étirer les muscles que vous venez de solliciter : muscles fessiers, ischio-jambiers, mollets, quadriceps, tibias, fléchisseurs des hanches et lombaires. Ces étirements préviendront les éventuelles courbatures. Pour les étirements des jambes et du dos, reportez-vous pages 44 à 47.

Programmes de marche

Pour de meilleurs résultats, variez la vitesse et l'intensité de votre marche. Alternez également les techniques d'entraînement pour obtenir un raffermissement et un renforcement des jambes plus efficace.

• **Pour acquérir de l'endurance,** il faut marcher à vitesse constante pendant une longue durée, c'est-à-dire s'entraîner de façon linéaire (*voir page 56*). Par exemple, on peut s'échauffer en marchant pendant 4 minutes jusqu'à atteindre une fréquence cardiaque de 75 %, puis maintenir ce rythme pendant 20 minutes, avant de récupérer en ralentissant pendant 4 autres minutes.

• **Pour acquérir de la résistance,** préférez un entraînement fractionné (*voir page 56*), c'est-à-dire alternez sur de courtes durées marche à haute intensité et marche à faible intensité. Ainsi, on peut prendre 4 minutes pour s'échauffer à 65 % FCM et continuer à cette allure pendant 2 minutes, avant de monter à 80 % FCM pendant 2 autres minutes. Il s'agit ensuite d'alterner ces fréquences cardiaques et de répéter 5 fois le cycle.

▲ **Conservez une bonne technique**
Le bassin, les genoux et les pieds sont alignés, et les pointes de pied sont dirigées vers l'avant. Marchez d'un pas décidé et d'une foulée fluide et régulière. Pour optimiser vos séances, variez les techniques d'entraînement et les programmes.

▲ **Amorti du pied**
Les orteils restent au sol jusqu'à la fin du mouvement. On se propulse en poussant sur la plante des pieds et sur les orteils.

L'aérobic

La course à pied

Lorsque l'on débute la course à pied, il est très important de démarrer lentement et d'acquérir une bonne technique avant d'accroître la durée et l'intensité de ses séances. Vous n'avez besoin d'aucun accessoire, si ce n'est d'une bonne paire de chaussures de sport. Toutefois, la course est une activité agressive pour les articulations, elle est donc déconseillée aux personnes ayant des problèmes de genoux.

Une bonne technique

La course à pied étant une activité agressive et de forte intensité, le respect d'une bonne technique est primordial ; c'est ainsi que vous optimiserez votre entraînement – à savoir, une séance d'aérobic efficace avec un moindre risque de blessures. Il faut prendre conscience qu'une mauvaise technique de course peut entraîner des douleurs au niveau des lombaires (bas du dos) et du bassin.

La nuque et les épaules

Un des problèmes les plus fréquents de la marche est la tension qu'elle occasionne dans la nuque, les épaules et le haut du dos. Lorsque l'on court, la tentation de soulever les épaules – et donc d'accroître la tension au niveau de la nuque – est d'autant plus grande.

• Essayez d'adopter une position décontractée et confortable : gardez la nuque allongée et les épaules basses.

• Au début de vos séances, veillez à relâcher les épaules ; au bout d'un certain temps, cela deviendra un automatisme. Pour les parcours plus longs, surveillez bien vos épaules et corrigez leur position si vous sentez qu'elles se soulèvent. Notez que le cou et les épaules doivent toujours être relâchés, mobiles, et ni crispés, ni rigides.

• Si vous ressentez des raideurs au niveau du cou, effectuez un petit exercice d'étirement (*voir page 42*).

▶ **Un exercice intense**
Lorsque l'on court, vient un moment où les deux pieds sont décollés du sol en même temps. Le contact avec le sol est donc plus violent, ce qui peut être traumatisant pour les articulations.

Les bras

Les mouvements de bras aident à vous propulser en avant et à maintenir un rythme constant.

• Veillez à garder les bras et les mains relâchés et détendus.

• Une fois que vous aurez appris à décontracter les épaules, ouvrez l'angle des coudes et tendez légèrement les bras.

• Gardez les doigts allongés et détendus, ne serrez pas les poings.

• Aidez-vous des bras pour prendre de la vitesse. Balancez-les d'avant en arrière, mais n'exagérez pas l'amplitude du mouvement : si vous remontez les bras trop haut, vous créerez des tensions au niveau des bras, des mains et des épaules.

• Dans les phases les plus faciles de votre parcours, comme les descentes, laissez retomber les mains et tendez un peu les bras – cette action atténuera les tensions cervicales.

◀ Surveillez votre technique
Maintenez une posture stable et correcte, et le dos aussi droit que possible. Gardez les pieds près du sol et veillez à ne pas « rebondir » quand vous courez. Retombez sur les talons, et sollicitez les muscles glutéaux ainsi que les ischio-jambiers pour démarrer le mouvement à partir des orteils.

Le buste

La course sollicite intensément les muscles du bas du dos et de l'estomac. Par conséquent, non seulement vous renforcez ces régions, mais en plus, vous les affinez.

• Lorsque vous courez, gardez le buste redressé, très droit, et contractez les abdominaux; cette posture – valable également pour la marche rapide – fournira aux jambes une base d'impulsion solide. Après avoir couru, il est fréquent de ressentir des contractions musculaires à l'estomac; ces raideurs sont généralement dues à la contraction des abdominaux, sollicités pour vous maintenir dans une position correcte.

• Renforcez votre ceinture abdominale (*voir pages 102-105*) et les muscles du dos (*voir pages 90-95*). Plus votre buste sera puissant, plus vous aurez de facilité à courir, et moins vous vous fatiguerez.

• Maintenez le dos droit et allongé pour empêcher le haut du corps et les épaules de basculer vers l'avant. Le fait de garder le dos droit permet de mieux répartir les tensions dans tout le haut du corps; cela signifie que vous pourrez plus facilement maintenir une posture de course détendue.

Le bassin et les muscles glutéaux (fessiers)

La stabilité, assurée par les abdominaux et les lombaires, peut être renforcée par le bassin. Dans la course, le fascia lata a un rôle essentiel puisque c'est lui qui fournit l'énergie.

• Quand on court, les muscles glutéaux doivent travailler davantage pour insuffler l'énergie aux jambes et ainsi propulser le corps en avant. L'erreur fréquente est de sous-utiliser les muscles glutéaux au profit des ischio-jambiers, muscles situés à l'arrière des cuisses; il en résulte alors un épuisement des ischio-jambiers ainsi que des douleurs dans les lombaires.

• Lorsque vous courez, à chaque foulée, vous devriez sentir les muscles glutéaux propulser les jambes. Si ce n'est pas le cas, votre technique est incorrecte.

Les jambes et les pieds

Il est déconseillé aux coureurs débutants de courir en levant exagérément les genoux ou en effectuant de longues foulées et en rebondissant. Non seulement cette façon de courir est épuisante, mais en plus, elle inflige des tensions inutiles aux articulations des genoux et des chevilles. Une fois que vous vous sentirez à l'aise dans la marche rapide, la course à pied constituera une progression naturelle.

• Gardez les pieds près du sol et maintenez une posture corporelle stable et correcte.

• Essayez de ne pas trop rebondir.

• Réceptionnez-vous sur les talons et déroulez tout le pied avant de repartir sur les orteils. Sollicitez les muscles glutéaux et les ischio-jambiers pour acquérir de la puissance.

• Préférez des foulées courtes et rapides à des longues qui exigent nettement plus d'efforts.

L'aérobic

Les problèmes les plus courants

Une mauvaise technique, une fréquence ou une durée trop intenses peuvent occasionner des problèmes. Voilà les soucis les plus récurrents et les solutions pour les traiter ou, mieux encore, les prévenir.

Les genoux douloureux

Il s'agit d'une douleur très fréquente et souvent causée par le port de chaussures mal adaptées. La course est un exercice agressif pour les articulations car le corps doit absorber de nombreux à-coups. Choisissez des chaussures de sport qui amortissent bien les chocs et allègent la pression sur les genoux. Pour plus de détails, reportez-vous pages 62-63.

Une trop forte pression sur les genoux peut aussi être source d'ennuis. En cas de surcharge pondérale, lorsque l'on court, la pression au niveau des articulations est nettement amplifiée et peut endommager les genoux. Dans ce cas, mieux vaut passer à une activité comme la marche rapide, moins traumatisante pour les genoux. En revanche, une fois l'excès de poids éliminé, la course sera un moyen efficace de garder la ligne !

Les douleurs peuvent être provoquées par des faiblesses ou déséquilibres musculaires. Ainsi, en cas de quadriceps faibles, le mouvement est concentré sur l'articulation du genou et y exerce une trop forte pression. Parfois, on ressent des douleurs au niveau du centre ou des côtés du genou. Cela survient, y compris chez des coureurs avertis, lorsqu'un côté du corps est plus faible que l'autre, ou encore lorsqu'il y a déséquilibre musculaire (par exemple, quadriceps puissants mais ischio-jambiers peu musclés). La seule solution est d'arrêter de courir et de rééquilibrer ces muscles. De manière générale, pour prévenir tous ces problèmes, il est impératif de renforcer uniformément tous les muscles des jambes.

Les tibias douloureux

Les coureurs, comme les marcheurs, ressentent souvent des douleurs aux tibias. Les chaussures sont parfois à blâmer : ces douleurs peuvent signaler que celles-ci sont trop usées et ne soutiennent plus les pieds – ni le corps – correctement.

▶ **Courir sur un tapis de course**
Courir sur un tapis de course est moins traumatisant pour les genoux. Toutefois, parce que les pieds se déplacent vers l'arrière, les muscles glutéaux et les ischio-jambiers ne travaillent pas aussi dur qu'en plein air.

Quand on court régulièrement, il faudrait changer de chaussures tous les six mois. Et si vous venez d'en acheter une nouvelle paire ou si vous êtes débutant, vos douleurs signifient que vos chaussures sont mal adaptées. Quand on fait trop d'effort, on peut aussi déclencher des problèmes aux tibias. Lors de la course, les tibias absorbent la plupart des impacts et sont donc les premiers touchés. Restez bien à l'écoute de votre corps et essayez de varier vos programmes.

Des raideurs aux mollets

La course à pied peut agresser les mollets. Comme de nombreux coureurs oublient de s'étirer après leur séance, les mollets restent raides. Il est donc impératif de bien s'étirer à la fin d'une course (*voir pages 46-47*).

Programmes de course à pied

Les débutants doivent commencer à s'entraîner en fractionné, c'est-à-dire courir sur de courtes durées, puis marcher et récupérer, puis courir de nouveau et ainsi de suite. Avant de pouvoir courir, il faut d'abord bien maîtriser la marche rapide et avoir acquis assurance et aisance. Ne passez pas à la course trop rapidement. La marche rapide est un excellent exercice, même pour des sportifs confirmés. Débutez toujours une séance par un échauffement; marchez pendant 5 minutes pour élever progressivement votre fréquence cardiaque.

Niveaux débutant et moyen

Une fois la marche rapide maîtrisée, incorporez dans votre programme de brefs moments de course afin d'augmenter légèrement l'intensité de votre séance. Ainsi, vous pouvez marcher pendant 3 minutes, courir pendant 1, puis marcher de nouveau pendant 3. Répétez ce cycle 5 fois afin d'obtenir un entraînement de 20 minutes.

À mesure de vos progrès, augmentez progressivement la durée des phases de course : si vous faîtes 2 minutes de marche suivies de 2 autres de course, vous pouvez alors marcher pendant 1 minute et courir pendant 3. Surveillez toujours votre rythme cardiaque : un bon programme (*voir ci-contre*) devrait toujours indiquer le pourcentage de la fréquence cardiaque maximum (FCM) ciblée afin de contrôler l'intensité de votre entraînement. La course est une activité aérobic de forte intensité, elle élève donc rapidement le rythme cardiaque. Augmentez graduellement la durée de vos temps de course et finissez par courir sans vous arrêter ni marcher.

Programmes avancés

Les coureurs confirmés se plaignent de n'observer aucun progrès malgré leurs trois séances de courses hebdomadaires. Cette situation est sans doute due à un programme trop répétitif. Il faut donc varier les parcours : travaillez la résistance (périodes d'intensité élevée pendant de courtes durées répétées plusieurs fois) et l'endurance (travail de faible intensité sur une longue durée). Alternez courses à vitesse constante et courses avec accélérations rapides et brèves et technique fractionnée. En variant les techniques d'entraînement, l'organisme est constamment sollicité et donc ne cesse d'améliorer ses performances.

▲ **Écoutez votre corps**
Adoptez une bonne technique et portez des chaussures qui amortissent les chocs et soutiennent les pieds et les chevilles. Renforcez les muscles des jambes et adoptez un bon programme de course qui varie les intensités de travail tout en stimulant les muscles des jambes.

Programme de course

Ce programme étalé sur deux semaines permet de stimuler sans cesse votre corps.

1er jour	25 min à 75-80 % FCM (terrain plat)
2e jour	Repos
3e jour	40 min à 75 % FCM
4e jour	Repos
5e jour	2 min à 85 % FCM, 2 min à 70 % FCM (5 fois)
6e jour	Repos
7e jour	Repos
8e jour	60 min à 70-75 % FCM
9e jour	Repos
10e jour	Sprint de 200 m, marche de 40 secondes (6 fois), 4 min de repos; répétez le cycle 1 à 2 fois
11e jour	Repos
12e jour	Repos
13e jour	20 min à 80-85 % FCM (terrain plat)
14e jour	Repos

L'aérobic

Le vélo

Le vélo est une excellente activité de cardio-training, non aggressive pour les articulations, qui sollicite les muscles des cuisses, des fessiers et du bas des jambes, tout en raffermissant et renforçant les lombaires et la ceinture abdominale. De plus, ce sport a l'avantage d'être facile à contrôler puisqu'on peut changer de vitesse, choisir un terrain escarpé ou plat, et donc varier l'intensité de son entraînement.

Une bonne technique

Enfourchez votre bicyclette correctement. Il est important de se sentir à l'aise et décontracté si l'on veut solliciter efficacement les muscles et ne pas risquer de se blesser inutilement. Ces recommandations s'appliquent également aux vélos fixes.

Une bonne hauteur de selle

Une hauteur de selle correcte évite les douleurs aux genoux et permet aux jambes de générer un maximum de puissance. Dans la phase descendante du pédalage, la jambe doit être tendue, même si le genou doit rester légèrement fléchi.

La nuque et les épaules

Quand vous pédalez, la tête et les épaules doivent rester bien immobiles. Ce sont les jambes qui doivent fournir tout le travail.
• Relâchez la nuque et les épaules.
• Ne contractez pas les épaules, et ne les soulevez pas afin d'éviter les blessures cervicales.

▼ **En selle !**
Une fois la selle réglée à la bonne hauteur, il est facile de maintenir une bonne posture. Fléchir légèrement le genou, même quand la jambe est tendue, permet une grande amplitude dans le mouvement de pédalage. Autrement dit, on pédale plus efficacement.

Relâchez la **nuque** et les **épaules**.

Redressez le **dos**.

Tendez les **bras**, mais fléchissez légèrement les **coudes**.

Le **genou** reste légèrement **fléchi** dans la phase descendante du pédalage.

L'aérobic

▶ Pour un travail efficace

Vous pouvez varier l'intensité de votre entraînement. Par exemple, remontez sensiblement la hauteur de votre selle : le travail des jambes gagnera en puissance.

Les bras et les mains

Le principal rôle des mains et des bras est de stabiliser et de contrôler le pédalage.

• Relâchez les bras en fléchissant légèrement les coudes.

• Décontractez les mains, mais agrippez fermement le guidon. Attention, si vous les contractez trop, vous entraînerez des tensions au niveau des avant-bras.

Le buste, le dos et le bassin

C'est le buste qui assure la stabilité du pédalage et permet justement aux jambes de pédaler. Plus la sangle abdominale sera forte, plus vous garderez le corps immobile.

• Contractez tout le buste (abdominaux, obliques et *erector spinae* – extenseur du rachis) afin de mieux vous équilibrer.

• Maintenez le dos aussi droit et plat que possible. Contractez les abdominaux pour éviter de vous affaisser.

• Ne laissez pas retomber les épaules vers le guidon car cela occasionnerait des tensions dans le haut du dos.

Les jambes

Si la hauteur de la selle est correcte (*voir page ci-contre*), la position des jambes le sera aussi.

• Inclinez le pied de façon à ce que les orteils pointent légèrement vers le sol et que le talon soit légèrement surélevé dans la phase descendante du pédalage. Vous éviterez ainsi les tensions au niveau des mollets.

• Utilisez des cale-pieds car sans eux, le pédalage est initié par les quadriceps (muscles avant des cuisses). En revanche, avec des cale-pieds, comme les pieds sont rattachés aux pédales, le mouvement est alors initié par les quadriceps mais aussi par les muscles arrières des jambes, à savoir les ischio-jambiers, les muscles glutéaux et les mollets.

Conseils de sécurité

Voici quelques conseils pour renforcer votre sécurité et optimiser votre parcours.

• À l'arrêt, gardez la pédale intérieure en haut pour qu'elle ne touche pas le sol et vous déséquilibre.

• Sur une côte, abaissez un peu votre selle, ce qui permettra de vous mouvoir plus facilement et mieux vous équilibrer.

Ne vous **cramponnez** pas au guidon.

Pointes de pieds légèrement tournées vers le sol, lors de la **phase descendante** du pédalage.

• Dans les descentes, basculez le poids du corps vers l'arrière pour éviter justement que l'arrière du vélo ne se soulève.

• Quand vous grimpez une côte, essayez de rester bien en selle afin de répartir uniformément votre poids sur le vélo.

• Freinez progressivement, car si vous freinez brusquement, vous risquez de passer par-dessus le guidon.

• Portez toujours des vêtements protecteurs.

• De gants de cyclisme aideront à saisir fermement le guidon.

Avant de partir en balade…

• Assurez-vous que les pneus sont suffisamment gonflés.

• Ajustez la selle à la bonne hauteur.

• Vérifiez le bon fonctionnement des freins.

• Emportez un kit de crevaison.

• Prévoyez une pompe.

L'aérobic

Les appareils de cardio-training

Quand il n'est pas possible de s'entraîner en plein air (notamment à cause du temps), on peut se tourner vers la vaste gamme d'appareils offerts par les salles de sport.

Diversifiez vos séances et utilisez autant de machines que possible : ne vous cantonnez pas à celle que vous préférez. Vous serez sûr de stimuler alors tout le corps. Un des avantages d'une salle de sport est qu'il y a toujours une forme de distraction aux alentours : radio, musique, télévision, ou tout simplement l'observation des autres… De plus, grâce à leurs cadrans, les appareils vous motivent car ils indiquent les distances parcourues et les calories éliminées. Vous pouvez également prendre un cours, par exemple de cycling – on fait du vélo en groupe, dirigé par un moniteur (*voir page 192*).

Le step

N'importe quelle salle de sport possède désormais un step. Cet exercice peut s'avérer être un très bon entraînement aérobic à condition d'en faire suffisamment, consiste à monter des marches et raffermit les quadriceps (muscles avant des cuisses) et les mollets. Il existe plusieurs modèles de step, mais ils présentent tous plus ou moins les mêmes caractéristiques.

Leur principale différence réside dans la dépendance ou l'indépendance des mouvements de steps. Sur un step dépendant, les deux pédales sont liées, si bien que lorsqu'une descend, l'autre remonte. Sur un step indépendant, les deux pédales sont autonomes et demandent un travail plus intense.

Comme les steps sollicitent les quadriceps, si on se cantonne exclusivement à cette machine, on risque de trop les développer. C'est pourquoi il faut essayer d'autres appareils pour laisser les quadriceps se reposer.

Il existe aussi un appareil spécifique destiné à l'entraînement pour le ski, mais il ne convient pas aux personnes qui ont des problèmes de genoux.

▲ Le vélo fixe
Avant de commencer, ajustez la selle à la bonne hauteur et gardez toujours le dos bien droit. Pour de plus amples détails concernant le bon placement et les programmes, reportez-vous pages 68-69.

Le ski de fond

Les skieurs de fond sont réputés pour être des sportifs émérites. La machine de ski de fond permet de pratiquer cet excellent sport en salle et convient à tous ceux qui sont en bonne condition physique. On peut également l'inclure dans un circuit pour une séance intensive qui élève la fréquence cardiaque en peu de temps.

Même si la structure de la machine aide à maintenir une posture correcte, le bassin et les lombaires peuvent être le foyer de tensions musculaires. Pour les éviter, centrez toujours bien votre poids et répartissez-le uniformément sur les deux jambes. Cette machine est déconseillée en cas de problèmes de lombaires.

Le cross-trainer

On a conçu l'appareil de cross-training – également connu sous le nom de « machine à mouvement elliptique » – pour répondre à plusieurs objectifs : offrir une alternative à la course sur tapis, solliciter davantage de muscles que le step et permettre un entraînement plus long que celui du ski de fond. Il en résulte une machine qui entraîne les jambes dans un mouvement elliptique, qui est un compromis entre la course et le ski de fond, et qui offre les avantages de ces deux activités sans en avoir les inconvénients.

Le cross-training élimine l'agressivité de la course et réduit les risques potentiels de blessures aux genoux provoqués par le ski de fond. Cet appareil est celui qui sollicite le plus les jambes et autres muscles inférieurs ; et parce qu'il les sollicite de façon égale, on ne court aucun risque de surdévelopper un groupe musculaire particulier.

Le rameur

Cet excellent exercice d'aérobic permet de travailler en même temps le haut et le bas du corps. Mais attention ! Cette activité, plus que toute autre, requiert une parfaite technique et une bonne coordination.

Ce sont les jambes qui génèrent l'énergie du mouvement. Donc, si vos bras se fatiguent avant vos jambes, c'est que votre technique n'est pas correcte. Corrigez-la. Attention aussi au dos. Même s'il y a une légère rotation du bassin, n'oubliez pas que ce sont les jambes qui doivent faire tout le travail. De plus, à la fin du mouvement, ne vous penchez pas trop en arrière. Enfin, ne cherchez pas à aller à toute vitesse au détriment de la technique. Notez que votre fréquence cardiaque doit être légèrement plus faible que pour les autres activités de cardio-training comme le vélo ou la course à pied.

Le cross-trainer ▼
Grâce à la popularité croissante du cross-training, la plupart des salles de sport se sont équipées. Cet appareil constitue un bon exercice d'aérobic, non agressif, et qui sollicite un maximum de muscles.

Enchaînements aérobic

Il est possible d'introduire de la variété dans votre circuit en incluant un enchaînement aérobic. Il s'agit de pratiquer rapidement une série d'exercices destinés à élever la fréquence cardiaque et solliciter différemment les muscles. L'objectif de l'aérobic doit être de maintenir une fréquence cardiaque élevée durant un minimum de 20 minutes. Incorporez donc quelques-uns des exercices suivants à votre programme.

Le saut à la corde

Les boxeurs s'échauffent en sautant à la corde. Il s'agit en effet d'une activité aérobic intense qui améliore également la coordination. Parce que le saut à la corde élève rapidement la fréquence cardiaque, il est difficile de le pratiquer plus de quelques minutes d'affilée. C'est pourquoi il vaut mieux en intégrer de brefs épisodes dans un circuit. Essayez de ne pas sauter trop haut : il suffit de soulever légèrement les pieds du sol. Au début, on a souvent tendance à bondir, ce qui agresse trop les genoux. Il est donc chaudement recommandé à tout néophyte de sauter en passant d'un pied à l'autre.

Le saut à la corde peut élever la fréquence cardiaque si rapidement que l'on peut dépasser très rapidement sa zone d'entraînement optimale (*voir page 54*).

À moins d'être en excellente condition physique, on se contentera de brefs épisodes de saut à la corde suivis de pauses de récupération. Notez qu'il s'agit d'une activité très intense, et déconseillée en cas de problèmes de genoux.

▼ Un petit saut pour être en forme
Incorporez du saut à la corde dans votre programme. C'est une activité d'aérobic intense qui améliore également la concentration et ne nécessite aucun matériel sophistiqué.

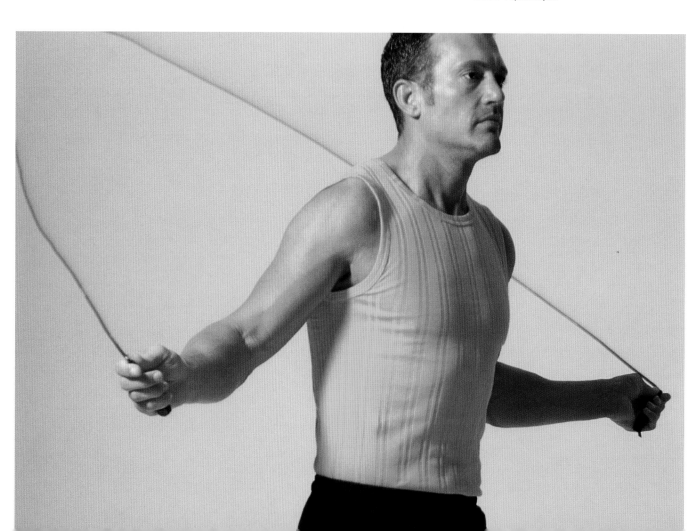

Mini-sprints

Dans les entraînements sportifs, on utilise régulièrement ces exercices – parfaits pour développer l'agilité. Ils peuvent raviver de mauvais souvenirs de cours d'éducation physique scolaires, mais sont réellement efficaces.

Tracez deux points de repères sur le sol, éloignés de 10 à 15 m. Effectuez un certain nombre d'allers-retours en courant (ou déterminez une durée précise). Il est inutile de trop éloigner les points car l'objectif est de vous faire tourner sur vous-même. Il s'agit d'un exercice intense constitué de brefs sprints et de rotations. Portez des chaussures qui soutiennent bien la voûte plantaire et absorbent un maximum de chocs (*voir pages 62-63*).

Ces exercices constitueront une bonne préparation si vous pratiquez un sport qui nécessite de nombreux sprints de courte durée (tennis, volley, football, basket).

Slaloms

Il s'agit d'une variante des mini-sprints, mais qui demande davantage d'agilité, de résistance et qui sollicite plus les jambes.

Vous aurez besoin au minimum de six cônes ou points de repère que vous disposerez sur deux rangées éloignées de 2 à 3 m. Laissez également 2 à 3 m entre les cônes. Slalomez entre les deux rangées. Cet exercice est une excellente activité aérobic mais renforce également les jambes, la mobilité rotatoire et la vitesse. C'est un bon entraînement pour des sports de plein air comme le football, le basket, le rugby et le tennis.

Vous ajusterez l'éloignement des repères en fonction de l'espace disponible et du sport pour lequel vous vous entraînez. Ainsi, pour le football et le basket, rapprochez les cônes et évoluez rapidement, comme si vous poursuiviez ou échappiez à un adversaire en situation réelle. En revanche, pour le tennis, éloignez-les davantage.

Escalade

De plus en plus de salles de sport proposent des parcours d'escalade de murs, d'échelle ou de corde. Il s'agit d'une bonne activité aérobic qui renforce aussi le haut du corps – ce qui est rare puisque les exercices de cardio-training développent généralement le bas.

Toutefois, l'escalade est une activité intense qu'on ne peut réellement pratiquer sur une longue durée. Réservez-la comme petit « plus » à un circuit.

Course d'obstacles

Il s'agit de faire plusieurs petits sauts d'affilée par-dessus une rangée de 6 à 10 obstacles, éloignés d'une enjambée chacun. Il faut rapprocher suffisamment les obstacles pour enchaîner les sauts les uns à la suite des autres, sans avoir à courir entre eux.

Le saut d'obstacles est une activité intense qui agresse les os et les articulations, notamment au niveau des genoux. Cependant, une pratique épisodique n'endommagera pas vos os, mais au contraire, les renforcera.

Composez votre propre circuit

Voici un circuit-type qui associe tous les exercices précédemment cités à des exercices de musculation (*voir pages 74-113*).

Il faut enchaîner tout le circuit, sans perdre de temps : pas plus de 30 secondes de pause entre les exercices. L'objectif est de maintenir une fréquence cardiaque élevée durant les 20 minutes du circuit. À mesure de vos progrès, augmentez le nombre de répétitions des exercices.

Circuit-type

Échauffement aérobic	7 min
Développé-couché	30 s
Squat	30 s
Saut à la corde	3 min
Pompes	30 s
Tirage à la poulie	30 s
Mini-sprints	2 min
Élévations latérales	30 s
Tirage des dorsaux	30 s
Slaloms	2 min
Squat avec ballon	30 s
Dips	30 s
Course d'obstacles	2 min
Flexion des biceps	30 s
Fente avant dynamique	30 s pour chaque jambe
Escalade	15 montées
Récupération (marche)	5 min
Étirement	Étirement intégral (*voir page 48*)

L'aérobic

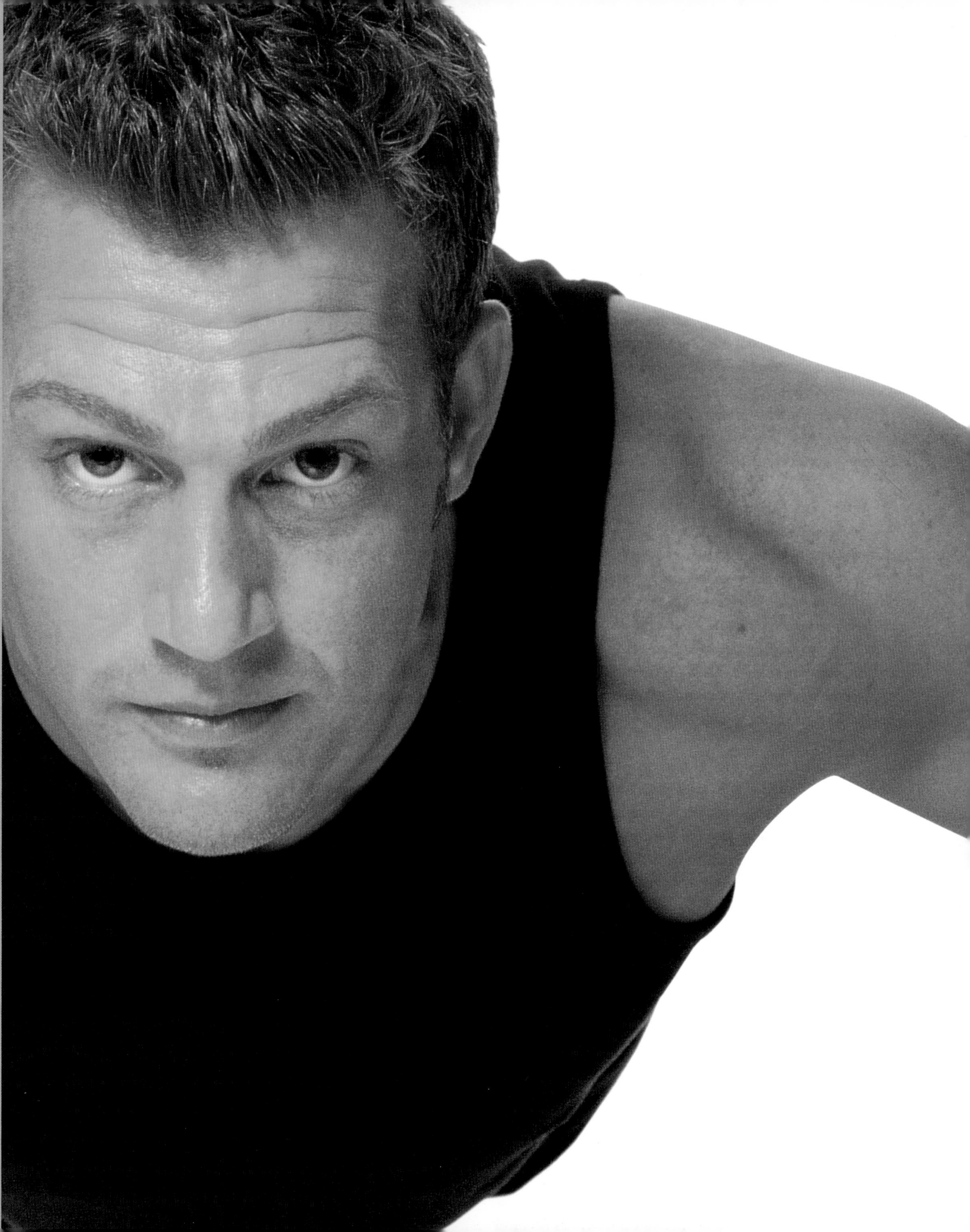

Exercices de musculation

Tout bon programme de remise en forme se doit d'inclure des exercices de renforcement musculaire, que l'objectif principal soit de perdre du poids, de se préparer à un sport ou de modeler sa silhouette. Ce chapitre présente une très large sélection d'exercices de renforcement musculaire, extrêmement efficaces ; ces exercices sont regroupés en fonction des zones du corps sollicitées. Variez vos mouvements, vous stimulerez ainsi vos muscles différemment et ne cesserez d'observer des résultats.

Qu'est-ce que la musculation ?

On entend par « musculation » le fait de s'entraîner ou de travailler avec des poids (haltères, charges des appareils guidés), ou encore votre propre masse corporelle. Par des mouvements simples – et souvent répétitifs –, on cible un muscle ou groupe musculaire spécifique. En travaillant avec des charges, le mouvement devient plus dur et requiert davantage de force. Au départ, la musculation endommage les muscles, mais ceux-ci, en se réparant, vont se renforcer.

Les fibres musculaires

Les muscles sont composés de fibres lisses et de fibres striées. On sollicite surtout les fibres striées lors d'activités d'aérobic, comme la marche, la course, le cyclisme. Ces fibres exploitent l'énergie sans cesse créée par le système cardio-vasculaire. Les fibres lisses, quant à elles, sont réservées à des actions plus intenses, comme soulever des poids ou piquer un sprint. À cause de l'intensité de l'activité, ces fibres ne peuvent utiliser que l'énergie déjà disponible dans les muscles. Il sera impossible à ces fibres musculaires de renouveler leur énergie, à moins de diminuer l'intensité de l'action.

Les fibres striées sont minces, et très efficaces. Les fibres lisses, étant plus épaisses, nécessitent davantage d'énergie et donnent aux muscles une apparence plus volumineuse. En musculation, on sollicite ces fibres lisses, dans le but de raffermir les muscles, ou bien de gagner en volume. L'amélioration de la condition musculaire entraîne également une élévation du métabolisme, si bien que l'organisme est plus efficace pour brûler les calories.

Morphologies et prise musculaire

Il existe trois morphologies, qui répondent différemment aux exercices de musculation. Avant de débuter un programme, il vaut mieux savoir ce que l'on peut espérer en fonction de sa propre morphologie (*voir « Prise musculaire », pages 150-155*).

▶ **Les principes de la musculation**
La musculation, en sollicitant les fibres lisses des muscles, permet de raffermir ces derniers ou d'augmenter leur volume.

Les ectomorphes ont une silhouette menue. Ils auront beaucoup de mal à prendre du volume graisseux et musculaire ; rien n'est impossible, mais cela prendra du temps. Un programme de prise de masse leur donnera une silhouette plus ferme et élancée que volumineuse. Ces personnes doivent tout particulièrement surveiller leur alimentation et en accroître les quantités pour répondre aux besoins accrus de l'organisme pendant les séances d'entraînement.

Les endomorphes ont une ossature plus conséquente et ont tendance à prendre facilement du poids. Ils auront davantage de facilités à gagner de la masse musculaire, mais devront sécher (perdre de la masse graisseuse) pour la révéler. S'ils veulent obtenir une silhouette dessinée, ces personnes doivent inclure dans leur programme des exercices d'aérobic,

sinon, elles ne feront que prendre du volume et paraîtront alors encore plus fortes.

Enfin, les mésomorphes ont une constitution musclée, avec une taille fine et des épaules larges, donnant à la silhouette une forme harmonieuse. Ils n'auront pas de difficultés à prendre du volume, même s'ils doivent peut-être faire un peu d'aérobic pour sécher et obtenir des muscles mieux dessinés.

Les fausses idées sur la musculation

Certaines personnes hésitent à travailler avec des poids, mais leurs réticences sont généralement sans fondement. Voici les craintes le plus souvent émises.

« La musculation donne des muscles volumineux. »

On imagine que soulever des poids va entraîner un développement musculaire quasi-instantané. Il n'en est rien. Il existe différentes méthodes d'entraînement qui donneront des résultats divers, et il faut savoir que la prise de masse est un des objectifs les plus difficiles à atteindre, même avec un programme bien spécifique. C'est votre morphologie qui déterminera votre facilité à prendre ou non du volume. Mais sachez qu'accroître votre masse musculaire demandera beaucoup plus de temps que la plupart des autres objectifs.

Si vous travaillez par séries de 14 répétitions ou plus, suivez un programme qui sollicite toutes les zones du corps et non pas une région particulière comme c'est le cas avec l'amincissement localisé (*voir page 78*). Et vous ne gagnerez pas en volume. En revanche, vous obtiendrez une silhouette mince, ferme et un organisme qui brûle l'énergie plus rapidement et de façon plus efficace.

« Si j'arrête, mes muscles vont se transformer en graisse. »

Le muscle et la graisse sont deux tissus complètement indépendants, qui ne peuvent se substituer l'un à l'autre. Quand on fait du sport, la graisse ne se transforme pas en muscle : on brûle la graisse et on raffermit les muscles.

Si on arrête de s'entraîner, il est vrai qu'on peut perdre du muscle, et si on ne se surveille pas, prendre de la graisse.

Mais si on arrête toute activité sportive, et que l'on réduit, en fonction, ses apports caloriques, on ne prendra pas de poids, même si on risque de perdre un peu de muscles puisqu'on ne les sollicite plus. Surveillez toujours bien votre niveau d'activité et adaptez vos besoins en calories.

▲ **Les appareils de musculation**
Pour un résultat optimum, servez-vous des appareils guidés, mais essayez également de travailler avec des haltères, de façon à solliciter vos muscles de différentes manières.

« Plus les séances sont longues, plus elles sont efficaces. »

Il n'est pas nécessaire de forcer pour que les muscles tirent profit d'un exercice et se renforcent. Pour obtenir des résultats satisfaisants, il faut épuiser le muscle. Une fois ce palier atteint, on doit arrêter de travailler. Il est donc inutile de vouloir solliciter les muscles pendant des heures d'affilée.

Que votre objectif soit de gagner de la masse musculaire ou de raffermir votre silhouette, l'important n'est pas la durée de votre entraînement, mais sa qualité. C'est cela, ainsi que votre capacité à épuiser chaque partie d'un groupe musculaire, qui donneront les résultats recherchés. Les programmes de cet ouvrage combinent différentes techniques d'entraînement selon les objectifs recherchés – de la prise de masse au raffermissement musculaire (*voir pages 114-189*).

« Plus lourds sont les poids que l'on soulève, plus les muscles se développent. »

Même si, pour gagner en puissance et prendre de la masse, l'objectif à long terme est d'accroître les charges que l'on soulève, cela ne doit jamais s'opérer aux dépens de la technique ou de la précision des mouvements. De plus, il est tout aussi important de varier son entraînement en modifiant les temps de repos et la quantité des répétitions. Ainsi, les muscles seront sans cesse sollicités et on continuera à observer des résultats.

Les bases de la musculation

Grâce au travail avec des charges, on peut obtenir différents résultats allant de la prise de volume et de puissance au raffermissement musculaire en passant par l'affinement de la silhouette. Il est important de comprendre comment les muscles réagissent à la musculation avant de commencer à travailler avec des poids et à tester différentes techniques d'entraînement. Vous tirerez ainsi meilleur profit des programmes et atteindrez facilement vos objectifs.

Les répétitions maximums (rm)

C'est le facteur à prendre en compte lorsqu'on choisit les charges utilisées. Il s'agit du nombre de répétitions d'un mouvement que l'on exécute avec un certain poids et qui permet d'achever la série, mais pas davantage. Autrement dit, si vous devez faire 15 rm, cela signifie qu'au bout de la quinzième répétition, vous ne devez plus être capable d'en exécuter une de plus (en tout cas, avec une bonne technique). Au cours des 15 répétitions, vous remarquerez que les quatre ou cinq dernières deviennent de plus en plus difficiles et qu'il serait extrêmement ardu d'en ajouter une seizième. Maintenant, si les 15 répétitions ne vous demandent pas trop d'effort, il faut augmenter la charge. En revanche, si vous ne parvenez pas à terminer les 15 répétitions, choisissez un poids plus léger car celui utilisé est trop lourd.

Avant de trouver le bon nombre de rm, il faut jouer avec les différentes charges, car c'est seulement de cette façon que vous épuiserez les muscles et optimiserez vos séances.

L'important est de se souvenir que quel que soit le nombre de rm, vos sensations doivent toujours être équivalentes. Plus vous gagnerez en force, plus vous devrez augmenter les charges afin de continuer à épuiser les muscles à la fin de votre série. Cela permettra une stimulation musculaire constante et des résultats ininterrompus.

L'épuisement musculaire

Il s'agit du terme technique pour désigner la sollicitation d'un muscle au-delà de ses limites normales. Grâce à cette technique, les muscles doivent se renforcer pour faire face

▲ **Stimulez vos muscles**
Si vous ne stimulez pas continuellement les muscles en les travaillant plus dur et en augmentant régulièrement les charges, vous stagnerez et n'obtiendrez aucun résultat.

à l'augmentation de la charge de travail qu'on exige d'eux. En musculation, on doit toujours viser l'épuisement musculaire. Ainsi, à chaque séance, les muscles travaillent un peu plus, si bien que l'on progresse constamment.

Un amincissement localisé

On parle d'amincissement localisé quand on essaie de mincir d'une zone particulière et que l'on travaille exclusivement ce point. Le résultat est une prise de muscle à l'endroit ciblé, alors que la plupart du temps, l'objectif était de l'amincir. Finalement, on ne voit pas de différence avant et après, si ce n'est parfois une prise de volume. Ne concentrez jamais tous vos efforts sur une seule région de votre corps, même si elle vous embarrasse. Travaillez toujours le corps dans sa totalité.

L'effet « plateau » (stagnation)

De nombreuses personnes abandonnent leur programme car ils ne constatent plus aucun résultat. C'est ce qui arrive lorsque l'on atteint ce qu'on appelle un « plateau ». On a beau s'entraîner, on ne constate aucun progrès.

Cela se produit inévitablement si on arrête d'épuiser le corps. Ce dernier n'est pas poussé au-delà de ses limites, et par conséquent, il cesse de se modifier.

Ce phénomène est courant quand on suit le même programme pendant une longue durée. C'est pourquoi, il est essentiel de varier votre entraînement. En fait, c'est comme un jeu où on cherche sans cesse de nouvelles façons de stimuler les muscles.

La « réversibilité »

C'est l'étape qui suit la stagnation. La réversibilité survient lorsque l'on a stagné durant une longue période et que l'on a cessé de stimuler son corps. De plus, en continuant à s'entraîner, on détériore sa condition physique, car le corps n'a pas été stimulé depuis longtemps. Cette situation apparaît quand on n'augmente pas les charges lors des exercices et que l'on ne tient pas compte des rm, ou encore que l'on ne varie pas suffisamment son programme.

Les techniques et leurs effets

Les différentes techniques d'entraînement produiront des résultats spécifiques selon l'intensité des charges, le nombre de répétitions et de séries, et la fréquence des temps de repos. En général, les résultats obtenus selon les différentes techniques dépendent du nombre des répétitions :

• Gain de puissance : très courtes séries (4 à 8 répétitions par série) avec de longues périodes de repos entre (2 min ou plus).
• Prise de volume musculaire : séries courtes ou moyennes (6 à 10 répétitions par série) avec des temps de repos de 30 à 90 s entre.
• Définition musculaire : séries moyennes (8 à 14 répétitions par série) avec de brefs temps de repos compris entre 30 et 60 s.
• Raffermissement musculaire : longues séries (15 répétitions ou plus par série), avec de courtes périodes de repos (30 s). L'astuce est de changer de temps en temps de technique pour donner un coup de fouet à votre entraînement.

▲ **Haltères**
La plupart des exercices exécutés sur des appareils peuvent se pratiquer avec des haltères. Toutefois, le travail avec haltères nécessite un plus grand contrôle musculaire.

◀ **Musculation avancée**
Si vous pensez avoir du mal à terminer vos répétitions, ou si vous venez d'augmenter les poids, demandez à un moniteur ou un de vos voisins de vous aider – cela s'appelle « parer ».

Exercices de musculation

Les techniques de musculation

Il n'existe pas de technique miracle et infaillible. Pour chacun, la meilleure technique est celle qui correspond spécifiquement à ses besoins. Voici les principales méthodes de musculation couramment utilisées, la plupart d'entre elles se retrouvent dans les programmes (*voir pages 114-189*). Elles sont toutes efficaces, mais il vous faudra trouver celle qui répondra le mieux à votre objectif.

La série légère

Que ce soit pour prendre du volume, se raffermir ou se dessiner, cette méthode intensive est une des meilleures pour épuiser le muscle et obtenir rapidement des résultats.

Choisissez une première charge pour un exercice avec l'objectif d'épuiser le muscle au bout de la première série. Par exemple, si on prend 45 kg pour un travail de pectoraux, avec l'objectif d'exécuter 12 répétitions maximum, à la fin de la série, le muscle doit être épuisé et ne pas pouvoir exécuter une répétition supplémentaire. Il s'agit alors de diminuer la charge d'environ 25 % et répéter un nombre de répétitions identique – dans ce cas, 12 répétitions (répét.). Cette séquence à deux poids constitue une série complète.

Cette méthode se base sur le fait que lorsqu'on épuise un muscle, 25 % de ce muscle devient inutilisable à moins de se reposer. En réduisant la charge de 25 %, on prend en compte cette perte de puissance et on optimise alors l'épuisement musculaire. Ce principe est valable pour n'importe quel exercice de musculation et concerne tous les groupes musculaires.

L'entraînement pyramidal

C'est une autre technique très intensive. Il s'agit d'exécuter un certain nombre de séries, d'une charge de plus en plus lourde, mais d'une durée de plus en plus courte, jusqu'à ce que les muscles atteignent un point de fatigue où l'augmentation des poids est impossible, même en diminuant le nombre de répétitions. À ce moment-là, on allège les poids utilisés, et on continue à épuiser les muscles. Un entraînement pyramidal pourrait ressembler à ceci :

Série 1	Série 2	Série 3	Série 4	Série 5
50 kg	60 kg	70 kg	50 kg	40 kg
12 répét.	8 répét.	6 répét.	10 répét.	12 répét.

L'entraînement intensif

Cette technique est très efficace pour épuiser le muscle et ne demande que peu de temps puisqu'il n'y a pas de pauses de récupération. Il s'agit de travailler des groupes musculaires opposés en un enchaînement rapide. Ainsi, on peut travailler les triceps, puis les biceps. Comme il n'y a pas de temps de repos entre les séries, l'intensité de l'entraînement reste élevée.

▶ **Optez pour la variété**
Alternez haltères et appareils guidés des salles de sport.

Pendant que vous travaillez d'un côté, l'autre se repose, et vice versa. Le changement de côté doit être très rapide. Ainsi, un entraînement intensif des bras ressemblera à ceci :

Série 1 Extension verticale des triceps
Série 2 Flexion des biceps
Série 3 Tirage des triceps   **Série 4** Dips

Cette technique donne les meilleurs résultats pour : pectoraux et dos ; avant et arrière des cuisses ; biceps et triceps.

Pré-épuisement

L'objectif de cette méthode est de gagner du volume. Il s'agit d'exécuter un exercice qui sollicite le muscle ciblé mais, en même temps, d'autres muscles secondaires. Ainsi, on effectue un premier exercice jusqu'à épuisement, puis on en choisit un qui isole véritablement le muscle choisi et on l'exécute jusqu'à épuisement. En travaillant d'abord le muscle ciblé avec ceux qui l'entourent, on l'épuise une première fois, puis une seconde lors de l'exercice d'isolation, où il doit travailler plus dur. Si on utilisait cette technique pour travailler les pectoraux, voici ce que pourrait être le programme :

Exercice 1 Développé-couché / Pectoraux et triceps
Exercice 2 Écarté-couché / Pectoraux

Entraînement composé

Il s'agit de l'inverse de la technique de pré-épuisement. On exécute un nombre d'exercices dans une combinaison qui isole un muscle particulier, puis, une fois qu'il s'affaiblit, on incorpore le travail des muscles secondaires. Par exemple, pour les pectoraux :

Exercice 1   Écarté-couché / Pectoraux
Exercice 2   Presse / Pectoraux et triceps
Exercice 3   Dips / Triceps et pectoraux

Décomposition

Cette méthode part de la théorie que l'on peut cibler et épuiser différentes parties d'un muscle en fonction des mouvements effectués. Ainsi, on peut diviser une flexion des biceps (*voir page 96*) en deux demi-mouvements : de la position initiale à celle à 90° (à moitié de l'exercice), puis de celle à 90° jusqu'à la position finale. En théorie, on obtient

différents résultats en travaillant un muscle ainsi. Ensuite, une fois le travail en deux temps réalisé, on retravaille le muscle d'une seule traite, sans décomposer le mouvement. Cette technique privilégie des séries de sept répétitions. Voici le programme type d'un travail de biceps décomposé :

1. 7 répétitions de la première moitié du mouvement.
2. 7 répétitions de la seconde moitié du mouvement.
3. 7 répétitions du mouvement dans son intégralité.

Les sept dernières répétitions du mouvement complet seront très difficiles et épuiseront considérablement le muscle, en l'occurrence le biceps.

▼ **Trouvez la technique qui vous correspond le mieux**
Essayez de nouvelles techniques – c'est un bon moyen de varier vos séances et de stimuler différemment vos muscles. Visez toujours l'épuisement musculaire.

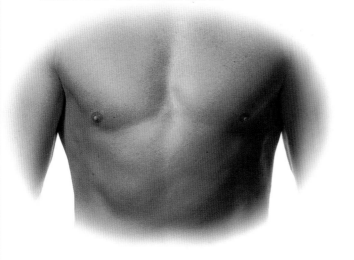

Écarté-couché *Pectoraux*

C'est l'exercice de pectoraux par excellence.
Comme toujours, la technique est primordiale.

1 ▼ Sur un banc, allongez-vous sur le dos, pieds posés au sol. Avec un haltère dans chaque main (paumes de mains vers l'avant), ouvrez les bras sur les côtés, jusqu'à ce que les mains arrivent au niveau des épaules.

En position de départ, les **coudes** doivent être ouverts

Tenez les **haltères** directement au-dessus de la **poitrine**.

2 ◀ En expirant, sollicitez les pectoraux pour soulever lentement les haltères, jusqu'à ce que les bras soient presque tendus au-dessus de la poitrine. Contractez les pectoraux puis, en inspirant, revenez lentement à la position de départ.

Écarté-debout à la poulie *Pectoraux*

Les salles de sport possèdent des appareils spécifiques sur lesquels on peut aussi travailler les pectoraux en position assise. Les poulies sont très efficaces.

1 ◀◀ Placez-vous de profil devant la poulie, jambes écartées largeur bassin et genoux légèrement fléchis. Saisissez la poignée, penchez-vous vers l'avant et posez une main sur votre cuisse pour vous équilibrer.

2 ◀ En tendant pratiquement le bras, tirez sur le câble et ramenez-le devant vous. Revenez à la position initiale en gardant un mouvement lent et contrôlé.

Développé-couché avec haltères *Pectoraux, triceps*

Le travail avec haltères exige davantage de contrôle musculaire que celui sur machine. Pour de meilleurs résultats, contractez bien les abdominaux.

▼ **Variante.** Saisissez une barre avec les mains écartées légèrement plus que la

Les **coudes** ne doivent pas descendre plus bas que le banc.

Gardez toujours les **bras** légèrement fléchis.

1 ▲ Sur un banc, allongez-vous sur le dos, genoux fléchis et pieds en appui sur un step. Avec un haltère dans chaque main, pliez les bras de façon qu'ils forment un angle droit avec le sol et tournez les paumes vers l'avant.

2 ▲ Tendez les bras en l'air jusqu'à ce qu'ils soient quasiment raides. Revenez à la position de départ. Comptez 4 secondes par répétition.

largeur des épaules ; descendez-la jusqu'à ce que vos bras soient perpendiculaires au sol. Revenez à la position de départ.

Développé devant à la barre *Pectoraux, triceps*

Cette machine, très efficace pour renforcer et dessiner les pectoraux et les triceps (arrière du haut des bras), est un appareil très répandu dans les salles de sport.

1 ▶ Maintenez bien les lombaires contre le dossier de l'appareil. Commencez avec les bras fléchis à 90°, en plaçant les coudes à une hauteur située entre la poitrine et les épaules.

2 ▶▶ Poussez les poignées vers l'avant jusqu'à ce que les bras soient quasiment tendus, puis ramenez-les vers l'arrière jusqu'à ce que les coudes soient au niveau des épaules. Le mouvement doit être lent et contrôlé ; chaque répétition doit durer 4 secondes.

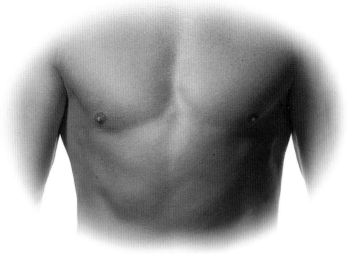

Développé-incliné *Pectoraux*

Le travail sur un banc incliné permet de solliciter la partie supérieure des pectoraux. Inclinez le banc à 40-45°. Pour optimiser les résultats, pensez à travailler de façon lente et contrôlée.

1 ▲ Sur le banc, allongez-vous sur le dos, genoux fléchis et pieds en appui sur un step. Saisissez les haltères et placez les mains à hauteur des épaules.

2 ▼ En expirant, tendez les bras verticalement de façon que les haltères se joignent au-dessus de la poitrine. Revenez lentement à la position initiale.

Ne contractez pas les **bras**.

Développé-décliné *Pectoraux*

Le travail sur un banc décliné permet de solliciter la partie inférieure des pectoraux (*pectoris major*). Placez un step sous une extrémité du banc pour l'élever à 30°.

1 ◀ Allongez-vous sur le dos, saisissez les haltères et positionnez les mains à hauteur d'épaules. Gardez les coudes légèrement fléchis et les omoplates rejetées en arrière.

2 ◀ En expirant, tendez les bras verticalement de sorte que les haltères se joignent au-dessus de la poitrine. Veillez à ne pas contracter les bras. Revenez à la position initiale.

Pompes *Pectoraux, deltoïdes, triceps*

Les pompes utilisent le poids du corps pour travailler les pectoraux, les deltoïdes et les triceps.
Commencez par des demi-pompes, puis, quand vous aurez progressé, passez aux pompes normales.

1 ▲ Placez les mains directement sous les épaules, ou légèrement plus écartées si vous souhaitez solliciter davantage les pectoraux. Gardez les mains tournées vers l'avant, et le buste et les jambes bien droits.

2 ▲ Fléchissez les bras à 90° par rapport au sol et descendez le corps, en gardant la tête alignée avec la colonne vertébrale. Pour vous aider à tendre les jambes, contractez les cuisses et la ceinture abdominale. Ne ressortez pas les fessiers. Soulevez-vous pour retrouver votre position de départ. Pensez à inspirer dans la descente et à expirer dans la montée.

▲ **Variante : les demi-pompes.**
Placez les bras dans la même position que pour des pompes normales, mais gardez les genoux au sol. Descendez le corps puis retournez à la position initiale.

Pompes avec un ballon *Pectoraux, triceps, abdominaux*

Cette version avancée des pompes utilise la stabilité du ballon, et sollicite les pectoraux dans leur ensemble
– notamment la partie médiane lorsqu'on compresse le ballon – mais aussi les triceps et les abdominaux.

1 ▶ Tendez le corps, en gardant les pointes de pied au sol. Saisissez le ballon en le pressant pour éviter qu'il bouge. Les mains doivent être placées juste en dessous des épaules.

2 ▶ En restant bien droit, descendez vers le sol de façon aussi lente et contrôlée que possible. Inspirez dans la descente et expirez dans la montée. Comptez 2 secondes dans chaque direction, et plus, à mesure que vous progresserez.

Exercices de musculation

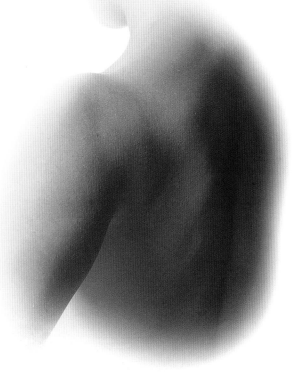

Élévations latérales *Deltoïdes*

Pour solliciter uniformément l'intégralité des deltoïdes (muscles des épaules), veillez à garder les bras parallèles au sol en position finale.

1 ▲ Debout, pieds écartés largeur de bassin et genoux légèrement fléchis. Placez les bras de chaque côté, un haltère dans chaque main et paumes tournées vers l'intérieur. Contractez les abdominaux.

2 ▲ Lentement, soulevez les bras latéralement, en gardant les coudes fléchis, et ce jusqu'à ce que les mains arrivent aux épaules. Tournez les paumes vers le sol, et ne les faites pas pivoter. Le buste doit rester immobile.

Élévations latérales *Deltoïdes, rhomboïdes, dorsaux*

Cet exercice sollicite les deltoïdes ainsi que tous les muscles du dos. Si vous débutez, vos muscles risquent de se fatiguer rapidement, aussi, prenez de faibles charges.

1 ▶ Placez-vous debout, pieds écartés largeur de bassin et genoux fléchis. Basculez légèrement vers l'avant, en tenant les haltères sous la poitrine, avec les bras légèrement fléchis.

2 ▶▶ Écartez les bras et soulevez les haltères jusqu'à hauteur des épaules. Gardez la contraction pendant 2 secondes, puis revenez à la position initiale. Prenez garde de ne pas contracter les cervicales.

Élévations latérales *Deltoïdes postérieurs*

Les élévations latérales, pouces à l'intérieur, concentrent le travail
sur les muscles arrières des épaules et ceux qui soutiennent les omoplates.

1 ◀ Placez-vous debout, pieds écartés largeur de bassin et genoux légèrement fléchis. Tenez les haltères devant vous, paumes de main tournées vers vos cuisses. Gardez le buste droit et les abdominaux contractés.

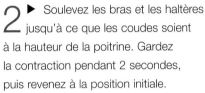

2 ▶ Soulevez les bras et les haltères jusqu'à ce que les coudes soient à la hauteur de la poitrine. Gardez la contraction pendant 2 secondes, puis revenez à la position initiale.

Élévations latérales à la poulie
Deltoïdes

Même si la plupart des salles de sport possèdent
certains appareils mieux adaptés aux élévations
latérales, le travail à la poulie peut être aussi très
efficace. Une poulie a deux points de prise : en haut
et en bas ; ici, on utilise le bas. Certaines poulies sont
réglables ; dans ce cas, utilisez la graduation la plus
basse. Maintenez toujours le buste immobile
et les épaules bien droites.

1 ▲ Placez-vous de profil par rapport à la poulie, avec les pieds écartés largeur de bassin. Attrapez la poignée de la poulie avec la main la plus éloignée et agrippez la machine avec l'àutre pour vous équilibrer.

2 ▲ Soulevez la poignée jusqu'à l'épaule, en travaillant contre la résistance du câble. Comptez 2 secondes dans la montée et dans la descente. Immobilisez bien tout le corps. Répétez de l'autre côté.

Presse à épaules *Deltoïdes, triceps*

La position assise permet de concentrer le travail sur les deltoïdes puisque tout le reste du corps est soutenu par le banc. Cet exercice sollicite également les triceps.

1 ▲ Asseyez-vous avec le dos bien calé contre le banc et les jambes fléchies perpendiculairement au sol. Saisissez un haltère dans chaque main, avec les bras perpendiculaires au sol et les coudes à hauteur des épaules.

2 ▲ Poussez les poids vers le haut, en soulevant les bras au-dessus de la tête. Gardez toujours les bras légèrement fléchis. Le corps doit rester immobile. Comptez 1 seconde dans la montée et 1 seconde dans la descente.

Développé-devant
Deltoïdes, triceps

On peut pratiquer les exercices sur une machine spécifique, avec des haltères ou une barre, ou encore sur un banc et un appareil semi-guidé, comme ici.

1 ▲ Ajustez le banc afin que votre dos soit droit et les lombaires bien calés. Assis avec les pieds écartés largeur de bassin, fléchissez les bras à 90° et attrapez la barre.

2 ◀ Pressez vers le haut, en tendant les bras, mais veillez à les garder légèrement fléchis. Le mouvement doit être lent et contrôlé. Comptez 1 seconde sur la montée et 1 seconde sur la descente.

Tirage vertical *Deltoïdes, trapèzes*

Cet exercice sollicite les deltoïdes (muscles des épaules) et les biceps (muscles avant du haut des bras). On peut le pratiquer avec des haltères ou une barre.

1 ◀ Placez-vous debout, pieds écartés largeur de bassin, jambes légèrement fléchies et dos bien droit. Tenez les haltères devant vous, et tournez les paumes de mains vers vos cuisses.

2 ▶ Ramenez les haltères vers la poitrine en soulevant les coudes. Descendez lentement les poids et revenez à la position de départ. Comptez 2 secondes sur la montée et 2 secondes sur la descente.

Élévation frontale *Deltoïdes antérieurs*

Cet exercice raffermit et dessine l'avant des épaules et, dans une moindre mesure, l'avant des bras.

1 ▶ Placez-vous debout avec les pieds écartés largeur de bassin, les jambes légèrement fléchies et le dos droit. Tenez les haltères devant vos cuisses.

2 ▶▶ Élevez les poids devant vous, à hauteur des épaules. Gardez les bras tendus et le corps bien immobile. Ne cambrez pas le bas du dos. Comptez 2 secondes sur la montée et 2 secondes sur la descente.

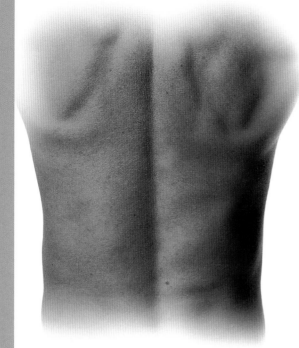

Tirage des dorsaux *Rhomboïdes*

Cet exercice sollicite les principaux muscles du dos – les dorsaux et les rhomboïdes. Comptez 2 secondes sur la descente et 2 secondes sur la montée. Maintenez le dos droit et les abdominaux contractés.

1 ▼ Saisissez la barre avec les deux mains en les écartant un peu plus que la largeur des épaules. Maintenez le dos droit et les abdominaux contractés.

2 ▼ En expirant, abaissez la barre. Inspirez et retournez à la position de départ. L'exercice entier devrait prendre environ 4 secondes.

Gardez le **dos** droit.

Attention à ne pas **basculer** vers l'arrière quand vous abaissez la barre.

Écarté-latéral
Deltoïdes postérieurs

C'est un exercice difficile qui cible une zone bien spécifique : les muscles situés à l'arrière des épaules et la partie médiane du dos.

1 ▶ Asseyez-vous sur un banc avec les genoux pliés perpendiculairement au sol et les pieds écartés largeur de bassin. En gardant le dos droit, penchez-vous en avant, et attrapez les haltères derrière les mollets, les pouces des mains tournés vers l'intérieur.

2 ▶ ▶ Les bras légèrement fléchis, soulevez les haltères jusqu'à ce que les coudes arrivent à hauteur des épaules. Bloquez la contraction pendant 2 secondes, puis revenez lentement à la position de départ.

Ne creusez pas le **dos**.

Exercices de musculation

Tirage horizontal *Dorsaux, rhomboïdes, biceps*

Dans cet exercice, il s'agit de ramener un haltère vers le buste et de travailler
les biceps, l'arrière des épaules et le haut du dos. Veillez à solliciter les muscles
du dos pour soulever le coude et non pas uniquement les biceps.

1 ▲ Placez la main et le genou droits sur un banc, en laissant le pied gauche au sol. Attrapez un haltère dans la main gauche et laissez pendre le bras vers le sol. Gardez le dos droit et les épaules parallèles au banc.

2 ▲ Ramenez l'haltère vers la poitrine, en maintenant le corps immobile, le dos droit et les épaules relâchées. N'éloignez pas le bras du buste. Revenez à la position de départ, en gardant le mouvement lent et contrôlé.

1 ▲ Placez-vous debout, pieds écartés largeur des épaules, genoux légèrement fléchis. Penchez-vous en avant en tenant la barre devant vos tibias.

2 ▲ Soulevez la barre jusqu'à la poitrine. Bloquez le mouvement 2 secondes, puis revenez à la position initiale. Maintenez toujours le dos bien droit.

Tirage horizontal à la barre *Dorsaux*

Il s'agit d'un des exercices les plus avancés. Le fait de le pratiquer en position penchée vers l'avant, implique un important contrôle musculaire. Cet exercice travaille les muscles du dos mais également les principaux muscles posturaux de la poitrine.

Exercices de musculation

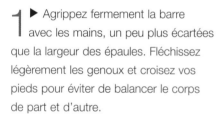

Traction à la barre *Dorsaux, biceps*

On peut effectuer les tractions sur un appareil dont la plate-forme servira de repose-pieds, ou bien sur une barre fixe. La prise large sollicite principalement les dorsaux, et dans une moindre mesure les biceps.

1 ▶ Agrippez fermement la barre avec les mains, un peu plus écartées que la largeur des épaules. Fléchissez légèrement les genoux et croisez vos pieds pour éviter de balancer le corps de part et d'autre.

2 ▲ Soulevez-vous jusqu'à ce que vos yeux soient à hauteur de la barre. Bloquez 1 seconde, puis, redescendez et revenez à votre position de départ.

Traction à la barre, prise serrée
Dorsaux, biceps

La prise serrée sollicite d'abord les biceps, puis les dorsaux. Ces deux types de traction sont des exercices d'un niveau avancé, et doivent être exécutés de façon contrôlée, sans prise d'élan.

1 ▲ Agrippez fermement la barre avec les mains, légèrement moins écartées que la largeur des épaules.

2 ◀ Soulevez-vous jusqu'à ce que vos yeux soient à hauteur de la barre. Gardez le corps aussi droit que possible. Bloquez la traction pendant 1 seconde, puis, lentement, revenez à votre position de départ.

Exercices de musculation

Flexion des avant-bras *Deltoïdes*

Cet exercice renforce les muscles frontaux des épaules. Il existe
un appareil spécifique pour ce genre de mouvements, mais un banc
de musculation et des haltères conviendront parfaitement.

1 ▶ Élevez une extrémité du banc
à 45°, et asseyez-vous de façon que
votre côté droit s'y appuie et que vos
épaules lui soient perpendiculaires.
Attrapez l'haltère dans la main droite, en
tournant les articulations des doigts vers
le sol, et en fléchissant le bras à 90°.

2 ▶ ▶ En veillant à ce que le coude
droit soit bien soutenu par le banc,
amenez l'haltère vers la poitrine.
Conservez la flexion pendant 1 seconde,
puis, lentement, abaissez le poids et
revenez à votre position initiale.

Extension des avant-bras *Deltoïdes*

Cet exercice permet de travailler les muscles secondaires des épaules. Il se pratique sur un appareil
spécifique, une machine à poulie, ou encore un banc de musculation avec des haltères.

1 ▲ Allongez-vous sur un banc, du côté droit, la tête soutenue par
votre bras droit. Fléchissez les genoux vers le bassin, et reposez
le coude gauche sur la hanche. Tenez l'haltère devant vous.

2 ▲ En gardant le bras plié à 90° et le coude contre la hanche,
soulevez le poids jusqu'à ce qu'il dépasse la hauteur du corps.
Bloquez le mouvement 1 seconde, puis revenez à la position initiale.

Exercices de musculation

93

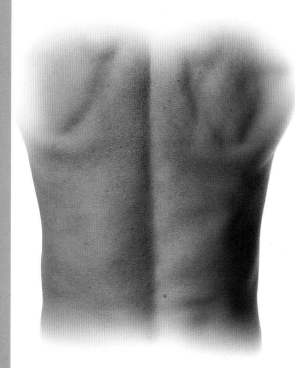

Tirage à la poulie haute
Dorsaux, rhomboïdes, triceps

Cet exercice sollicite les muscles du dos ainsi que les triceps. Utilisez une machine à poulie avec une barre-poignée.

1 ▲ Placez-vous face à une machine à poulie, éloigné d'une longueur de bras, et pieds écartés largeur de bassin. Attrapez fermement la barre-poignée devant vous.

2 ▲ En tendant les bras, tirez la barre jusqu'à hauteur des cuisses. Bloquez le mouvement pendant 1 seconde, puis revenez à la position initiale.

Tirage à la poulie basse
Rhomboïdes, biceps

Cet exercice raffermit les muscles des parties supérieure et médiane du dos. Pour optimiser les résultats, immobilisez totalement le buste et les jambes.

1 ▲ Asseyez vous sur le sol, face à une machine à poulie, les jambes tendues mais les genoux un peu fléchis. Attrapez la poignée avec les deux mains, et maintenez le dos bien droit.

2 ▲ Tirez la poignée vers vous en visant le bas de la poitrine. Bloquez le mouvement pendant 1 seconde, puis revenez à la position de départ. N'écartez pas les coudes.

Élévation dorsale *Erector spinae*

Cet exercice est excellent pour les lombaires. Il renforce les muscles principaux du bas de la colonne vertébrale, l'*erector spinae* (extenseur du rachis), améliore la posture et prévient également les lombalgies.

1 ▲ Allongez-vous sur le ventre avec les bras tendus devant vous et les jambes tendues. Relâchez bien la nuque.

2 ▶ Soulevez en même temps le bras gauche et la jambe droite, en les gardant bien tendus. Bloquez le mouvement 4 secondes, puis reposez-les lentement au sol. Répétez l'exercice avec le bras et la jambe opposés.

Extension du dos *Erector spinae*

Cet exercice est plus intense que le précédent parce que les muscles du dos jouent ici un rôle actif. Vous pouvez augmenter la difficulté en éloignant davantage les mains – en les plaçant, par exemple, au-dessus de la tête.

1 ▶ Allongez-vous sur le ventre. Pliez les bras et ramenez les mains sous le menton.

2 ▲ Décollez la tête et le haut du buste, en veillant à ne pas contracter les muscles cervicaux. Bloquez la contraction pendant 1 seconde puis revenez à la position de départ, en gardant le mouvement lent et contrôlé. Expirez sur la montée et inspirez sur la descente.

Flexions *Biceps*

Cet excellent exercice d'isolation musculaire dessine merveilleusement le haut des bras.

1 ▲ Debout, pieds écartés largeur de bassin, genoux un peu fléchis et bras le long du corps. Tournez les coudes et tenez les haltères les paumes dirigées vers l'extérieur.

2 ▲ Pliez les avant-bras et ramenez les poids vers vos épaules. N'écartez pas les coudes. Au plus fort du mouvement, contractez les biceps afin de renforcer l'efficacité de l'exercice. Travaillez lentement et de façon contrôlée, et maintenez le dos bien droit.

▲ **Variante avec barre.** Placez-vous debout, pieds écartés largeur de bassin et genoux relâchés. Soulevez lentement la barre vers la poitrine, bloquez la contraction pendant 1 seconde, puis revenez à la position initiale.

◄ **Variante avec un ballon.** Placez un ballon de stabilité entre un mur et vos muscles lombaires. Gardez le dos droit et les genoux relâchés. Soulevez et abaissez les haltères comme pour la flexion des biceps (*voir ci-dessus*). Le fait de s'appuyer contre le ballon allonge les biceps car les coudes sont plus en retrait, et permet d'isoler davantage le muscle.

Flexion des biceps en prise « marteau » *Biceps*

Cet exercice sculpte et raffermit l'extérieur des biceps
et peut donner aux bras une apparence plus allongée.

1 ▶ Debout, pieds écartés largeur
de bassin, jambes légèrement
fléchies et bras le long du corps.
Tenez les haltères avec les paumes
de main tournées vers l'intérieur.

2 ▶ ▶ Soulevez les poids vers les
épaules, en gardant les coudes
groupés. Au plus fort du mouvement,
contractez les biceps, puis revenez
à la position de départ. Seuls les avant-
bras bougent, le corps restant immobile.

Flexion en prise « marteau » avec soutien *Biceps*

Cet exercice est destiné à des sportifs confirmés. En effet, du fait que
le bras est calé contre le banc, on ne peut pas se servir du coude pour
aider à soulever le poids, tout le travail est donc effectué par le biceps.

1 ▲ Placez-vous derrière un banc incliné
à 45-55°. Redressez le dos et
répartissez votre poids de façon égale sur
les deux pieds. Reposez le bras qui tient
l'haltère contre le dossier du banc.

2 ◀ Ramenez le poids vers l'épaule en
maintenant le haut du bras contre le
banc et une position des biceps en prise
« marteau ». Comptez 2 secondes sur
la montée et 2 secondes sur la descente,
en gardant le mouvement lent et contrôlé.
Cet exercice allonge davantage le biceps
qu'il ne l'arrondit.

Dips *Triceps*

Cet exercice, très efficace, cible les triceps. D'une manière générale, les exercices qui demandent de soulever son propre poids améliorent la posture, renforcent et protègent le squelette.

1 ▲ Écartez les pieds largeur de bassin ; gardez le dos droit et rapproché du banc et les genoux perpendiculaires au sol.

2 ▲ Descendez sur vous-mêmes, jusqu'à ce que vos bras soient perpendiculaires au banc, puis remontez jusqu'à ce qu'ils soient tendus, mais pas contractés.

Extension verticale *Triceps*

Cet exercice est une variante de l'extension des triceps (page 101). On peut le pratiquer debout mais, lorsqu'on s'assoit sur un banc, le corps reste plus stable et on améliore sa technique.

1 ▲ Asseyez-vous sur un banc, avec le dos droit et les pieds à plat sur le sol. Tenez l'haltère derrière la nuque, afin que le coude se place à hauteur de la tête.

2 ◀ Tendez le bras, en gardant le coude près de la tête et veillez à ne pas le dévier de son axe. Contractez les abdominaux pour éviter les blessures au dos. Revenez lentement à la position de départ.

À la poulie, mains en pronation *Triceps*

C'est un des exercices les plus efficaces pour raffermir et modeler le haut des triceps. Utilisez une machine à poulie avec une barre-poignet.

1 ▶ Placez-vous face à la machine à poulie, pieds écartés largeur de bassin. Attrapez la poignée, les pouces pointés vers l'intérieur et les coudes bien groupés.

2 ▶ ▶ Tirez la barre jusqu'à ce que vos bras soient tendus. Il ne doit y avoir que la partie inférieure des bras qui bouge. Comptez 2 secondes sur la descente et 2 secondes sur la montée.

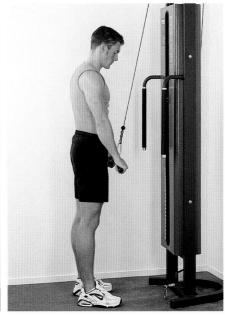

À la poulie, mains en supination *Triceps*

Le fait de tourner les pouces vers le haut permet de cibler et sculpter efficacement l'extérieur des triceps. Attachez une corde ou un lien à la poulie et placez correctement les pouces.

1 ▲ Placez-vous face à la poulie, pieds écartés largeur de bassin. Attrapez la corde avec les pouces tournés vers le haut et les coudes bien groupés.

2 ◀ Descendez les avant-bras jusqu'à ce que vos mains soient devant les cuisses. Comptez 2 secondes sur la descente et 2 secondes sur le retour à la position initiale.

Exercices de musculation

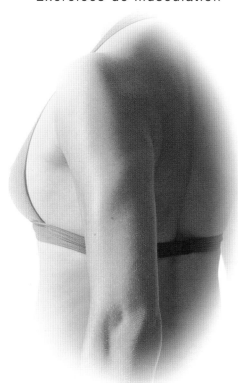

Pompes *Triceps*

Cette variante de pompes (mains rapprochées) cible le travail des triceps. Pour une version plus simple de cet exercice, placez les jambes comme pour les demi-pompes (*voir page 85*), avec les genoux au sol.

1 ▲ Écartez les mains légèrement moins que la largeur des épaules, avec les doigts tournés vers l'avant. Tendez le tronc et les jambes.

2 ▲ Pliez les bras et descendez sur vous-même, en maintenant la tête alignée à la colonne vertébrale et les coudes bien groupés. Remontez pour revenir à la position de départ.

Extension des avant-bras *Triceps*

Il s'agit d'un des exercices pour triceps les plus compliqués car on allonge le muscle dès la position de départ, ce qui l'oblige à travailler plus dur.

1 ▲ Allongez-vous sur un banc, avec les pieds au sol. Pointez les coudes vers le plafond, pliez les bras à 90° et amenez les haltères près de la tête.

2 ▲ Levez les bras jusqu'à ce qu'ils soient quasiment tendus et que les poids se trouvent au-dessus de la tête. Seul le bas des bras doit bouger. Ne creusez pas le dos.

Extension des triceps *Triceps*

Pour maintenir une position correcte et optimiser l'efficacité de l'exercice, veillez à maintenir les abdominaux contractés et le dos bien droit.

1 ▲ Reposez la main et le genou gauches sur un banc, et gardez le pied droit au sol. Saisissez un haltère dans la main droite et levez le coude à 90° pour que le haut du bras soit parallèle au sol.

2 ▲ Bloquez la position du coude et tendez le bras tout en contractant le triceps. Revenez lentement à la position de départ. L'exercice s'effectue en 4 à 5 secondes.

Passe de ballon *Triceps, pectoraux*

Pour cet exercice, vous aurez besoin d'un partenaire et d'un ballon de rééducation. Placez-vous à 2 ou 3 m de votre partenaire et prenez un ballon d'environ 3 à 5 kg.

1 ▶ Placez-vous debout, pieds écartés largeur de bassin et jambes relâchées. Depuis la poitrine, lancez le ballon à votre partenaire, en suivant le mouvement avec vos bras. Réceptionnez le ballon en le collant contre votre poitrine.

Exercices de musculation

Relevé de buste *Abdominaux*

Cet exercice est parmi les plus efficaces. Il faut travailler de façon lente et contrôlée et surveiller sa technique.

1 ▲ Allongez-vous sur le dos, genoux fléchis, pieds à plat au sol et mains derrière les oreilles.

2 ▲ Décollez les épaules et enfoncez les lombaires dans le tapis. Serrez les abdominaux, expirez dans la montée et inspirez dans la descente. Maintenez un espace de la taille d'une pomme sous le menton afin de garder la tête alignée à la colonne vertébrale. Chaque répétition doit durer au total 4 à 5 secondes.

▶ **Variante.** Un appareil disponible en salle ou dans le commerce permet un meilleur placement du corps et soutient la nuque. De plus, il oblige les abdominaux à travailler et élimine toute possibilité de tricherie.

Relevé simultané de buste et de bassin

Abdominaux

Il s'agit de l'exercice le plus complexe puisqu'il combine les mouvements du relevé de buste (*voir ci-dessus*) et du relevé de bassin et fait travailler l'intégralité de la sangle abdominale.

1 ▲ Allongez-vous sur le dos avec les jambes relevées, les genoux fléchis et les mains derrière les oreilles.

2 ▲ Enroulez les jambes et le bassin vers la cage thoracique et, en même temps, relevez les épaules. Veillez à ne pas contracter les vertèbres cervicales.

Relevé de bassin *Abdominaux*

Le relevé de bassin cible le bas des abdominaux et agresse moins
la région cervicale. Effectué en association avec d'autres exercices
d'abdominaux, il raffermit toute la ceinture abdominale.

1 **F** Allongez-vous sur le dos, mains
derrière les oreilles et jambes tendues
à la verticale. Maintenez toujours les
épaules et la tête contre le sol. Les pieds
ne doivent jamais basculer au-dessus
de la tête.

2 ▶ En contractant le bas des
abdominaux, ramenez les jambes
et le bassin vers la cage thoracique.
Le mouvement doit être lent et contrôlé.
Ne balancez pas les jambes.

Relevé de bassin
sur banc incliné *Abdominaux (partie inférieure)*

Cet exercice sollicite la partie inférieure des abdominaux (*rectus abdominalis*).
L'inclinaison du banc ajoute de la résistance et rend le mouvement plus difficile que le simple relevé de bassin.

1 ▶ Allongez-vous sur un banc incliné
à 10-30°. Saisissez l'extrémité
du banc pour garder le corps immobile
et levez les jambes à la verticale.

2 ▶▶ Contractez le bas des
abdominaux et enroulez les jambes
et le bassin vers la cage thoracique.
Bloquez la contraction pendant
1 seconde, puis revenez lentement
à la position de départ.

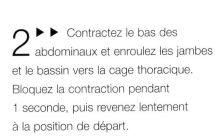

Exercices de musculation

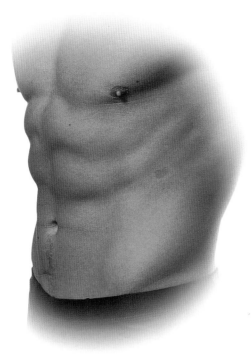

Relevé de buste oblique *Obliques*

Cet exercice est le meilleur pour travailler les obliques,
qui sont les muscles situés sur le côté de l'estomac et qui
vont de la cage thoracique aux hanches.

1 ▲ Allongez-vous sur le dos avec les genoux fléchis, les pieds à plat sur le sol et les mains derrière la nuque.

2 ▲ Lentement, décollez une épaule et, avec le coude, allez chercher la cuisse opposée. Changez d'épaule et répétez l'exercice pour travailler l'autre côté.

Relevé de buste avec ballon *Abdominaux*

Le travail avec un ballon de rééducation intensifie la sollicitation
des abdominaux et renforce l'effet de raffermissement.

1 ▲ Allongez-vous sur le dos, genoux fléchis et pieds à plat sur le sol. Blottissez un ballon de rééducation contre la poitrine.

2 ▲ Tout en agrippant le ballon, enroulez les épaules et le haut du dos. Attention à ne pas contracter les muscles cervicaux.

Pont *Abdominaux, erector spinae*

Cet exercice statique renforce les muscles de l'estomac et ceux des lombaires. Il s'agit d'un exercice avancé, uniquement réservé aux sportifs confirmés.

1 ◀ Placez-vous de façon à garder les pointes de pied sur le sol et les coudes placés directement sous les épaules. Soulevez-vous, en maintenant le corps aligné des épaules aux chevilles, de sorte que ce soient les coudes et les pointes de pied qui soutiennent le corps. Contractez les abdominaux pour maintenir la position, et ne ressortez pas les fessiers.

Pont oblique *Abdominaux, obliques*

Certainement le plus difficile des exercices sollicitant les abdominaux, le pont oblique renforce les muscles obliques. Ce mouvement est, lui aussi, réservé aux sportifs confirmés.

1 ◀ Allongez-vous sur le côté, et placez le coude inférieur sous votre épaule, comme point d'appui. Posez un pied au-dessus de l'autre, et formez une ligne droite de la tête aux orteils. Sollicitez les obliques pour maintenir votre position.

Exercices de musculation

Fente avant *Quadriceps, muscles glutéaux*

Cet exercice vous fera des adducteurs et des fessiers en béton ! Pour augmenter la difficulté, faites-le en tenant un haltère dans chaque main.

1 ▲ Placez un pied en avant, à une enjambée de la jambe arrière. Gardez le bassin immobile, de face, et les bras relâchés le long du corps. Redressez le buste et contractez les abdominaux.

2 ▲ Fléchissez les genoux afin que le genou avant soit juste au-dessus du pied avant. Pour travailler plus intensément les fessiers, reportez votre poids sur le talon du pied avant. Revenez à la position de départ et changez de jambe.

Fente avant *Quadriceps, muscles glutéaux*

Il s'agit d'une version plus dynamique de l'exercice ci-dessus ; néanmoins, le mouvement doit être régulier et contrôlé.

2 ◀ Avancez d'une enjambée par rapport au pied arrière, en veillant à ce que le genou avancé ne dépasse pas les orteils du pied posé. En même temps, descendez sur vous-même, puis remontez en position de départ, en poussant sur le talon du pied avant. Ne vous balancez pas. Répétez avec l'autre jambe.

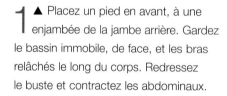

1 ▲ Placez-vous debout, les bras le long du corps. Pour intensifier l'exercice, prenez des haltères.

Marche fente avant *Quadriceps, ischio-jambiers, glutéaux*

Contrairement aux exercices répétitifs qui sollicitent certains muscles spécifiques, ce mouvement continu fait travailler intensément tous les muscles des jambes ainsi que les abdominaux.

1 ▲ Placez-vous debout, pieds écartés largeur de bassin et genoux légèrement fléchis. Attrapez un ballon de rééducation contre la poitrine.

2 ▲ Avancez d'une enjambée par rapport au pied arrière. En même temps, descendez sur vous-même, bloquez la contraction pendant 1 seconde, puis relevez-vous, avancez l'autre jambe, répétez l'exercice, et ainsi de suite.

Squat avec ballon *Quadriceps*

1 ▲ Placez-vous debout, pieds écartés largeur de bassin et jambes légèrement fléchies. Tenez un ballon de rééducation contre la poitrine. Tendez une jambe et décollez-la de façon à ce que le talon soit de 8 à 13 cm au-dessus du sol.

Cet exercice est l'un des plus compliqués et renforce intensément les adducteurs et abducteurs (muscles stabilisateurs de l'intérieur et extérieur des cuisses). Il est réservé aux sportifs confirmés.

2 ◄ En gardant le dos droit, descendez sur vous-même comme si vous vouliez vous asseoir sur une chaise imaginaire. Contrôlez le mouvement avec votre jambe d'appui qui ne doit pas être trop pliée.

Exercices de musculation

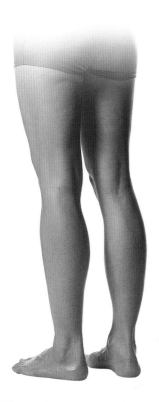

Squat *Quadriceps, ischio-jambiers, muscles glutéaux*

Cet exercice fait travailler les cuisses et les fessiers, mais aussi les muscles inférieurs des jambes, les abdominaux et les lombaires. Le travail avec des haltères augmente l'intensité de l'exercice, et celui avec une barre fait gagner du volume.

1 ▶ Placez-vous debout, pieds écartés largeur de bassin, genoux un peu fléchis. Redressez le dos et placez vos mains sur vos hanches.

2 ▶ ▶ Pliez les genoux perpendiculairement au sol et basculez le buste légèrement en avant jusqu'à ce qu'il forme un angle droit avec les cuisses. Appuyez les talons dans le sol.

Squat avec ballon *Quadriceps, muscles glutéaux*

Cet exercice simule l'action de la presse (machine spécifique), renforce et sculpte les cuisses. Le ballon soutient le dos dans cet exercice compliqué.

1 ▲ Placez le ballon entre les parties inférieure et médiane du dos et le mur. Redressez le dos et placez les mains sur vos hanches pour vous équilibrer. Les jambes doivent être presque tendues.

2 ▲ Ciblez le travail des cuisses, et descendez sur vous-même jusqu'à ce que les cuisses soient parallèles au sol. Puis, lentement, remontez en position de départ.

▲ **Variante.** Même position que pour l'exercice précédent. Descendez sur vous-même jusqu'à ce que les cuisses soient parallèles au sol, et bloquez la position aussi longtemps que possible.

Steps *Quadriceps, mollets*

Une montée d'escaliers sollicite les muscles inférieurs
et augmente également la fréquence cardiaque.
Dans une salle de sport, utilisez un step – ajusté
de telle sorte que votre genou ne se plie pas au-delà
de 90° quand vous montez dessus.

1 ▶ Placez-vous face à un step ou à un escalier. Montez
un pied, en le plaçant à plat sur la marche. Redressez le dos,
relâchez la tête et la nuque que vous garderez toutefois alignées
avec le buste. Montez alors l'autre pied, de façon à ce que les deux
pieds soient sur la marche. Descendez ensuite un pied à la fois.

1 ▲ Placez-vous de profil à
un banc, les bras le long
du corps. Posez un pied
sur le banc. Servez-vous
de cette jambe pour monter
sur le banc.

2 ▲ Reportez le poids du
corps sur l'autre jambe et
redescendez lentement celle-
ci sur le sol. Quand le pied
touche le sol, remontez sur
le banc et répétez l'exercice.

Steps sur banc
Quadriceps, adducteurs

Cet exercice utilise le poids du corps comme
résistance et renforce la puissance dynamique
des jambes. Quand vous montez sur le banc,
ne pliez pas les genoux au-delà de 90°.

Extension de jambes *Quadriceps*

Cet exercice sollicite les quadriceps, qui sont les muscles puissants situés à l'avant des cuisses. La montée se fait en trois secondes, et le retour à la position initiale, également en trois secondes.

1 ▲ Asseyez-vous sur la machine, les chevilles calées derrière les coussinets. Pointez les pieds vers l'avant afin de travailler les muscles équitablement. Attention, le fait de tourner le pied vers le côté risque de faire pivoter la jambe. Maintenez bien les lombaires contre le dossier.

2 ▲ Soulevez les jambes jusqu'à ce qu'elles soient droites. Bloquez la contraction pendant 1 seconde, puis retournez lentement à la position de départ, mais sans laisser complètement reposer les poids. Pensez à expirer dans la montée et inspirer dans la descente.

Élévation du genou
Glutéaux, fléchisseurs des hanches

Cet exercice dynamique utilise des mouvements de grande amplitude pour renforcer et muscler les jambes tout en élevant la fréquence cardiaque.

1 ▲ Placez-vous face à un step ou un escalier ; posez un pied sur une marche et laissez l'autre au sol. Placez les mains sur vos hanches pour vous équilibrer.

2 ◀ Soulevez la jambe restée au sol en montant le genou bien haut, puis reposez-la. Descendez l'autre jambe et répétez l'exercice de l'autre côté.

Flexion de jambes *Ischio-jambiers*

Les ischio-jambiers sont les muscles principaux situés à l'arrière des cuisses.
En les travaillant, vos jambes paraîtront plus élancées et vos fessiers plus galbés.
Sur le long terme, leur développement musculaire améliorera votre métabolisme.

1 ◄ Asseyez-vous sur la machine, calez les chevilles derrière les coussinets et tendez les jambes. Le dos doit former un angle droit avec les jambes, et les lombaires doivent être maintenues contre le dossier. Décomposez le mouvement en 6 secondes : 3 secondes pour plier les jambes et 3 autres pour les tendre.

2 ► Contractez les abdominaux et pliez les jambes, en ramenant les talons vers les fessiers. Bloquez la contraction pendant 1 seconde, puis revenez lentement à la position initiale. Expirez sur la montée et inspirez sur la descente.

Presse

Quadriceps, ischio-jambiers

On peut pratiquer l'exercice sur un appareil spécifique (presse) ou utiliser une machine semi-guidée. Si vous choisissez la première option, calez bien vos muscles lombaires.

1 ► Commencez par vous placer sous la barre, pieds écartés largeur de bassin et genoux pliés. Relâchez la nuque et redressez le dos.

2 ► Remontez sur vous-même en tendant les jambes, mais sans les contracter. Revenez à la position de départ. Comptez 2 secondes sur la montée et 2 secondes sur la descente.

Exercices de musculation

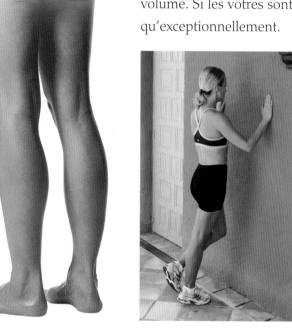

Extension des mollets *Mollets*

Cet exercice, idéal pour renforcer et raffermir les mollets peut aussi augmenter leur volume. Si les vôtres sont suffisamment développés, ne pratiquez ce mouvement qu'exceptionnellement.

1 ◀ Placez-vous debout, à une longueur de bras d'un mur, sur lequel vous placerez les mains devant vous. Décollez le pied gauche du sol.

2 ▶ Soulevez-vous sur la pointe du pied droit. Vous devriez ressentir une contraction au niveau du mollet droit. Bloquez 1 seconde puis revenez à la position de départ. Répétez l'exercice en changeant de jambe.

Abduction de la hanche *Abducteurs des fessiers*

Cet exercice sollicite l'extérieur des fessiers (*gluteus medius* ou abducteurs des fessiers) ainsi que l'extérieur des cuisses.

1 ▲ Allongez-vous sur le côté, avec la jambe gauche légèrement fléchie. Soutenez votre tête avec la main gauche, et placez la main droite devant vous comme point d'appui.

2 ▲ Levez la jambe droite en la gardant tendue et alignée au buste ; le mouvement doit être lent et contrôlé. Bloquez la contraction 1 seconde, puis revenez à la position de départ.

Extensions *Muscles glutéaux, ischio-jambiers*

Cet exercice intense sollicite les fessiers, zone un peu faible chez de nombreuses personnes. Avec une pratique régulière, les résultats ne se feront pas attendre.

1 ▲ Appuyez-vous sur les coudes et les genoux, avec les mains jointes devant vous. Veillez à maintenir le dos bien droit.

2 ▲ Gardez la jambe droite fléchie et levez-la. Gardez le pied flexe et poussez sur le talon. Comptez 2 secondes sur la montée et 2 secondes sur la descente. Répétez avec l'autre jambe.

▲ **Variante.** Placez-vous debout et contractez les abdominaux. Fléchissez la jambe droite à 90° et rejetez le pied vers l'arrière. Répétez avec l'autre jambe.

Relevé de bassin *Muscles glutéaux, erector spinae*

Pour intensifier l'exercice, pointez les pieds vers l'avant lors de l'étape 2.

1 ▲ Allongez-vous sur le dos, les talons posés sur un banc, les genoux pliés à 90° et les mains derrière la nuque.

2 ▲ Soulevez le bassin jusqu'à former une ligne droite des genoux à la poitrine. Serrez les fessiers mais ne cambrez pas le dos. Comptez 2 secondes sur la montée et 2 secondes sur la descente.

Exercices de musculation

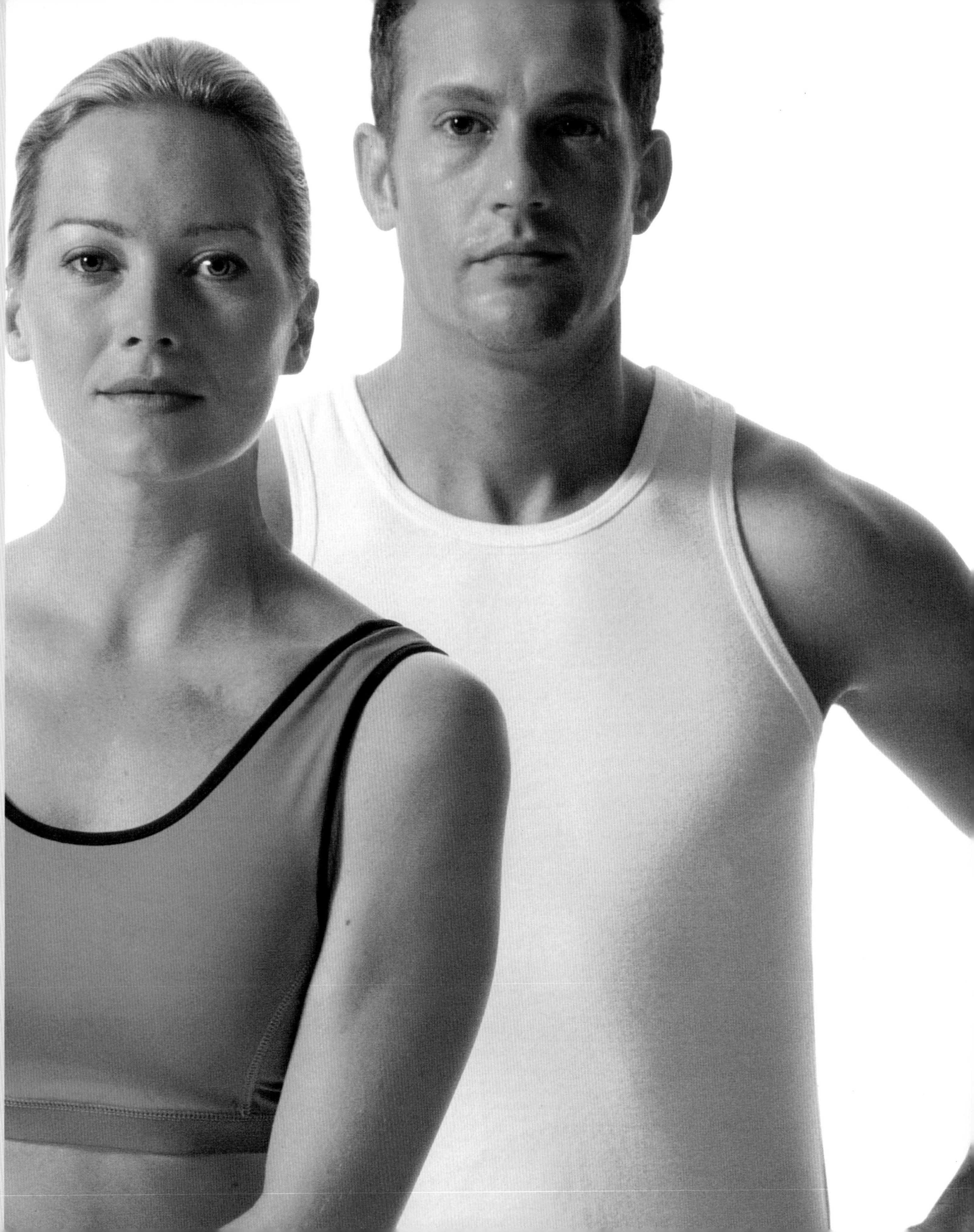

Les programmes

Les 20 programmes proposés dans cet ouvrage combinent exercices d'aérobic et de musculation ainsi que des recommandations nutritionnelles. Ils vous aideront à atteindre vos objectifs, que ce soit perdre du poids, vous maintenir en forme ou vous préparer pour un marathon. Vous trouverez également deux programmes destinés aux femmes enceintes (prénatal et postnatal). Pour témoigner de leur efficacité, les programmes sont accompagnés d'études de cas réels. On peut ainsi vérifier les progrès de chacune des personnes suivies à travers leur carnet de bord et leurs photos « avant », « pendant » et « après ».

Comment les utiliser ?

Les programmes qui suivent proposent différents circuits qui varient selon les méthodes d'entraînement et les exercices d'aérobic et de musculation. L'exemple ci-dessous vous aidera à mieux comprendre leur fonctionnement. Au début de chaque programme, un petit rappel vous indique les fonctions ciblées : puissance/raffermissement musculaire, perte de poids/amélioration de la capacité aérobic, ou encore augmentation de la souplesse. Ils sont notés selon leur efficacité : assez bon ✓ bon ✓✓ excellent ✓✓✓.

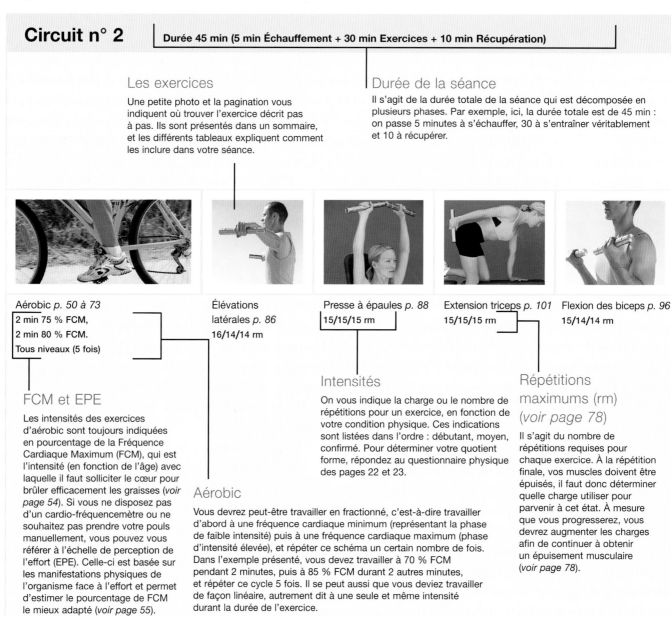

Circuit n° 2   Durée 45 min (5 min Échauffement + 30 min Exercices + 10 min Récupération)

Les exercices

Une petite photo et la pagination vous indiquent où trouver l'exercice décrit pas à pas. Ils sont présentés dans un sommaire, et les différents tableaux expliquent comment les inclure dans votre séance.

Durée de la séance

Il s'agit de la durée totale de la séance qui est décomposée en plusieurs phases. Par exemple, ici, la durée totale est de 45 min : on passe 5 minutes à s'échauffer, 30 à s'entraîner véritablement et 10 à récupérer.

Aérobic p. 50 à 73
2 min 75 % FCM,
2 min 80 % FCM.
Tous niveaux (5 fois)

Élévations latérales p. 86
16/14/14 rm

Presse à épaules p. 88
15/15/15 rm

Extension triceps p. 101
15/15/15 rm

Flexion des biceps p. 96
15/14/14 rm

FCM et EPE

Les intensités des exercices d'aérobic sont toujours indiquées en pourcentage de la Fréquence Cardiaque Maximum (FCM), qui est l'intensité (en fonction de l'âge) avec laquelle il faut solliciter le cœur pour brûler efficacement les graisses (*voir page 54*). Si vous ne disposez pas d'un cardio-fréquencemètre ou ne souhaitez pas prendre votre pouls manuellement, vous pouvez vous référer à l'échelle de perception de l'effort (EPE). Celle-ci est basée sur les manifestations physiques de l'organisme face à l'effort et permet d'estimer le pourcentage de FCM le mieux adapté (*voir page 55*).

Aérobic

Vous devrez peut-être travailler en fractionné, c'est-à-dire travailler d'abord à une fréquence cardiaque minimum (représentant la phase de faible intensité) puis à une fréquence cardiaque maximum (phase d'intensité élevée), et répéter ce schéma un certain nombre de fois. Dans l'exemple présenté, vous devez travailler à 70 % FCM pendant 2 minutes, puis à 85 % FCM durant 2 autres minutes, et répéter ce cycle 5 fois. Il se peut aussi que vous deviez travailler de façon linéaire, autrement dit à une seule et même intensité durant la durée de l'exercice.

Intensités

On vous indique la charge ou le nombre de répétitions pour un exercice, en fonction de votre condition physique. Ces indications sont listées dans l'ordre : débutant, moyen, confirmé. Pour déterminer votre quotient forme, répondez au questionnaire physique des pages 22 et 23.

Répétitions maximums (rm) *(voir page 78)*

Il s'agit du nombre de répétitions requises pour chaque exercice. À la répétition finale, vos muscles doivent être épuisés, il faut donc déterminer quelle charge utiliser pour parvenir à cet état. À mesure que vous progresserez, vous devrez augmenter les charges afin de continuer à obtenir un épuisement musculaire (*voir page 78*).

Les études de cas

Ces cinq personnes ont bien voulu tester les programmes proposés dans cet ouvrage; certaines n'avaient même jamais fait de sport. Elles ont toutes suivi un programme et ont toutes atteint leurs objectifs. Il est important de se souvenir que ces individus ont mené une vie normale, c'est-à-dire qu'ils ont continué à travailler et à sortir avec leurs amis durant tout le programme. Pour atteindre leurs objectifs, ils se sont tous entraînés trois fois par semaine durant 10 à 12 semaines.

Sophie
Âge : **31 ans**
Profession : **directrice de société**
Taille : **1,60 m**
Poids : **69 kg**
Pourcentage de graisse : **36 %**
Taille de vêtements : **42**

« Je voulais raffermir mon corps et ne pas m'ennuyer en le faisant. »

Charlotte
Âge : **23 ans**
Profession : **cadre commercial**
Taille : **1,70**
Poids : **72 kg**
Pourcentage de graisse : **32 %**
Taille de vêtements : **40-42**

« Mon objectif était de perdre du poids afin de rentrer dans du 38. »

Antoine
Âge : **26 ans**
Profession : **journaliste**
Taille **1,85 m**
Poids : **81 kg**
Tour de cou : **37 cm**
Tour de poitrine : **94 cm**
Tour de taille : **84 cm**
Tour de cuisses : **54 cm**

« Mon objectif était de me muscler les bras, la poitrine et les épaules. »

Patrick
Âge : **40 ans**
Profession : **chauffeur de taxi**
Taille : **1,73 m**
Poids : **90 kg**
Pourcentage de graisse : **36 %**
Tour de taille : **96 cm**

« Je m'étais trop laissé aller, il fallait que je réagisse et que je perde du poids. »

Isabelle
Âge : **31 ans**
Profession : **pigiste pour un magazine**
Taille : **1,70 m**
Poids : **63 kg**
Pourcentage de graisse : **29 %**
Taille de vêtements : **40-42**

« Mon objectif était de courir un marathon et de pouvoir dire "Je l'ai fait !" ».

Charlotte

Fiche signalétique

Âge : **23 ans**

Profession : **cadre commercial**

Taille : **1,70**

Poids : **72 kg**

Pourcentage de graisse : **32 %**

Taille de vêtements : **40-42**

Objectif

« Cela faisait six mois que je tentais en vain de perdre 6 kg. J'avais essayé de nombreux régimes et méthodes d'exercices, mais je n'arrivais à en suivre aucun plus de quelques semaines. Je voulais également dessiner ma silhouette, mais je craignais de faire de la musculation car je prends facilement du volume. »

Le diagnostic

Charlotte désirait perdre du poids mais venait d'entrer dans la vie active et avait des difficultés à incorporer une activité physique et un régime alimentaire à son mode de vie. Les recommandations du programme d'amincissement sont justement adaptables. Les séances d'aérobic, de forte intensité, éliminent les graisses, tandis que la musculation renforce la tonicité musculaire. Il en résulte une accélération du métabolisme, ce qui permet une meilleure combustion des calories et des résultats durables.

▼ **Aérobic et musculation**
Éliminez les graisses avec l'aérobic et raffermissez-vous avec la musculation.

▶ Semaines 1 à 2

Je commençais à trouver que tout n'était pas si difficile que ça, quand il a fallu accélérer la cadence et que j'ai dû travailler beaucoup plus dur ! Je remarque que la nuit, je dors mieux, et que l'aspect général de mon ventre, de mes bras et de mes cuisses est en train de changer. Le plan nutritionnel n'est pas trop difficile à suivre. Je me sens en pleine forme, et quel soulagement de ne pas avoir à peser ma nourriture. J'ai une liste d'aliments permis, et voilà, à moi de me débrouiller. J'essaie plein de nouvelles recettes et comme je cuisine avec davantage d'ingrédients naturels, mes plats sont bien plus goûteux qu'avant. Je n'ai pas eu à me forcer à rester à la maison pour ne pas sortir avec mes amis. Ils savent ce que j'ai entrepris et admirent ma détermination (quoique j'ai fait une petite entorse ce week-end). Généralement, quand je sors, je choisis des infusions ou des jus de fruits.

« Après chaque séance, je me sens en pleine forme et je dors mieux la nuit. »

▶ Des résultats visibles

Charlotte a atteint son objectif en suivant le programme d'amincissement.

▶ Semaines 4 à 6

Je suis partie en vacances pour une semaine, mais je suis allée courir un jour et j'ai fréquenté une salle de sport pour compenser mes entorses alimentaires. Pourtant, à mon retour, je n'avais pas pris de poids et j'étais ravie d'avoir fait l'effort de maintenir une activité physique. De toute façon, si maintenant je ne pratique aucun sport, je ressens un manque.

▶ Semaine 8

J'ai remarqué que les rares fois où j'ai mangé ou bu quelque chose qui était interdit, comme des sucreries, des gâteaux ou du vin, je ne les ai pas appréciés du tout. Je n'ai plus du tout envie de chocolat, et quand j'en ai pris, j'ai eu du mal à terminer mon morceau ; d'ailleurs, je me sentais si nauséeuse que je ne souhaite pas renouveler la tentative. Mes goûts ont évolué et je n'aime plus le sucré.

▶ Semaines 10 à 12

Ce week-end, j'ai couru 5 km, et n'étais même pas à bout de souffle. Ce fut une réelle victoire personnelle vu que, trois mois plus tôt, je n'avais encore jamais couru de ma vie ! Un jour, j'espère même pouvoir participer à un marathon. Au début de mon programme, j'avais peur de ne pas pouvoir suivre tous les exercices, mais à présent, je regrette qu'il soit fini.

Après le programme...

• Charlotte doit revoir ses objectifs et en définir de nouveaux. Elle pourrait peut-être passer au programme marathon ou celui de raffermissement musculaire...

• Elle doit maintenir sa nouvelle hygiène alimentaire et diversifier son alimentation.

Fiche signalétique

Poids : **66 kg**
soit une perte de 6 kg

Taille de vêtement : **38**
soit une perte de quatre tailles

Pourcentage de graisse : **24,5 %**
soit une perte de 7,5 %

Les programmes

Patrick

Fiche signalétique

Âge : **40 ans**

Profession : **chauffeur de taxi**

Taille : **1,73 m**

Poids : **90 kg**

Pourcentage de graisse : **36 %**

Tour de taille : **96 cm**

Objectif

« À dix-sept ans, j'étais beaucoup plus mince, sans doute parce que j'étais plus actif. Cela fait douze ans que je conduis un taxi, que je ne fais aucun exercice et que je grignote à tout bout de champ ; alors bien sûr, j'ai beaucoup grossi. Récemment, mon médecin m'a dit que j'avais trop de tension artérielle et que je devais perdre du poids. »

Le diagnostic

De par son travail, Patrick mène une vie très sédentaire ; il a donc besoin d'un programme qui développe sa capacité aérobic et l'encourage à être plus actif. Le programme d'amincissement accélère la combustion des calories et élève son métabolisme. Les longues séances d'aérobic au début du programme favorisent la perte de poids, puis les exercices de musculation raffermissent la silhouette tout en aidant l'organisme à brûler les graisses – et surtout à ne pas reprendre les kilos perdus.

▼ Le travail est la clé de la réussite
L'aérobic aide à brûler les graisses et élève le métabolisme.

▶ Semaines 1 à 2

Les exercices d'aérobic furent un choc pour mon organisme. À l'issue de ma première séance, je ne pouvais même plus marcher. Mais j'étais déterminé et lorsque j'ai commencé à observer des résultats, je n'en fus que plus motivé. Mes amis ont noté des changements et m'ont dit que j'avais perdu du poids, et c'est très encourageant. La nuit, mon sommeil s'est bien amélioré.

▶ Semaines 3 à 4

Avant le programme, mon alimentation était trop déséquilibrée ; à présent, j'ai diminué les corps gras – je bois du lait demi-écrémé et je ne mets plus de beurre dans mes sandwichs ; je mange moins de pain ; j'ai arrêté le thé et le café et je consomme beaucoup plus de fruits. Je commence à ressentir les effets de ces modifications diététiques. Je comprends mieux comment mon organisme réagit face aux aliments. Parfois, je m'ennuie un peu durant les exercices, mais je sais que c'est bénéfique et que je perds du poids. Je m'habitue aux machines de la salle de sport et je connais leur fonctionnement. Mais ce que je préfère dans mes séances, c'est tout de même la douche !

Les programmes

▶ Des résultats visibles
Des exercices réguliers peuvent doper votre vitalité et améliorer votre humeur.

▶ Semaines 6 à 8

Je suis à mi-chemin du programme et je pensais voir ma volonté vaciller, mais grâce aux résultats visibles, je reste motivé. J'ai moins d'asthme qu'avant, et ma tension artérielle a baissé. De façon générale, j'ai plus de tonus, mais je me sens aussi plus calme, et plus heureux que je ne l'ai été depuis longtemps. Je suis plus fort et plus en forme qu'auparavant – je suis allé faire une randonnée en vélo avec des amis, et j'étais en tête ! J'ai déjà perdu 6 kg. On m'a dit que je paraissais plus jeune. Ma femme est stupéfaite du nombre de kilos envolés – elle se dit qu'elle aurait dû commencer le programme avec moi !

▶ Semaines 9 à 12

J'avais une faiblesse pour les hamburgers, mais je m'en suis déshabitué. J'ai fait une entorse en m'autorisant de la vinaigrette avec mes crudités, mais je n'en ferai pas une habitude et j'éliminerai le surplus de calories à la gym. Moi qui étais incapable de marcher 3 minutes avant de commencer le programme, je peux maintenant courir pendant 15 minutes et faire du vélo pendant 20. Je prends des cours d'art martial deux fois par semaine tout en continuant à suivre mon programme, et cela me change un peu de la salle de sport. Je ne peux plus imaginer ma vie sans activité physique. Je flotte dans mes pantalons et j'ai perdu ma « bouée ».

« Je me sens plus fort et en meilleure forme que je ne l'ai jamais été. »

Après le programme…

• Patrick doit continuer à mener une vie active en marchant davantage, ou encore en faisant des balades à bicyclette en famille, le week-end.
• Il ne doit pas cesser de stimuler son corps en variant les exercices qu'il pratique.

Fiche signalétique

Poids : **78 kg**
soit une perte de 12 kg

Tour de taille **83 cm**
soit une perte de 13 cm

Pourcentage de graisse **26 %**
soit une perte de 10 %

Les programmes

121

« Objectif minceur »

Ce programme de trois mois va vous aider à perdre du poids à un rythme raisonnable. En associant un plan nutritionnel à des exercices personnalisés, il va sculpter votre silhouette et permettre une perte de poids durable. Un régime seul peut faire maigrir, mais combiné à des exercices, il vous aidera à obtenir des effets durables et atténuera les petits écarts…

Bénéfices

Puissance/raffermissement musculaire ✓

Perte de poids/amélioration de la capacité aérobique ✓✓

Augmentation de la souplesse ✓

Les détails du programme

L'entraînement linéaire, qui consiste à travailler à une vitesse constante durant une longue période, renforce l'endurance. Le fractionné, qui implique de s'entraîner durant de brefs épisodes à une forte intensité, développe la résistance et accélère le métabolisme, si bien qu'on brûle davantage de graisses et plus rapidement – et ce, jusqu'à vingt heures après la fin de la séance. Les exercices de musculation aux longues répétitions tonifient principalement les muscles des jambes, de la poitrine et du dos. Ils augmentent également le coefficient métabolique basal (*voir page 76*) – puisque les muscles sont plus actifs – et vous aident à ne pas reprendre les kilos perdus.

Sommaire des exercices

Marche rapide
p. 60-63

Vélo
p. 68-70

Rameur
p. 71

Développé-couché *p. 83*

Tirage des dorsaux *p. 90*

Flexion de jambes *p. 111*

Squat avec ballon *p. 108*

Relevé de buste *p. 102*

Relevé de buste oblique *p. 104*

Marche *p. 60-63*
Course *p. 64-67*

Tirage à la poulie basse *p. 94*

Fente avant *p. 106*

Cross-training *p. 71*

Élévations latérales *p. 86*

Fente avant dynamique *p. 106*

Dips
p. 98

Relevé de bassin
p. 103

Développé-couché *p. 83*

Tirage horizontal
p. 91

Presse
p. 111

Pont
p. 105

1er mois

Il faut un rythme hebdomadaire de trois séances; chaque semaine, accomplissez une fois les circuits 1, 2 et 3. Si vous ajoutez une séance, faites le circuit 3. Essayez toujours de vous reposer au moins deux jours par semaine.

Circuit n° 1

Échauffement — 5 min d'aérobic, en élevant peu à peu la fréquence cardiaque.

Exercices	Débutant	Moyen	Confirmé
Marche sur un plan incliné (inclinaison 3 %)	10 min 70 % FCM	10 min 70-75 % FCM	10 min 70-75 % FCM
Vélo	10 min 70 % FCM	10 min 70-75 % FCM	10 min 75 % FCM
Rameur ou cross-training	10 min 70 % FCM	10 min 70-75 % FCM	10 min 75 % FCM
Développé-couché	16 rm	16 rm	16 rm
Tirage des dorsaux	16 rm	16 rm	16 rm
Flexion de jambes	16 rm	16 rm	16 rm
Squat avec ballon	16	20	25
Relevé de buste	10 (2 fois)	15 (2 fois)	20 (2 fois)
Relevé de buste oblique	10 (2 fois)	15 (2 fois)	20 (2 fois)

Récupération — Étirement intégral (*voir page 48*).

Circuit n° 2

Échauffement — 5 min d'aérobic, en élevant peu à peu la fréquence cardiaque.

Exercices	Débutant	Moyen	Confirmé
Marche rapide/Course	2 min 80 % FCM 3 min 65 % FCM (2 fois)	2 min 80 % FCM 2 min 70 % FCM (3 fois)	3 min 80 % FCM 2 min 70 % FCM (3 fois)
Développé-couché	16 rm	16 rm	16 rm
Flexion de jambe	16 rm	16 rm	16 rm
Tirage à la poulie basse	16 rm	16 rm	16 rm
Fente avant	14 rm ch. jambe	16 rm ch. jambe	16 rm chaque jambe
Vélo	8 min 75 % FCM	10 min 75 % FCM	12 min 75 % FCM
Répétez les 4 exercices ci-dessus			
Cross-training	10 min 70 % FCM	10 min 75 % FCM	10 min 75 % FCM
Relevé de buste	10 (2 fois)	15 (2 fois)	20 (2 fois)
Relevé de buste oblique	10 (2 fois)	15 (2 fois)	20 (2 fois)

Récupération — Étirements des membres inférieurs (*voir page 49*).

Circuit n° 3

Effectuez 3 exercices d'aérobic, ou marchez/courez aux fréquences cardiaques indiquées.

Échauffement — 5 min d'aérobic, en élevant peu à peu la fréquence cardiaque.

Exercice	Débutant	Moyen	Confirmé
Aérobic	30 min 70 % FCM	40 min 75 % FCM	45 min 75 % FCM

Récupération — Étirements des membres inférieurs (*voir page 49*).

Plan nutritionnel

N'oubliez pas de suivre les recommandations nutritionnelles générales (*voir pages 24-37*).

Pour commencer...

- Buvez au moins 1 litre d'eau par jour
- Réduisez votre consommation de thé, café et boissons sucrées.
- Prenez un petit déjeuner chaque matin; essayez les flocons d'avoine ou un müesli sans blé; ou encore des fruits frais à indice glycémique faible, comme des pommes, des poires, des fruits rouges, des mangues, des kiwis, mélangés à un yaourt maigre au bifidus.
- Ne consommez pas plus d'une fois par jour de produits à base de blé (pâtes, pain, semoule ou céréales).
- Incluez des hydrates de carbone lourds (pomme de terre, pain, pâtes…) seulement dans deux de vos repas hebdomadaires.
- Ne mangez pas de viande rouge plus d'une fois par semaine.
- Consommez au moins cinq fruits frais et trois portions de légumes par jour.
- Mangez beaucoup de poissons gras comme le saumon, le thon, le maquereau et les sardines, car ils contiennent des bons acides gras qui apportent de l'énergie à l'organisme.

Les programmes

2e mois

Il faut un rythme hebdomadaire de trois séances ; chaque semaine, accomplissez deux fois le circuit 1 et une fois le circuit 2. Si vous ajoutez une séance, faites un autre circuit 2. Reposez-vous toujours au moins deux jours par semaine.

Circuit n° 1

Échauffement 5 min d'aérobic, en élevant peu à peu la fréquence cardiaque.

Exercices	Débutant	Moyen	Confirmé
Marche sur plan incliné (inclinaison de 30 %)	10 min 70 % FCM	10 min 70-75 % FCM	10 min 75 % FCM
Vélo	10 min 70 % FCM	10 min 70-75 % FCM	10 min 75 % FCM
Rameur ou cross-training	10 min 70 % FCM	10 min 70-75 % FCM	10 min 75 % FCM
Développé-couché	16 rm	16 rm	16 rm
Tirage des dorsaux	16 rm	16 rm	16 rm
Flexion de jambes	16 rm	16 rm	16 rm
Squat avec ballon	16	20	25
Élévations latérales	15 rm	15 rm	15 rm `
Fente avant dynamique	15 chaque jambe	15 chaque jambe	20 chaque jambe
Dips	15	20	20
Presse	16 rm	16 rm	16 rm
Répétez les 8 exercices ci-dessus			
Relevé de buste	10 (2 fois)	15 (2 fois)	20 (2 fois)
Relevé de buste oblique	10 (2 fois)	15 (2 fois)	20 (2 fois)
Relevé de bassin	10	15	20

Récupération Étirement intégral (*voir page 48*).

Circuit n° 2

Échauffement 5 min d'aérobic, en élevant peu à peu la fréquence cardiaque.

Exercices	Débutant	Moyen	Confirmé
Marche rapide/Course	2 min 80 % FCM 3 min 65 % FCM (2 fois)	2 min 80 % FCM 2 min 70 % FCM (3 fois)	3 min 80 % FCM 2 min 70 % FCM (3 fois)
Développé-couché	16 rm	16 rm	16 rm
Flexion de jambes	16 rm	16 rm	16 rm
Tirage à la poulie basse	16 rm	16 rm	16 rm
Fente avant	14 rm chaque jambe	16 rm chaque jambe	16 rm chaque jambe
Vélo	8 min 75 % FCM	10 min 75 % FCM	12 min 75 % FCM
Répétez les 4 exercices ci-dessus			
Cross-training	10 min 70 % FCM	12 min 75 % FCM	15 min 75 % FCM
Relevé de buste	10 (2 fois)	15 (2 fois)	20 (2 fois)
Relevé de buste oblique	10 (2 fois)	15 (2 fois)	20 (2 fois)

Récupération Étirement intégral (*voir page 48*).

Plan nutritionnel

Conservez les bonnes habitudes du 1er mois.

Et continuez sur la bonne voie !

● Prenez des repas riches en hydrates de carbones à midi et, le soir, préférez ceux à base de légumes et de protéines.

● Consommez davantage de légumineuses et de haricots secs.

● Surveillez votre consommation d'alcool : moins de 12 doses hebdomadaires pour un homme et moins de 8 pour une femme. (Une dose équivaut à un verre de vin, une dose d'alcool fort ou encore la moitié d'un demi de bière.)

● Ne réduisez pas trop les quantités, et essayez de vous rassasier avec des légumes.

● Pour grignoter, prenez une poignée d'amandes, de noix du Brésil, de graines de potiron, de sésame ou de tournesol.

Cross-training

3ᵉ mois

Il faut un rythme hebdomadaire de trois séances ; chaque semaine, accomplissez deux fois le circuit 1 et une fois le circuit 2. Si vous ajoutez une séance, faites un autre circuit 2. Reposez-vous toujours au moins deux jours par semaine.

Circuit n° 1

Échauffement — 5 min d'aérobic, en élevant peu à peu la fréquence cardiaque.

Exercices	Débutant	Moyen	Confirmé
Marche sur plan incliné (inclinaison de 30 %)	10 min 70 % FCM	10 min 70-75 % FCM	10 min 75 % FCM
Vélo	10 min 70 % FCM	10 min 70-75 % FCM	10 min 75 % FCM
Rameur ou cross-training	10 min 70 % FCM	10 min 70-75 % FCM	10 min 75 % FCM
Développé-couché	16 rm	16 rm	16 rm
Tirage des dorsaux	16 rm	16 rm	16 rm
Flexion de jambes	16 rm	16 rm	16 rm
Squat avec ballon	16	20	25
Élévations latérales	15 rm	15 rm	15 rm
Tirage horizontal	15 rm	15 rm	15 rm
Fente avant dynamique	15 chaque jambe	15 chaque jambe	20 chaque jambe
Dips	15	20	20
Presse	16 rm	16 rm	16 rm
Répétez les 10 exercices ci-dessus			
Relevé de buste	10 (2 fois)	15 (2 fois)	20 (2 fois)
Relevé de buste oblique	10 (2 fois)	15 (2 fois)	20 (2 fois)
Relevé de bassin	10 (2 fois)	15 (2 fois)	20 (2 fois)
Pont	30 s	45 s	60 s

Récupération	Étirement intégral (*voir page 48*).

Circuit n° 2

Échauffement — 5 min d'aérobic, en élevant peu à peu la fréquence cardiaque.

Exercices	Débutant	Moyen	Confirmé
Marche rapide/Course	2 min 80 % FCM 3 min 65 % FCM (3 fois)	2 min 80 % FCM 2 min 70 % FCM (4 fois)	3 min 80 % FCM 2 min 70 % FCM (4 fois)
Développé-couché	16 rm	16 rm	16 rm
Flexion de jambes	16 rm	16 rm	16 rm
Tirage à la poulie basse	16 rm	16 rm	16 rm
Fente avant	14 rm	16 rm	16 rm
Vélo	8 min 75 % FCM	10 min 75 % FCM	12 min 75 % FCM
Répétez les 4 exercices ci-dessus			
Cross-training	10 min 70 % FCM	12 min 75 % FCM	15 min 75 % FCM
Relevé de buste	10 (2 fois)	15 (2 fois)	20 (2 fois)
Relevé de buste oblique	10 (2 fois)	15 (2 fois)	20 (2 fois)

Récupération	Étirement intégral (*voir page 48*).

Plan nutritionnel

On peut surveiller son alimentation sans pour autant renoncer à dîner à l'extérieur.

- Commandez de la viande ou du poisson grillé, à la vapeur, ou rôti plutôt que frit ou cuisiné avec une sauce riche.
- Évitez les sauces crémeuses ou à base de beurre, qui sont hypercaloriques et très riches en graisses saturées.
- Préférez les pommes de terre à la vapeur, en purée ou en robe des champs car elles ont un indice glycémique plus faible que celui des pommes de terre frites (*voir page 33*).
- Commandez une entrée et un plat, plutôt qu'un plat et un dessert.

Course

Circuit « déjeuner »

Si votre plus grand problème est de trouver un moment pour aller à la salle de sport, voici le programme idéal pour obtenir un maximum de résultats en un minimum de temps. C'est un programme général qui construit une bonne base d'aérobic, renforce les muscles et améliore la souplesse des principaux muscles structuraux.

Bénéfices

Puissance/raffermissement musculaire ✓✓

Perte de poids/amélioration de la capacité aérobique ✓

Augmentation de la souplesse ✓

Les détails du programme

Le programme est constitué de deux circuits à alterner sur trois jours. On fait le circuit 1 deux fois par semaine (1er jour et 3e jour) et le circuit 2 une fois (2e jour). Le premier circuit est un entraînement aérobic de forte intensité où l'on sollicite le cœur sur deux pourcentages FCM. Cela permet une combustion des graisses et une accélération du métabolisme, prolongée jusqu'à 18 heures après la séance. Les exercices de musculation ciblent le bas et le haut du corps, ce qui permet de solliciter davantage le cœur lorsqu'il pompe le sang pour l'amener à tous les différents muscles ; cette technique est connue sous le nom d'« action cardiaque périphérique ». On raffermit les principaux muscles tout en élevant le métabolisme. On obtient ainsi une silhouette plus fine et mieux dessinée.

Circuit n° 1 — Durée 45 min (5 min Échauffement + 35 min Exercices + 5 min Récupération).

Échauffement — 5 min d'aérobic, en élevant graduellement la fréquence cardiaque.

Exercices — Les répétitions maximums (rm) ou répétitions pour chaque exercice sont indiquées par ordre de niveau : débutant/moyen/confirmé.

Aérobic p. 50-73
2 min 70 % FCM,
2 min 85 % FCM.
Tous niveaux (5 fois)

Développé-couché avec haltères p. 83
15/15/15 rm

Fente avant
p.106
15/14/14 rm
pour chaque jambe

Écarté-couché
p. 82
15/15/15 rm

Flexion de jambe
p. 111
16/14/14 rm

Tirage des dorsaux
p. 90
15/15/15 rm

Squat p. 108
16/14/14 rm

Tirage horizontal
p. 91 15/15/15 rm

Presse p. 111
16/14/14 rm

Pompes p. 85
12/15/20

Relevé de buste
p. 102 15/20/25

Relevé de bassin
p. 103 15/20/25

Relevé buste
et bassin p. 102
15/20/25

Récupération — Étirement debout (*voir page 49*).

Après l'effort, régalez-vous d'un bon poisson.

Le circuit n° 2 développe l'endurance – il s'agit de travailler à une fréquence cardiaque constante tout au long de l'exercice, de manière à renforcer le cœur et les poumons. Choisissez trois différents exercices de cardio-training. La musculation sollicite les bras et les épaules (biceps, triceps et deltoïdes) et raffermit la sangle abdominale.

Conseils nutritionnels

Ne sous-estimez pas l'importance des nutriments lors du déjeuner, surtout si vous vous entraînez. Le repas qui suit votre séance doit aider l'organisme à remplacer l'énergie éliminée et en fournir suffisamment pour vous permettre d'affronter le reste de la journée.

Avant la séance

30 à 45 minutes avant le début de votre séance, prenez un fruit digeste et pas trop riche en sucre, par exemple une pomme ou une poire.

Après la séance

Votre repas doit être nourrissant et riche en antioxydants et acides gras essentiels. Les aliments suivants fourniront à l'organisme de l'énergie prolongée et éviteront les coups de pompe qui poussent à grignoter des sucreries :

- Salade de pâtes complètes
- Taboulé
- Sushi
- Légumes grillés
- Sandwich au saumon et au fromage frais sur du pain complet
- Salade de haricots secs et de poivrons
- Crudités trempées dans du houmous (purée de pois chiches) ou du tzaziki (yaourt et concombre)
- Poisson grillé (bar…)
- Poissons gras (maquereau ou sardines), en salade ou sur du pain complet grillé.

Circuit n° 2 — Durée 45 min (5 min Échauffement + 35 min Exercices + 5 min Récupération).

Échauffement	5 min d'aérobic, en élevant graduellement la fréquence cardiaque.
Exercices	Les répétitions maximums (rm) ou répétitions pour chaque exercice sont indiquées par ordre de niveau : débutant/moyen/confirmé.

Aérobic *p. 50-73*
2 min 70 % FCM
2 min 85 % FCM
Tous niveaux (5 fois)

Élevations latérales *p. 86*
16/14/14 rm

Presse à épaules *p. 88*
15/15/15 rm

Extension des triceps *p. 101*
15/15/15 rm

Flexion des biceps *p. 96*
15/14/14 rm

Dips *p. 98*
10/15/20

Relevés buste et bassin *p. 102* 15/20/25

Relevé de buste oblique *p. 104* 15/20/25

Relevé de bassin *p. 103*
15/20/25

Relevés buste et bassin *p. 102* 15/20/25

Récupération	Étirement debout (*voir page 49*).

Les programmes

« Plage dans six semaines... »

On réserve tous nos vacances plusieurs mois à l'avance, mais on ne s'occupe de notre silhouette qu'à la dernière minute ! Ce n'est qu'après avoir essayé son maillot de bain et constaté l'ampleur des dégâts que l'on décide de se prendre en charge. Ce programme comprend des exercices pour se remodeler, perdre du poids et retrouver du tonus en un minimum de temps.

Bénéfices

Puissance/raffermissement musculaire ✓✓

Perte de poids/amélioration de la capacité aérobique ✓✓

Augmentation de la souplesse ✓

Sommaire des exercices

Aérobic
p. 50-73

Développé-couché *p. 83*

Fente avant
p. 106

Tirage des dorsaux *p. 90*

Flexion de jambe *p. 111*

Pompes
p. 85

Squat avec ballon *p. 108*

Tirage horizontal
p. 91

Fente avant dynamique *p. 106*

Dips
p. 98

Écarté latéral
p. 90

Extension des fessiers *p. 113*

Relevé de buste
p. 102

Relevé de buste oblique *p. 104*

Pont
p. 105

Pont oblique
p. 105

Écarté-couché
p. 82

Presse à épaules
p. 88

Élévations latérales *p. 86*

Flexion de jambe
p. 111

Steps
p. 109

Flexion des biceps *p. 96*

Extension des triceps
p. 101

Tirage vertical
p. 89

Les détails du programme

L'objectif étant de paraître plus mince dans son maillot de bain, ce programme se concentre surtout sur la perte de poids. Toutefois, si la tâche à accomplir est conséquente, six semaines risquent de ne pas suffire. Ce programme privilégie l'aérobic à hautes doses et à forte intensité, et fait appel à la méthode fractionnée, où l'on alterne travail à fréquence cardiaque élevée et travail à fréquence cardiaque réduite.

Cette méthode est une des plus efficaces pour brûler les graisses, et a l'avantage d'élever le métabolisme, si bien que la combustion d'énergie est plus efficace, plus rapide, et prolongée même après la fin de la séance. Une fois la perte de poids amorcée, on se tourne vers la musculation pour raffermir la silhouette. Même si les hommes et les femmes partagent la volonté de mincir, leurs objectifs quant au remodelage de la silhouette diffèrent quelque peu.

Programme au féminin

Les femmes veulent une taille fine. Ce programme aide à perdre du poids et à renforcer et raffermir la sangle abdominale. Il serait également judicieux de sculpter le haut du buste pour donner un joli décolleté. Des exercices comme les élévations latérales ou les développé-couchés avec haltère améliorent la posture et sculptent joliment la silhouette. Les mouvements aideront aussi à réduire la cellulite s'il y en a…

Programme au masculin

Les hommes désirent avant tout perdre leur ventre et remodeler leurs épaules et le haut du dos. Ce programme raffermit les épaules et les bras, tout en renforçant et dessinant également les jambes. Ces dernières doivent paraître solides, fermes et bien musclées.

Mode d'emploi

Les programmes sont divisés en trois phases d'une durée de deux semaines chacune. C'est un rythme tout à fait raisonnable pour perdre du poids. Parce que les objectifs des hommes et des femmes diffèrent, chaque phase contient deux circuits ; le premier est commun aux deux sexes, mais le second est spécifique (une version masculine et une féminine).

▶ **Des vacances en pleine forme !**
Une fois votre silhouette amincie, ferme et dessinée, vous souhaiterez la faire admirer sur la plage. Ce programme remodèle et sculpte le corps.

Plan nutritionnel
Suivez les recommandations générales (*voir pages 24-37*).

● Consommez un maximum d'aliments alcalins à faible indice glycémique.
● Ne buvez pas plus d'une tasse de thé ou de café par jour.
● Surveillez votre consommation d'alcool : maximum 10 doses hebdomadaires pour les hommes et 6 pour les femmes. (Une dose équivaut à un verre de vin, une mesure d'alcool fort ou la moitié d'un demi de bière.)
● Buvez 2 litres d'eau par jour.
● Mastiquez consciencieusement votre nourriture – cela favorise la digestion.
● Faites trois repas légers entrecoupés d'en-cas pour garder du tonus et ne pas avoir faim. Éliminez les boissons sucrées et les friandises comme les barres chocolatées, les pâtisseries, les bonbons et les biscuits.
● Mangez 5 fruits par jour (mais pas plus de 1 banane). Privilégiez les légumes colorés comme les poivrons, les carottes et les brocolis qui sont très riches en antioxydants.
● Essayez cette recette de müesli sans blé : mélangez 2 fois plus de flocons d'avoine que de grains de riz soufflés, et ajoutez à votre convenance raisins secs, graines de sésame, de tournesol et de potiron. Ajoutez du lait écrémé.

Les programmes

1ère, 2e et 3e semaine Chaque semaine, accomplissez deux fois le circuit 1 et une fois le circuit 2.

Circuit n° 1 pour hommes et femmes

Durée : 45 min (5 min Échauffement + 30 min Exercices + 10 min Récupération)

Échauffement   5 min d'aérobic, en élevant graduellement la fréquence cardiaque.

Exercices	Débutant	Moyen	Confirmé
Aérobic	3 min 80 % FCM	3 min 80 % FCM	3 min 85 % FCM
Développé-couché	16 rm	14 rm	14 rm
Fente avant	16 rm	16 rm	14 rm
Tirage des dorsaux	16 rm	14 rm	14 rm
Flexion de jambes	16 rm	16 rm	16 rm
Aérobic	3 min 80 % FCM	4 min 85 % FCM	5 min 85 % FCM
Pompes	16 rm	16 rm	20 rm
Squat avec ballon	16 rm	16 rm	16 rm
Tirage horizontal	16 rm	16 rm	16 rm
Fente avant dynamique	16 rm ch. jambe	16 rm ch. jambe	16 rm ch. jambe
Aérobic	3 min 80 % FCM	5 min 85 % FCM	6 min 85 % FCM
Dips	16	20	25
Flexion de jambes	16 rm	16 rm	16 rm
Écarté latéral	14 rm	14 rm	14 rm
Extension des fessiers	16 rm ch. jambe	16 rm ch. jambe	16 rm ch. jambe
Aérobic	3 min 80 % FCM	5 min 85 % FCM	6 min 85 % FCM
Relevé de buste	15	20	20
Relevé de bassin p. 103	15	20	20
Relevé de buste oblique	15	20	20

Récupération   Étirement intégral (*voir page 48*).

Circuit n° 2 pour hommes

50 min (5 min Échauffement + 35 min exercices + 10 min Récupération)

Échauffement   5 min d'aérobic, en élevant graduellement la fréquence cardiaque.

Exercices	Débutant	Moyen	Confirmé
Aérobic	1 min 80 % FCM 3 min 70 % FCM (5 fois)	2 min 80 % FCM 2 min 70 % FCM (6 fois)	2 min 85 % FCM 2 min 75 % FCM (6 fois)
Développé-couché	14 rm	12 rm	12 rm
Écarté-couché	–	14 rm	12 rm
Tirage des dorsaux	14 rm	14 rm	12 rm
Tirage horizontal	–	14 rm	12 rm
Presse à épaules	14 rm	14 rm	12 rm
Élévations latérales	14 rm	12 rm	12 rm
Flexion de jambes	16 rm	14 rm	12 rm
Fente avant	–	14 rm ch. jambe	12 rm ch. jambe
Extension de jambes	16 rm	14 rm	12 rm
Steps	–	15 ch. jambe	20 ch. jambe
Flexion des biceps	16 rm	14 rm	12 rm
Dips	15	20	25
Répétez ces 12 exercices			
Relevé de buste	20	25	30
Relevé de bassin (p. 103)	5	20	20
Répétez ces 2 exercices			

Récupération   Étirement intégral (*voir page 48*).

Circuit n° 2 pour femmes Durée : 50 min (5 min Échauffement + 35 min Exercices + 10 min Récupération)

Échauffement   5 min d'aérobic, en élevant graduellement la fréquence cardiaque.

Exercices	Débutant	Moyen	Confirmé	Exercices	Débutant	Moyen	Confirmé
Aérobic	1 min 80 % FCM 3 min 70 % FCM (5 fois)	2 min 80 % FCM 2 min 70 % FCM (6 fois)	2 min 85 % FCM 2 min 75 % FCM (6 fois)	Aérobic	3 min 70 % FCM 4 min 80 % FCM 3 min 70 % FCM	3 min 70 % FCM 4 min 80 % FCM 3 min 70 % FCM	4 min 75 % FCM 3 min 80 % FCM 3 min 75 % FCM
Développé-couché	16 rm	16 rm	16 rm	Relevé de buste	15	20	20
Flexion de jambes	16 rm	16 rm	16 rm	Relevé de bassin	15	20	20
Tirage horizontal	16 rm	16 rm	16 rm	Pont	20 s	30 s	50 s
Fente avant dynamique	16 rm ch. jambe	16 rm ch. jambe	16 rm ch. jambe	Pont oblique		20 s	40 s
Élévations latérales	16 rm	16 rm	16 rm	**Répétez ces 4 exercices**			
Squat avec ballon	16 rm	16 rm	16 rm				
Extension des triceps	14 rm	14 rm	14 rm				
Répétez ces 7 exercices							

Récupération   Étirement intégral (*voir page 48*).

4e, 5e et 6e semaines   Chaque semaine, accomplissez deux fois le circuit 1 et une fois le circuit 2.

Circuit n° 1 pour hommes et femmes

Durée : 55 min (5min Échauffement + 40 min Exercices + 10 min Récupération)

Échauffement   5 min d'aérobic, en élevant graduellement la fréquence cardiaque.

Exercices	Débutant	Moyen	Confirmé
Aérobic	4 min 80 % FCM	5 min 80 % FCM	6 min 85 % FCM
Développé-couché	16 rm (2 fois)	14 rm (2 fois)	14 rm (2 fois)
Fente avant	16 rm	16 rm	14 rm
Tirage des dorsaux	16 rm (2 fois)	14 rm (2 fois)	14 rm (2 fois)
Flexion de jambes	16 rm	16 rm	16 rm
Aérobic	4 min 80 % FCM	5 min 85 % FCM	56 min 85 % FCM
Pompes	16 rm	16 rm (2 fois)	20 rm (2 fois)
Squat avec ballon	16 rm	16 rm	16 rm
Tirage horizontal	16 rm	16 rm	16 rm
Fente avant dynamique	16 rm ch. jambe	16 rm ch. jambe	16 rm ch. jambe
Aérobic	4 min 80 % FCM	6 min 85 % FCM	7 min 85 % FCM
Dips	16	20, repos, + 15	25, repos, + 20
Flexion de jambes	16 rm	16 rm	16 rm
Écarté latéral	14 rm	14 rm	14 rm
Extension des fessiers	16 rm ch. jambe	16 rm ch. jambe	16 rm ch. jambe
Aérobic	3 min 80 % FCM	5 min 85 % FCM	6 min 85 % FCM
Relevé de buste	15	20	20
Relevé de bassin p. 103	15	20	20
Relevé de buste oblique	15	20	20
Pont	20 s	30 s	50 s
Pont oblique		20 s	40 s

Récupération   Étirement intégral (*voir page 48*).

Circuit n° 2 pour hommes

Durée : 70 min (5min Échauffement + 55 min Exercices + 10 min Récupération)

Échauffement   5 min d'aérobic, en élevant graduellement la fréquence cardiaque.

Exercices	Débutant	Moyen	Confirmé
Aérobic	1min 80 % FCM 3 min 70 % FCM (5 fois)	2 min 80 % FCM 2 min 70 % FCM (6 fois)	2 min 85 % FCM 2 min 75 % FCM (6 fois)
Pompes	14 rm	12 rm	12 rm
Écarté-couché	14 rm	14 rm	12 rm
Développé-couché	–	14 rm	12 rm
Tirage des dorsaux	14 rm	14 rm	12 rm
Tirage horizontal	–	14 rm	12 rm
Écarté latéral	16 rm	14 rm	14 rm
Presse à épaules	14 rm	14 rm	12 rm
Élévations latérales	14 rm	12 rm	12 rm
Tirage vertical		14 rm	12 rm
Flexion de jambes	16 rm	14 rm	12 rm
Fente avant	–	14 rm ch. jambe	12 rm ch. jambe
Extension de jambes	16 rm	14 rm	12 rm
Steps	–	15 ch. jambe	20 chaque jambe
Flexion des biceps	16 rm	14 rm	12 rm
Dips	15	20	25
Aérobic	10 min 75 % FCM	10 min 80 % FCM	10 min 85 % FCM
Répétez ces 15 exercices			
Relevé de buste	20	25	30
Relevé de bassin p. 103	15	20	20
Répétez ces 2 exercices			

Récupération   Étirement intégral (*voir page 48*).

Circuit n° 2 pour femmes   Durée : 70 min (5 min Échauffement + 35 min Exercices + 10 min Récupération)

Échauffement   5 min d'aérobic, en élevant graduellement la fréquence cardiaque.

Exercices	Débutant	Moyen	Confirmé	Exercices	Débutant	Moyen	Confirmé
Aérobic	1 min 80 % FCM 3 min 70 % FCM (5 fois)	2 min 80 % FCM 2 min 70 % FCM (6 fois)	2 min 85 % FCM 2 min 75 % FCM (6 fois)	Dips **Répétez ces 10 exercices**	15	20	20
Pompes	–	16 rm	14 rm	Aérobic	3 min 70 % FCM 4 min 80 % FCM 3 min 70 % FCM	3 min 70 % FCM 4 min 80 % FCM 4 min 70 % FCM	4 min 75 % FCM 3 min 80 % FCM 5 min 75 % FCM
Développé-couché	16 rm	16 rm	14 rm	Relevé de bassin (p. 103)	20	25	25
Flexion de jambes	16 rm	16 rm	16 rm	Relevé de buste	20	20	25
Tirage horizontal	16 rm	16 rm	14 rm	Pont	30 s	40 s	60 s
Fente avant dynamique	16 rm ch. jambe	16 rm ch. jambe	16 rm ch. jambe	Relevé de bassin (p. 103)	15	15	15
Tirage des dorsaux	16 rm	16 rm	14 rm	Pont oblique **Répétez ces 5 exercices**		20 s	40 s
Élévations latérales	16 rm	16 rm	16 rm				
Squat avec ballon	16 rm	16 rm	16 rm				
Extension des triceps	14 rm	14 rm	14 rm				

Récupération   Étirement intégral (*voir page 48*).

Les programmes

131

« Détox en trois semaines »

Si votre bien-être est trop dépendant des facteurs climatiques, si vous connaissez des périodes de stress, si vous souffrez de rhumes ou vous sentez constamment fatigué, ce programme peut vous aider. Il va vous redonner du tonus, réduire et prévenir la rétention d'eau. Vous pourrez de nouveau profiter d'un costume ou d'une robe dans lesquels vous ne rentriez plus.

> **Bénéfices**
>
> Puissance/raffermissement musculaire ✓
>
> Perte de poids/amélioration de la capacité aérobique ✓✓✓
>
> Augmentation de la souplesse ✓

Les méfaits des toxines

L'organisme est constamment soumis aux toxines présentes dans l'environnement, la nourriture ou l'air que nous respirons. Ces toxines peuvent également se former dans l'organisme à cause de stress ou d'un mode de vie effréné. Le corps possède des mécanismes pour se débarrasser de ces toxines. Mais, si leur quantité est trop importante, elles se mettent à envahir les cellules et entravent le bon fonctionnement de l'organisme entraînant, notamment, prise de poids, léthargie, acné, maux de tête, mauvaise haleine ainsi qu'un affaiblissement du système immunitaire.

Les détails du programme

Le programme consiste en trois phases d'une semaine chacune. La première semaine, l'objectif est d'éliminer les toxines organiques et alcaliniser l'organisme en réduisant les concentrations acidiques. La seconde semaine, on va tenter de transférer les toxines présentes à l'intérieur des cellules et des organes vitaux vers les systèmes circulatoire et lymphatique, puis finalement de les rejeter par les voies naturelles. Dans la dernière phase, on aide l'organisme à se restimuler et à générer et utiliser l'énergie de manière plus efficace. Avant de commencer le programme, il faut supprimer totalement les aliments suivants : café, thé, alcool, boissons sucrées, produits raffinés, sucreries, produits gras et sucrés, et chocolat.

Programme « détox »

Ce programme permet à l'organisme de se purifier en peu de temps. Pourtant, même si cela n'est pas toujours possible, l'idéal serait de le nettoyer constamment et de réduire au minimum les apports de toxines. Essayez de suivre au maximum les recommandations nutritionnelles des pages 24 à 37 pour lutter contre l'accumulation des toxines et vous donner du tonus. Une fois le programme terminé, attention à ne pas réintégrer dans l'alimentation trop d'aliments ou de boissons que vous aviez exclu. Répétez ce programme régulièrement.

Avertissement

Il est très fréquent de ressentir quelques effets secondaires désagréables, comme des maux de tête, nausées, ou léthargie ; N'ayez crainte, c'est le signe que votre organisme est en train d'éliminer les toxines. Pour aider à évacuer ces dernières, buvez beaucoup d'eau. Néanmoins, ces symptômes ne devraient pas persister plus d'une semaine.

Sommaire des exercices

Aérobic
p. 50-73

Fente avant
p. 106

Pompes
p. 85

Squat avec ballon
p. 108

Tirage horizontal
p. 91

1ère et 2e semaines

Il faut un rythme hebdomadaire de trois à quatre séances ; chaque semaine, accomplissez deux fois le circuit 1 et une fois le circuit 2. Si vous ajoutez une autre séance, refaites le circuit 2. L'aérobic améliore la circulation sanguine et favorise l'élimination des toxines. Choisissez l'exercice de cardio-training qui vous plaît (voir pages 50-73), mais alternez les activités, afin de stimuler différents muscles à chaque séance.

Circuit n° 1. Durée : 40 min (5 min Échauffement + 30 min Exercices + 5 min Récupération)
Circuit n° 2. Durée : 35 min (5 min Échauffement + 25 min Exercices + 5 min Récupération)

Échauffement	5 min d'aérobic, en élevant graduellement la FC.	
Exercices	Débutant	Moyen/ Confirmé
Circuit n° 1		
Aérobic au choix	30 min 70 % FCM	30 min 75 % FCM
Circuit n° 2		
Aérobic au choix	3 min 65 % FCM 2 min 75 % FCM (5 fois)	2 min 65 % FCM 3 min 80 % FCM (5 fois)
Récupération	Étirements debout (voir page 49).	

Plan nutritionnel

Lever. De l'eau chaude additionnée de jus de citron frais. **Petit déjeuner.** Pruneaux réhydratés, pommes, poires, banane, fruits rouges et une cuillerée à soupe de yaourt nature au bifidus (ajoutez un peu de miel). **Vers 11 heures.** Un fruit frais (pomme, melon, banane ou carotte) ou un jus de légumes. **Déjeuner.** Salade de riz complet ou sauvage, salade de haricots secs, crudités (carottes, concombre et céleri accompagnés de tzaziki, par exemple). **Collation.** Fruit à indice glycémique faible (voir pages 34-35) ; infusion de menthe ou de gingembre. **Dîner.** Poisson gras grillé ou à la vapeur (saumon, thon, maquereau, sardines) accompagné de légumes cuits à la vapeur. **Boisson.** 2,5 litres d'eau par jour.

3e semaine

Ici, on poursuit le travail aérobic auquel on ajoute des exercices de musculation qui sollicitent les principaux muscles du corps tout en élevant le métabolisme. Il faut un rythme hebdomadaire de trois séances ; chaque semaine, accomplissez deux fois le circuit 1 et une fois le circuit 2. Si vous ajoutez une autre séance, refaites le circuit 2.

Circuit n° 1. Durée : 50 min (5 min Échauffement + 35 min Exercices + 10 min Récupération)
Circuit n° 2. Durée : 45 min (5 min Échauffement + 30 min Exercices + 5 min Récupération)

Échauffement	5 min d'aérobic, en élevant graduellement la FC.	
Exercices	Débutant	Moyen/ Confirmé
Circuit n° 1		
Aérobic au choix	30 min 70 % FCM	30 min 75 % FCM
Fente avant	15 (2 fois) pour chaque jambe	20 (2 fois) pour chaque jambe
Pompes	15 (2 fois)	20 (2 fois)
Squat avec ballon	15 (2 fois)	20 (2 fois)
Tirage horizontal	15 rm (2 fois)	15 rm (2 fois)
Circuit n° 2		
Aérobic au choix	3min 65 % FCM 2min 75 % FCM (6 fois)	2min 65 % FCM 3min 80 % FCM (6 fois)
Récupération	Étirements debout (voir page 49).	

Plan nutritionnel

Lever. De l'eau chaude additionnée de jus de citron frais. **Petit déjeuner.** Müesli sans blé (voir page 129) et lait écrémé ; fruit frais avec yaourt nature au bifidus, graines de tournesol et de sésame (ajoutez un peu de miel). **Vers 11 heures.** Jus de carotte ou de tomate, ou cocktail de fruits frais. **Déjeuner.** Salade de haricots secs ; salade niçoise ; sushis ; salade de riz. **Collation.** Une poignée d'amandes et de noix du Brésil ; infusion de menthe ou de gingembre. **Dîner.** Poisson et ratatouille ; poulet grillé et riz sauvage ; poisson et légumes grillés ou à la vapeur ; salade verte avec des haricots à rames, pois chiches, haricots blancs ou haricots rouges, accompagnée d'une sauce à base d'huile d'olive et de vinaigre balsamique. **Boisson.** 2 litres d'eau par jour.

Les programmes

Sophie

Fiche signalétique

Âge : **31 ans**

Profession : **directrice**
de société

Taille : **1,60 m**

Poids : **69 kg**

Pourcentage de graisse : **30 %**

Taille de vêtements : **42**

Objectif

« Je souhaitais raffermir et modeler ma silhouette. Je faisais de l'aérobic, mais je n'avais jamais travaillé avec des poids. Il fallait absolument que je tonifie certaines zones un peu flasques, surtout les jambes et le haut des bras. En un mot, je voulais une silhouette plus svelte et raffermie ! »

Le diagnostic

Comme Sophie pratiquait du sport depuis plusieurs années, son niveau d'aérobic était excellent. La seule lacune de son programme était l'absence de raffermissement musculaire. Deux programmes y remédient : « Haut du corps, spécial femmes » (*pages 136-139*) et « Jambes parfaites » (*pages 140-143*). Les séances d'aérobic de ces deux programmes aident à perdre du poids, mais en plus, ils raffermissent, sculptent et musclent la silhouette sans la rendre volumineuse.

▼ Se raffermir grâce à la musculation
Un bon programme de musculation raffermit sans faire prendre trop de volume.

▶ Semaine 1

J'ai dû passer un test épuisant pour définir mon quotient-forme. À ma grande surprise, j'ai plus de tonus que je ne le pensais – tout ce temps passé à la salle de sport n'aura pas été perdu ! Ma souplesse générale est excellente pour mon âge. Je dois toutefois modifier radicalement mon alimentation, et j'en suis un peu inquiète car une des fonctions de mon travail est de sortir avec les clients, ce qui implique souvent de fréquenter restaurants et bars. Vu ma dépendance à la caféine, je pensais que j'aurais beaucoup de mal à me passer de café, mais après trois jours de sevrage,

mes maux de tête ont disparu et je me suis mise à apprécier les infusions et l'eau.

▶ Semaine 2

À la fin de la deuxième semaine, j'avais fait six séances et j'ai découvert que la variété était essentielle – et tant mieux, car je m'ennuie très rapidement et j'ai besoin de changements pour rester motivée. Grâce à une combinaison d'exercices de musculation et d'aérobic, à pratiquer durant différentes durées et à intensités variables, je commence réellement à stimuler mon corps. Je me rends compte que jusqu'à

présent, j'étais très « pantouflarde »; ma séance débutait systématiquement par 30 minutes de tapis de course – toujours à la même allure – suivies de quelques minutes de step ou de vélo, et enfin par un nombre très précis d'abdominaux. Avec mon nouveau programme, je vois la différence – et des résultats. Des pointes de vitesse dans ma course associées à des steps, squats, flexions de jambes et fente avant, ont commencé à sculpter mes jambes. Je suis agréablement surprise et fière de mes cuisses, plus fermes et plus toniques.

▶ Semaine 3

Le haut du corps change, lui aussi – mes bras se raffermissent ! Après chacune de mes séances, je me sens pleine d'énergie, revigorée et optimiste. Je suis toujours très fière d'avoir accompli un exercice que, d'habitude, j'aurais évité ou abandonné. Même le rameur m'est moins désagréable.

▶ Des résultats dans la bonne humeur

Le fait de pratiquer des exercices variés a permis à Sophie d'atteindre ses objectifs sans souffrir de la routine.

Ma condition physique s'est vraiment améliorée et mes poumons, membres et os se sont nettement renforcés. Je n'ai plus toutes ces petites douleurs quotidiennes que je ressentais – surtout au niveau des bras après avoir tapé sur mon clavier. J'ai eu cependant plus de difficultés du côté alimentaire – parfois, il était trop difficile de maintenir une alimentation alcaline, surtout quand je dînais à l'extérieur. Mais j'ai réussi à contrôler les dérapages, et je me dis que mes bons résultats pendant les séances de sport compensent mes entorses alimentaires. Je dois toutefois avouer que lorsque je respectais les contraintes diététiques, je me sentais pleine de tonus, optimiste et moins affamée (toujours bon à prendre !).

> « Je suis agréablement surprise de voir mes cuisses se raffermir et se galber. »

Après le programme…

- Sophie a constaté que la musculation ne faisait pas prendre de volume, mais modelait la silhouette. Elle doit poursuivre ses exercices de raffermissement musculaire, mais veiller à exécuter de longues séries (15 répétitions et plus) pour éviter de prendre du volume.

Fiche signalétique

Poids : **66 kg**
soit une perte de 3 kg

Taille de vêtement : **40**
soit une perte d'une taille

Pourcentage de graisse : **25 %**
soit une perte de 5 %

Les programmes

« Haut du corps », spécial femmes

L'objectif de ce programme est de renforcer et raffermir les muscles comme les triceps et les pectoraux, dont le relâchement est dû soit à un manque d'activité, soit à un entraînement mal adapté. La poitrine sera bien galbée, le haut des bras plus ferme et vous n'aurez plus aucun complexe à porter des vêtements un peu moulants.

Bénéfices

Puissance/raffermissement musculaire ✓✓

Perte de poids/amélioration de la capacité aérobique ✓

Augmentation de la souplesse ✓✓

Les détails du programme

Le programme s'articule sur trois semaines. Chacune est composée de deux circuits à exécuter deux fois par semaine. Les deux premières semaines, on privilégie la musculation en travaillant avec des charges plus élevées, ce qui entraîne une accumulation de fluide intramusculaire, et une sensation de léger gonflement au niveau des bras. N'ayez crainte, l'effet n'est que temporaire et disparaîtra dès la troisième semaine, quand on ciblera davantage l'endurance musculaire.

Le raffermissement musculaire doit s'accompagner d'une perte de poids. Effectuez les circuits à la suite d'un échauffement ou d'une séance d'aérobic. Vous pouvez également combiner ce programme avec « Objectif minceur » (*pages 122-125*) ou « Plage dans six semaines… » (*pages 128-131*).

Sommaire des exercices

Tirages à la poulie haute *p. 94*

Écarté latéral *p. 90*

Tirage des dorsaux *p. 90*

Tirage à la poulie basse *p. 94*

Tirage horizontal *p. 91*

Flexion des biceps *p. 96*

Tirage vertical *p. 89*

Relevé de buste *p. 102*

Développé-incliné *p. 84*

Développé-couché *p. 83*

Extension verticale des triceps *p. 98*

Pompes *p. 85*

Extension du dos *p. 95*

Extension des triceps *p. 101*

Élévations latérales *p. 86*

Pont *p. 105*

Pont oblique *p. 105*

Presse à épaules *p. 88*

Développé incliné *p. 84*

Rameur *p. 71*

Cross-training *p. 71*

Les programmes

1ère semaine

Il faut un rythme hebdomadaire de quatre séances ; chaque semaine, accomplissez en alternance deux fois le circuit 1 et deux fois le circuit 2. Notez que certains exercices sont à répéter plusieurs fois.

Circuit n° 1

Échauffement

Durée totale : 55 min (5 min Échauffement + 40 min Exercices + 10 min Récupération)

5 min d'aérobic, en élevant graduellement la fréquence cardiaque.

Exercices	Débutant	Moyen	Confirmé
Tirage à la poulie haute	15 rm	15 rm	10 rm
Écarté latéral	15 rm	12 rm	10 rm
Tirage des dorsaux	15 rm	15 rm	12 rm
Tirage à la poulie basse	12 rm	12 rm	10 rm
Tirage horizontal	12 rm	12 rm	10 rm
Repos	2 min	2 min	2 min
Répétez les 5 ex. ci-dessus	**2 fois**	**3 fois**	**3-4 fois**
Flexion des biceps	20 rm	20 rm	20 rm
Tirage vertical	15 rm	15 rm	12 rm
Repos	30 s	30 s	30 s
Répétez ces 2 exercices	**2 fois**	**3 fois**	**3-4 fois**
Relevé de buste	25 (3 fois)	40 (5 fois)	50 (5 fois)

Tirage vertical

Récupération	Étirement intégral (*voir page 48*).

Circuit n° 2

Échauffement

Durée totale : 55 min (5 min Échauffement + 40 min Exercices + 10 min Récupération)

5 min d'aérobic, en élevant graduellement la fréquence cardiaque.

Exercices	Débutant	Moyen	Confirmé
Développé-incliné	12 rm	12 rm	12 rm
Développé-couché	15 rm	12 rm	12 rm
Extension verticale des triceps	15	20	jusqu'à épuisement
Pompes	jusqu'à épuisement	jusqu'à épuisement	jusqu'à épuisement
Repos	2 min	90 s	60 s
Répétez les 4 ex. ci-dessus	**2 fois**	**3 fois**	**3-4 fois**
Extension du dos	15	20	30
Relevé de buste	25	40	50
Répétez ces 2 exercices	**2 fois**	**4 fois**	**5 fois**
Extension des triceps	15 rm	15 rm	15 rm
Repos	30 s	30 s	30 s
Répétez cet exercice	**2 fois**	**4 fois**	**4 fois**
Presse à épaules	20 rm	15 rm	15 rm
Repos	30 s	30 s	3 s
Répétez cet exercice	**2 fois**	**3 fois**	**4 fois**
Élévations latérales	15 rm	12 rm	12 rm
Repos	30 s	30 s	30 s
Répétez cet exercice	**2 fois**	**3 fois**	**4 fois**

Élévations latérales

Récupération	Étirement intégral (*voir page 48*).

Les programmes

2e semaine

Il faut un rythme hebdomadaire de quatre séances ; chaque semaine, accomplissez en alternance deux fois le circuit 1 et deux fois le circuit 2. Notez que certains exercices sont à répéter plusieurs fois.

Circuit n° 1

Durée totale : 55 min (5 min Échauffement + 40 min Exercices + 10 min Récupération)

Échauffement 5 min d'aérobic, en élevant graduellement la fréquence cardiaque.

Exercices	Débutant	Moyen	Confirmé
Tirage à la poulie haute	15 rm	15 rm	10 rm
Écarté latéral	15 rm	12 rm	10 rm
Tirage des dorsaux	15 rm	15 rm	12 rm
Flexion des biceps	20 rm	20 rm	20 rm
Tirage vertical	15 rm	15 rm	12 rm
Tirage à la poulie basse	12 rm	12 rm	10 rm
Tirage horizontal	12 rm	12 rm	10 rm
Répétez ces 7 exercices	**2 fois**	**3 fois)**	**3-4 fois**
Relevé de buste	25	40	50
Relevé de bassin	20	25	30
Repos	30 secs	30 secs	30 secs
Répétez ces 2 exercices	**3 fois**	**5 fois**	**5 fois**
Rameur	750 m	1 250 m	2 000 m

Rameur

Récupération Étirement intégral (*voir page 48*).

Cicuit n° 2

Durée totale : 55 min (5 min Échauffement + 40 min Exercices + 10 min Récupération)

Échauffement 5 min d'aérobic, en élevant graduellement la fréquence cardiaque.

Exercices	Débutant	Moyen	Confirmé
Développé-incliné	12 rm	10 rm	10 rm
Développé-couché	15 rm	12 rm	10 rm
Dips	15	20	jusqu'à épuisement
Pompes	jusqu'à épuisement	jusqu'à épuisement	jusqu'à épuisement
Extension des triceps	15 rm	15 rm	15 rm
Repos	2 min	90 s	60 s
Répétez ces 5 exercices	**2 fois**	**3 fois**	**3-4 fois**
Extension du dos	20	20	3 (10 fois), bloquez 5 s
relevé de buste	25	40	50
Pont	–	30 s	60 s
Pont oblique	–	30 s chaque côté	60 s chaque côté
Répétez ces 4 exercices	**2 fois**	**4 fois**	**4 fois**
Presse à épaules	15 rm	12 rm	12 rm
Repos	30 s	30 s	30 s
Répétez cet exercice	**2 fois**	**3 fois**	**4 fois**
Élévations latérales	15 rm	12 rm	12 rm
Repos	30 s	30 s	30 s
Répétez cet exercice	**2 fois**	**3 fois**	**4 fois**
Cross-training	10 min	15 min	15 min

Presse à épaules

Récupération Étirement intégral (*voir page 48*).

3ᵉ semaine

Il faut un rythme hebdomadaire de quatre séances ; chaque semaine, accomplissez en alternance deux fois le circuit 1 et deux fois le circuit 2. Notez que certains exercices sont à répéter plusieurs fois.

Circuit n° 1

Durée totale : 55 min (5 min Échauffement + 40 min Exercices + 10 min Récupération)

Échauffement : 5 min d'aérobic, en élevant graduellement la fréquence cardiaque.

Exercices	Débutant	Moyen	Confirmé
Tirage à la poulie basse	20 rm	20 rm	15 rm
Développé-couché	20 rm	20 rm	20 rm
Tirage des dorsaux	15 rm	15 rm	12 rm
Écarté-couché	15 rm	15 rm	15 rm
Tirage vertical	20 rm	20 rm	20 rm
Pompes	Jusqu'à épuisement	Jusqu'à épuisement	Jusqu'à épuisement
Rameur (vitesse maximum)	200 m 80 % FCM	300 m 85 % FCM	500 m 85 % FCM
Repos	2 min	2 min	2 min
Répétez ces 7 exercices	**2 fois**	**3 fois**	**4 fois**
Extension du dos	20	20	30
Relevé de buste	25	40	50
Pont	–	30 s	60 s
Pont oblique	–	30 s ch. côté	60 s ch. côté
Répétez ces 4 exercices	**2 fois**	**4 fois**	**4 fois**

Extension du dos

Récupération : Étirement intégral (*voir page 48*).

Circuit n° 2

Durée totale : 55 min (5 min Échauffement + 40 min Exercices + 10 min Récupération)

Échauffement : 5 min d'aérobic, en élevant graduellement la fréquence cardiaque.

Exercices	Débutant	Moyen	Confirmé
Développé-incliné	12 rm	10 rm	10 rm
Flexion des biceps	30 rm	50 rm	100 rm
Élévations latérales	20 rm	25 rm	30 rm
Extension des triceps	12 rm	12 rm	12 rm
Presse à épaules	25 rm	25 rm	25 rm
Tirages à la poulie haute	12 rm	12 rm	12 rm
Développé-couché	20 rm	25 rm	30 rm
Tirage horizontal	15 rm	12 rm	12 rm
Cross-traning	3 min	3 min	3 min
Repos	2 min	2 min	2 min
Répétez ces 9 exercices	**2 fois**	**3 fois**	**4 fois**

Cross-training

Récupération : Étirement intégral (*voir page 48*).

Les programmes

« Jambes parfaites »

L'objectif de ce programme est de renforcer, raffermir, affiner et sculpter les jambes. L'idéal serait que ces dernières soient galbées, mais ni trop musclées, et ni trop épaisses. Ce programme affine donc les jambes tout en améliorant leur puissance et leur endurance musculaire. Après tout, ce serait dommage de ne pas en profiter !

> **Bénéfices**
>
> Puissance/raffermissement musculaire ✓✓
>
> Perte de poids/amélioration de la capacité aérobique ✓
>
> Augmentation de la souplesse ✓✓

Les détails du programme

Il est impératif d'associer exercices d'aérobic (combustion des graisses) et de musculation (raffermissement musculaire). Le programme comprend de brefs épisodes d'aérobic, des exercices dynamiques, nécessitant des mouvements de grande amplitude, ainsi que d'autres activités comme le vélo, le cross-training, la marche en fente avant et le ski de fond, qui requièrent des mouvements longs et prolongés. Tous ces exercices affinent les jambes parce qu'ils sollicitent l'intégralité du muscle et non simplement une partie, ce qui est le cas des exercices de moindre amplitude.

Si l'amplitude des mouvements est trop faible, les jambes prennent du volume. En effet, ces exercices, dits d'« isolation », qui n'impliquent que des petits mouvements, ne sollicitent en fait qu'une portion musculaire restreinte.

Les fibres musculaires de cette région sont déchirées puis reconstruites, entraînant alors cette apparence volumineuse et indésirable. C'est l'effet obtenu lorsqu'on se contente d'utiliser les machines extension de jambes ou de faire d'interminables séries de squats. Ceci dit, inutile de vous inquiéter si, au bout de dix jours d'exercices, vos jambes prennent du volume ; peu à peu, cet aspect enflé s'estompera et les jambes s'affineront.

Ce programme s'étale sur trois semaines et comprend trois différents circuits hebdomadaires à effectuer une seule fois. Reposez-vous une journée entre chaque circuit. Si vous souhaitez vous entraîner davantage, faites donc 30 minutes de marche rapide (*voir pages 60-63*) ou de natation (brasse). Pour les recommandations sur la nutrition et la cellulite, reportez-vous au programme « Fesses parfaites » (*pages 144-145*).

Sommaire des exercices

Presse
p. 111

Fente avant
p. 106

Steps
p. 109

Vélo
pp. 68-69

Cross-training
p. 71

Course *pp. 64-67*
Marche *pp. 60-63*

Marche fente avant *p. 107*

Flexion de jambe *p. 111*

Relevé de bassin sur banc *p. 113*

Rameur
p. 71

Squat
p. 108

Mini-sprints
p. 73

Mini-sprints latéraux *p. 73*

Fente avant dynamique *p. 106*

Marche rapide *pp. 60-63*

1ère semaine

Il faut un rythme hebdomadaire de trois séances ; chaque semaine, accomplissez une fois les circuits 1, 2 et 3 (et leurs sous-circuits), puis récupérez en vous étirant. Comptez un jour de repos entre les jours d'entraînement.

Circuit n° 1
Échauffement — Durée totale : 35 min (5 min Échauffement + 25 min Exercices + 5 min Récupération)
5 min d'aérobic, en élevant graduellement la fréquence cardiaque.

	Circuit n° 1		Circuit n° 2		Circuit n° 3	
	Débutant	Moyen/Confirmé	Débutant	Moyen/Confirmé	Débutant	Moyen/Confirmé
Presse	12 rm	10 rm	15 rm	15 rm	20 rm	15 rm
Fente avant	20 chaque jambe	20 chaque jambe	20 chaque jambe	20 chaque jambe	20 chaque jambe	20 chaque jambe
Steps	20 chaque jambe	30 chaque jambe	15 chaque jambe	25 chaque jambe	10 chaque jambe	20 chaque jambe
Aérobic	Vélo 3 min 75 % FCM		Cross-trainig 3 min 75 % FCM		Course/Marche rapide 3 min 75 % FCM	

Récupération — Étirement des membres inférieurs (*voir page 49*).

Circuit n° 2
Échauffement — Durée totale : 35 min (5 min Échauffement + 25 min Exercices + 5 min Récupération)
5 min d'aérobic, en élevant graduellement la fréquence cardiaque.

	Circuit n° 1		Circuit n° 2		Circuit n° 3	
	Débutant	Moyen/Confirmé	Débutant	Moyen/Confirmé	Débutant	Moyen/Confirmé
Marche fente av. + ballon 10 kg	30	40	30	30	30	40
Flexion de jambe	12 rm	10 rm	12 rm	10 rm	12 rm	10 rm
Relevé de bassin sur banc	30	30	30	30	30	30
Aérobic	Rameur 500 m 75 % FCM		Cross-trainig 2 min 85 % FCM		Rameur 500 m 80 % FCM	

Récupération — Étirement des membres inférieurs (*voir page 49*).

Circuit n° 3
Échauffement — Durée totale : 35 min (5 min Échauffement + 40 min Exercices + 5 min Récupération)
5 min d'aérobic, en élevant graduellement la fréquence cardiaque.

	Débutant	Moyen/Confirmé
Marche rapide/Course	1 min 80 % FCM 2 min 65-70% FCM (7 fois)	1 min 85 % FCM 2 min 65-70 % FCM (10 fois)
Squat	30	20 (en sautant)
Mini-sprints 10 m	30 s	60 s
Flexion de jambes	20 rm	20 rm
Steps	30 s chaque jambe	60 s chaque jambe
Flexion de jambes	20 rm	20 rm
Mini-sprints latéraux 10 m	30 s	60 s
Flexion de jambes	20 rm	20 rm
Relevé de bassin sur banc	15	25
Flexion de jambes	20 rm	20 rm
Squat	25	40

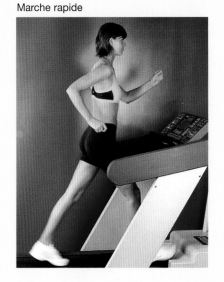

Marche rapide

Récupération — Étirement des membres inférieurs (*voir page 49*).

Les programmes

2ᵉ semaine

Il faut un rythme hebdomadaire de trois séances ; chaque semaine, accomplissez une fois les circuits 1, 2 et 3 (et leurs sous-circuits), puis récupérez en vous étirant. Comptez un jour de repos entre les jours d'entraînement. Concentrez-vous sur la technique et travaillez de façon lente et contrôlée.

Circuit n° 1
Échauffement

Durée totale : 25 min (5 min Échauffement + 15 min Exercices + 5 min Récupération)
5 min d'aérobic, en élevant graduellement la fréquence cardiaque.

	Circuit n° 1		Circuit n° 2		Circuit n° 3	
	Débutant	Moyen/Confirmé	Débutant	Moyen/Confirmé	Débutant	Moyen/Confirmé
Presse	20 rm	20 rm	20 rm	20 rm	20 rm	20 rm
Fente avant	20 chaque jambe	25 chaque jambe	20 chaque jambe	25 chaque jambe	20 chaque jambe	25 chaque jambe
Steps	25 chaque jambe	30 chaque jambe	20 chaque jambe	30 chaque jambe	15 chaque jambe	20 chaque jambe
Aérobic	Vélo 2 min 75 % FCM		Cross-training 2 min 80 % FCM		Course/Marche rapide 2 min 80 % FCM	

Récupération — Étirement des membres inférieurs (*voir page 49*).

Circuit n° 2
Échauffement

Durée totale : 45 min (5 min Échauffement + 35 min Exercices + 5 min Récupération)
5 min d'aérobic, en élevant graduellement la fréquence cardiaque.

	Circuit n° 1		Circuit n° 2		Circuit n° 3	
	Débutant	Moyen/Confirmé	Débutant	Moyen/Confirmé	Débutant	Moyen/Confirmé
Marche fente avant	30 avec ballon de 10 kg	40 avec ballon de 10 kg	30 avec ballon de 6 kg	40 ballon de 6 kg	30	40
Flexion de jambes	12 rm	10 rm	12 rm	10 rm	12 rm	10 rm
Relevé de bassin sur banc	15	25	15	25	15	25
Steps	25 chaque jambe	30 chaque jambe	20 chaque jambe	30 chaque jambe	15 chaque jambe	20 chaque jambe
Aérobic	Cross-training 2 min 80 % FCM Rameur 500 m 80 % FCM		Cross-training 2 min 80 % FCM Rameur 500 m 80 % FCM		Cross-training 2 min 80 % FCM Rameur 500 m 80 % FCM	

Récupération — Étirement des membres inférieurs (*voir page 49*).

Circuit n° 3
Échauffement

Durée totale : 55 min (5 min Échauffement + 30 min Aérobic +15 min Exercices + 5 min Récupération)
5 min d'aérobic, en élevant graduellement la fréquence cardiaque.

	Débutant	Moyen/Confirmé
Marche/Course rapide	1 min 80 % FCM 2 min 65-70 % FCM (7 fois)	1 min 85 % FCM 2 min 65-70 % FCM (10 fois)

	Circuit n° 1		Circuit n° 2		Circuit n° 3	
	Débutant	Moyen/Confirmé	Débutant	Moyen/Confirmé	Débutant	Moyen/Confirmé
Squat	30	40	30	40	30	40
Mini-sprints latéraux 10 m	30 s	60 s	30 s	60 s	30 s	60 s
Mini-sprints 10 m	60 s	75 s	45 s	75 s	45 s	75 s
Flexion de jambes	20 rm	20 rm	20 rm	20 rm	20 rm	20 rm

Récupération — Étirement des membres inférieurs (*voir page 49*).

Les programmes

3e semaine

Il faut un rythme hebdomadaire de trois séances; chaque semaine, accomplissez une fois les circuits 1, 2 et 3 (et leurs sous-circuits), puis récupérez en vous étirant. Comptez un jour de repos entre les jours d'entraînement. L'objectif est d'accroître l'intensité et la durée des circuits.

Circuit n° 1
Échauffement

Durée totale : 30 min (5 min Échauffement + 20 min Exercices + 5 min Récupération)
5 min d'aérobic, en élevant graduellement la fréquence cardiaque.

	Circuit n° 1 Débutant	Moyen/Confirmé	Circuit n° 2 Débutant	Moyen/Confirmé	Circuit n° 3 Débutant	Moyen/Confirmé
Presse	20 rm	20 rm	20 rm	20 rm	20 rm	20 rm
Fente avant	20 chaque jambe	25 chaque jambe	20 chaque jambe	25 chaque jambe	20 chaque jambe	25 chaque jambe
Steps	35 chaque jambe	40 chaque jambe	35 chaque jambe	40 chaque jambe	35 chaque jambe	40 chaque jambe
Aérobic	Vélo 4 min 80 % FCM		Cross-training 4 min 85 % FCM		Course/Marche rapide 2 min 80 % FCM	

Récupération — Étirement des membres inférieurs (*voir page 49*).

Circuit n° 2
Échauffement

Durée totale : 40 min (5 min Échauffement + 30 min Exercices + 5 min Récupération)
5 min d'aérobic, en élevant graduellement la fréquence cardiaque.

	Circuit n° 1 Débutant	Moyen/Confirmé	Circuit n° 2 Débutant	Moyen/Confirmé	Circuit n° 3 Débutant	Moyen/Confirmé
Marche fente avant	30 avec ballon de 10 kg	40 avec ballon de 10 kg	30 avec ballon de 6 kg	40 avec ballon de 6 kg	30	40
Flexion de jambes	20 rm	20 rm	20 rm	20 rm	12 rm	10 rm
Relevé de bassin sur banc	15	25	15	25	15	25
Steps	35 chaque jambe	40 chaque jambe	35 chaque jambe	40 chaque jambe	35 chaque jambe	40 chaque jambe
Aérobic	Cross-training 2 min 70 % FCM Rameur 500 m 70 % FCM Marche 2 min 75 % FCM		Cross-training 2 min 70 % FCM Rameur 500 m 70 % FCM Marche 2 min 75 % FCM		Cross-training 2 min 70 % FCM Rameur 500 m 70 % FCM Marche 2 min 75 % FCM	

Récupération — Étirement des membres inférieurs (*voir page 49*).

Circuit n° 3
Échauffement

Durée totale : 55 min (5 min Échauffement + 30 min Aérobic +15 min Exercices + 5 min Récupération)
5 min d'aérobic, en élevant graduellement la fréquence cardiaque.

	Débutant	Moyen/Confirmé
Marche rapide/Course	1 min 80 % FCM 2 min 65-70 % FCM (7 fois)	1 min 85 % FCM 2 min 65-70 % FCM (10 fois)

	Circuit n° 1 Débutant	Moyen/Confirmé	Circuit n° 2 Débutant	Moyen/Confirmé	Circuit n° 3 Débutant	Moyen/Confirmé
Squat	35	45	35	50	35	45
Mini-sprints latéraux 10 m	30 s	60 s	30 s	60 s	30 s	60 s
Mini-sprints 10 m	60 s	90 s	60 s	90 s	60 s	90 s
Flexion de jambes	20 rm	20 rm	20 rm	20 rm	20 rm	20 rm

Récupération — Étirement des membres inférieurs (*voir page 49*).

Les programmes

« Fesses parfaites »

L'objectif de ce programme est de raffermir les fessiers, remodeler toute la zone qui les entoure et exercer une sorte de lifting. En effet, inutile d'avoir recours à une chirurgie coûteuse et douloureuse alors que quelques exercices ciblés et une bonne discipline seront à même de raffermir et de galber les derrières les plus exigeants !

Bénéfices

Puissance/raffermissement musculaire ✓✓

Perte de poids/amélioration de la capacité aérobique

Augmentation de la souplesse ✓

Les fessiers

De nombreuses personnes aimeraient bien modifier leurs fessiers, mais elles ont souvent beaucoup de mal à y parvenir. En effet, les femmes ont une tendance naturelle à accumuler de la graisse au niveau des fessiers, et c'est justement là qu'elle est le plus difficile à déloger.

Les détails du programme

Les principaux muscles des fessiers, les *gluteus maximus,* sont les plus importants du corps (en volume). Ils sont entourés d'autres petits muscles qui concourent tous à définir la forme du postérieur.

Si votre objectif primaire est une diminution du volume des fessiers, il faut d'abord mincir. La meilleure façon de perdre du poids est de pratiquer des exercices de cardio-training, qui élèvent la fréquence cardiaque et accélèrent la combustion des graisses. Ce n'est qu'ensuite que l'on peut cibler les fessiers proprement dits avec des mouvements pour les raffermir et les tonifier. Il est impossible de remodeler ses fessiers simplement grâce à ce programme : vous devez avant tout éliminer le surplus de graisse qui enrobe les muscles, sinon, vous risquez de les rendre encore plus proéminents.

Comment procéder ?

Les exercices, simples et rapides, raffermissent et sculptent, mais ne ciblent que la région des fessiers. Pour perdre du volume, il faut effectuer ce circuit au moins trois fois par semaine, juste après une séance de 20 minutes d'aérobic où vous vous serez entraîné à 70-80 % de votre fréquence cardiaque maximum (FCM). Même si toutes les activités aérobic permettent d'éliminer les graisses, certaines raffermissent en même temps les fessiers, notamment la marche sur plan incliné, le crawl avant et le cross-training. En revanche, n'abusez pas des cours de step, du vélo ou du roller, car tous ces exercices sollicitent intensément les fessiers et peuvent avoir un effet volumateur plutôt que raffermissant.

Il serait judicieux de combiner ce programme avec « Jambes parfaites » (*pages 140-143*) qui sculpte le haut des jambes. On peut également l'associer à des programmes plus généraux, comme « Programme d'entretien, Homme ou Femme » (*pages 156-163*), très efficace pour perdre du poids.

Circuit — Durée 10 min (5 min Exercices + 5 min Récupération).

Exercices — Les répétitions maximums (rm) ou répétitions pour chaque exercice sont indiquées par ordre de niveau : débutant/moyen/confirmé.

    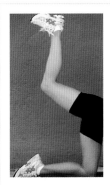

| Extension des fessiers *p. 113* 25/30/40 chaque jambe | Abduction de la hanche *p. 112* 30/40/40 chaque jambe | Squats *p. 108* 25/20/15 | Abduction de la hanche *p. 112* 30/15/40 chaque jambe | Extension des fessiers *p. 113* 25/30/40 chaque jambe |

Récupération — Étirements des membres inférieurs (*voir page 49*).

Vaincre la cellulite

La cellulite peut se développer au niveau des fessiers, de l'arrière des cuisses, et des bras, donnant alors à la peau un aspect inesthétique fripé ou « peau d'orange ». La cellulite résulte de l'accumulation de toxines dans les cellules graisseuses, qui les fait gonfler et prendre du volume. Ces cellules poussent alors contre les tissus interconjonctifs qui forment la peau, entraînant alors la cellulite. Il existe cependant des moyens de la combattre :

• Débarrassez les cellules graisseuses de leurs toxines en suivant le régime alimentaire du programme « Détox en trois semaines » (*pages 132-133*) et en buvant beaucoup d'eau.

• Améliorez l'élasticité des tissus interconjonctifs en maintenant la peau bien hydratée et souple.

• Pratiquez régulièrement une activité physique (par exemple, le programme « Jambes parfaites », *pages 140-143*).

• Massez-vous régulièrement. Le massage améliore la circulation sanguine (qui aide l'organisme à éliminer les toxines) et l'élasticité des tissus interconjonctifs.

• Un peu d'exercice sera plus efficace que n'importe quelle crème.

◄ **Des fesses bien galbées**
Pour affiner, remodeler, sculpter et raffermir les fessiers, il faut combiner activités aérobic et exercices de renforcement musculaire.

Les programmes

« Abdominaux en béton »

Il est rare d'être pleinement satisfait de ses abdominaux, ces muscles de l'estomac dont il est difficile de masquer le relâchement… Heureusement, grâce à l'association d'exercices de musculation, d'aérobic et quelques conseils diététiques, chacun sera à même de retrouver le ventre plat et ferme dont il rêve.

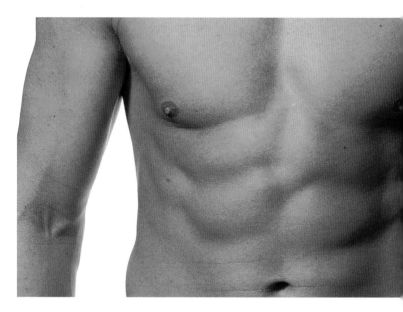

Bénéfices	
Puissance/raffermissement musculaire	✓✓
Perte de poids/amélioration de la capacité aérobique	
Augmentation de la souplesse	✓

Les détails du programme

On peut parfois faire une centaine d'abdominaux par jour, et n'avoir toujours pas de ventre plat ! Deux questions s'imposent :
– Quelle est la qualité et la technique du mouvement ?
– Est-ce qu'il y a effectivement épuisement musculaire et sollicitations multiples des muscles ?

Les circuits de ce programme comprennent une grande variété d'exercices qui assurent une constante sollicitation des abdominaux. Ainsi, les muscles travaillent efficacement sans avoir à exécuter d'innombrables répétitions qui n'apportent aucun résultat satisfaisant.

Attention, les exercices à eux seuls ne garantissent pas des abdominaux parfaits. On a tous tendance – et c'est naturel – à prendre du poids autour de la ceinture abdominale. En outre, lorsque l'on perd du poids, cette région est une des dernières à en profiter.

Il est certain que ce programme va renforcer et dessiner les abdominaux, mais à moins de suivre les recommandations nutritionnelles (*voir ci-contre*) et mincir de cette région, on n'obtiendra jamais un ventre d'athlète.

▲ À vous la « plaquette de chocolat » !
Pour un résultat parfait, d'innombrables relevés de buste ne suffisent pas : il est indispensable de solliciter les abdominaux sous différents angles.

Les détails du programme

Ce programme comprend deux circuits de 15 minutes chacun que vous alternerez et que vous pratiquerez au minimum trois fois par semaine. Effectuez les circuits quand vous le souhaitez, mais l'idéal serait de les associer à une activité aérobic. Vous pouvez aussi coupler ce programme au « Programme d'entretien, Homme ou Femme » (*pages 156-163*).

Il est impératif d'exécuter les exercices de façon lente, contrôlée et d'éviter de prendre de l'élan pour finir le nombre de répétitions recommandé. Mieux vaut en faire moins avec une bonne technique, que plus en faisant n'importe quoi.

Recommandations nutritionnelles

Hydratez-vous bien et mangez des aliments digestes.

● Votre alimentation doit se composer principalement d'aliments alcalins de faible indice glycémique (*voir pages 34-35*) car l'organisme les digère plus facilement.

● Évitez les aliments lourds et à indice glycémique élevé comme les pommes de terre et les produits à base de blé.

● Ne dînez pas trop tard – au moins deux heures avant le coucher ; si vous mangez tard, privilégiez les aliments alcalins. Reportez-vous pages 36-37 pour des suggestions de menus.

● Faites plusieurs petits repas plutôt que deux gros, ce qui fournit une énergie constante à l'organisme.

● Éliminez l'alcool ou réduisez-en sa consommation à 8 doses hebdomadaires maximum pour les hommes et 6 pour les femmes. (une dose d'alcool équivaut à un verre de vin, une dose d'alcool fort ou la moitié d'un demi de bière).

● Buvez au moins 2 litres d'eau par jour pour éliminer les toxines.

Circuit n° 1   **Durée 15 min (10 min Exercices + 5 min Récupération).**

Exercices   Les répétitions maximums (rm) ou répétitions pour chaque exercice sont indiquées par ordre de niveau : débutant/moyen/confirmé.

Relevé de buste *p. 102*
15/15/15

Relevé de bassin
p. 103 15/15/15

Relevé de buste oblique *p. 104*
15/15/15

Pont *p. 105*
20/40/25 s

Relevé de bassin *p. 103*
10/15/20

Relevé de buste oblique *p. 104*
10/15/20

Relevé de buste *p. 102*
10/15/20

Récupération   Étirement intégral (*voir page 48*).

Circuit n° 2   **Durée 15 min (10 min Exercices + 5 min Récupération).**

Exercices   Les répétitions maximums (rm) ou répétitions pour chaque exercice sont indiquées par ordre de niveau : débutant/moyen/confirmé.

Relevé de bassin sur plan incliné *p. 103*
–/15/20

Relevé de bassin
p. 103 15/–/–

Pont oblique *p. 105*
20/40/60 sec

Relevé de buste avec ballon *p. 104*
15/20/25

Pont *p. 105*
–/40/60 s

Relevé de bassin sur plan incliné
p. 103 –/15/20

Relevé de bassin
p. 103 10/–/–

Pont oblique *p. 105*
20/40/60 s

Récupération   Étirement intégral (*voir page 48*).

Les programmes

Antoine

Fiche signalétique

Âge : **26 ans**

Profession : **journaliste**

Taille **1,85 m**

Poids : **81 kg**

Tour de cou : **37 cm**

Tour de poitrine : **94 cm**

Tour de taille : **84 cm**

Tour de cuisses : **54 cm**

Objectif

« On m'a choisi pour le programme de " prise musculaire ". C'était une façon gentille de me dire que même si mon niveau d'aérobic était satisfaisant (résultat d'une pratique régulière de course, vélo et football), j'étais aussi musclé qu'une fillette de 7 ans. Mon objectif était de me muscler les bras, la poitrine et les épaules, sans perdre mes ischio-jambiers et mes quadriceps. »

Le diagnostic

Antoine est le type même de l'ectomorphe : il a toujours été mince et il peut manger ce qu'il veut sans prendre un gramme. Il est aussi très actif – vélo et compétitions de football. Tout cela constitue la pire combinaison pour gagner du volume musculaire ; Antoine n'avait jamais fait de musculation, aussi, avant de passer à un entraînement plus intense, il a abordé le programme par une initiation associée à une alimentation très nourrissante afin de soutenir la croissance musculaire.

▼ Un travail efficace
Pour gagner du volume, associez les exercices intensifs sur machine et les haltères.

▶ Semaines 1 et 2

La première semaine fut un cauchemar, de loin la phase la plus difficile du programme ! Je n'avais jamais fait de musculation, et même si les séances en elles-mêmes n'étaient pas trop intenses, les courbatures le furent. On ne sollicite pas vraiment les triceps dans la vie de tous les jours ! À la fin de la deuxième semaine, j'étais plus familiarisé avec les machines et mes courbatures se sont heureusement estompées. Je m'entraîne trois fois par semaine, à raison d'une heure par séance. Je continue à faire du vélo, mais j'ai décidé d'arrêter de courir.

▶ Semaines 3 à 5

Lors du diagnostic, mon alimentation avait été passée en revue. On m'a suggéré des modifications afin d'aider à la prise musculaire et à la récupération de l'organisme. Donc, j'ai dû remplacer les pâtes blanches, les pommes de terre, la viande rouge, les bananes et le miel, par du riz complet, des pâtes complètes, du houmous (purée de pois chiches) et des pommes. Le but est de manger des aliments à libération d'énergie prolongée, pour éviter les fluctuations d'énergie et les grignotages. À la fin de la cinquième semaine, je n'avais plus de courbatures !

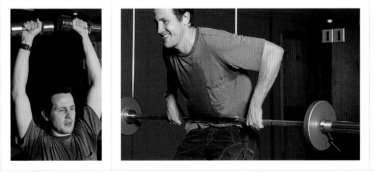
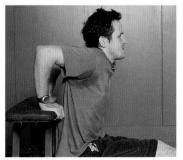

▶ **Des efforts récompensés !**
Ce fut dur, mais les efforts d'Antoine
ont été largement récompensés !

▶ Semaines 6 à 8

Je commence à voir des résultats !
La technique consistait à commencer
par les régions principales (estomac,
poitrine et épaules) avant de s'attaquer
aux groupes musculaires plus petits,
comme les biceps et les triceps. C'est
au niveau de la poitrine que j'ai vu
les premières améliorations : plus
volumineuse, plus ferme et plus puissante.
Je porte à présent mes courses et mes
valises sans grand effort, et je ne suis
plus essoufflé quand je dois monter
chez moi des charges un peu lourdes.
À cause de tous les exercices de
musculation, mon organisme a besoin
d'un apport calorique beaucoup plus
important qu'avant; je fais cinq à six petits
repas par jour. Mais je me sens nettement
plus en forme, et mes coups de barre
de l'après-midi ont disparu.

▶ Semaines 9 à 12

Au début du programme, je soulevais de
faibles charges et j'atteignais rapidement
l'épuisement musculaire. À présent, non
seulement je prends plus lourd, mais je
sens mon corps réagir positivement à ce
surplus de poids. Mes bras ont suivi les
progrès enregistrés par la poitrine et les
épaules. Mis à part les moments où j'avais
envie d'aller courir au parc pour me
changer les idées, je n'ai pas vraiment
eu de période de découragement.

« Ma petite amie veut écrire
une lettre de remerciements
aux auteurs du programme ! »

Après le programme...

• Les résultats d'Antoine sont très
encourageants, mais il n'est qu'au
commencement de ce qu'il pourrait obtenir.
Il devrait au moins poursuivre le programme
pendant 12 autres semaines, au terme
desquelles il aura vraiment gagné en volume.

Fiche signalétique

Poids : **85 kg**
soit un gain de 4 kg

Tour de cou : **40 cm**
Tour de poitrine : **98,5 cm**
Tour de taille : **82 cm**
Tour de cuisse : **56,5 cm**

Les programmes

« Prise musculaire »

L'objectif de ce programme est de prendre du muscle. On croit généralement que les exercices de musculation suffisent à garantir des résultats. Or, la prise musculaire est très difficile à atteindre car son succès dépend de la morphologie de chacun. Avant de commencer ce programme, déterminez la vôtre, afin de définir des objectifs raisonnables.

<table>
<tr><td colspan="2">Bénéfices</td></tr>
<tr><td>Puissance/raffermissement musculaire</td><td>✓✓✓</td></tr>
<tr><td>Perte de poids/amélioration de la capacité aérobique</td><td></td></tr>
<tr><td>Augmentation de la souplesse</td><td>✓</td></tr>
</table>

Les détails du programme

Ce programme est réparti en circuits pour les épaules, la poitrine, le dos et les jambes. Comptez quatre séances hebdomadaires, et exécutez chaque circuit au moins deux fois par semaine. À chaque séance, travaillez deux ou trois groupes musculaires en choisissant un enchaînement dans le programme correspondant. Mélangez les programmes de façon à solliciter tout le corps. Évitez les exercices en doublons et ne privilégiez pas une zone spécifique au détriment des autres.

Travaillez de façon lente et contrôlée, de manière à solliciter les muscles durant l'intégralité du mouvement et à optimiser les résultats des séances ; augmentez les charges soulevées.

L'échauffement

Avant chaque séance, effectuez 5 à 6 minutes intensives d'une activité aérobic qui va élever rapidement la fréquence cardiaque et chauffer les muscles que vous allez solliciter. Attention, courir pendant 10 minutes avant de travailler ses pectoraux ne présente aucun intérêt.

Les protéines

Les protéines sont vitales à la construction musculaire, et aident l'organisme à récupérer et se régénérer. Les séances de forte intensité endommagent les tissus musculaires pour encourager l'organisme à les reconstruire en plus volumineux et en plus puissants ; aussi, il faut lui fournir suffisamment de protéines adéquates pour l'aider dans son œuvre réparatrice. Cependant, le foie et les reins ont du mal à gérer des quantités de protéines trop importantes. À noter : les protéines ne doivent pas venir de la viande rouge, des produits laitiers ou des œufs, car ces aliments sont trop riches en graisses saturées (*voir ci-dessous*).

Suggestions
Voici un programme de quatre semaines à raison de quatre séances hebdomadaires. Pour optimiser les résultats, ce programme combine des enchaînements de différents circuits musculaires.

Séance 1 Poitrine 1, Bras 2
Séance 2 Dos 1, Jambes 2, Épaules 1
Séance 3 Poitrine 2, Dos 3
Séance 4 Jambes 1, Épaules 2, Bras 3

Séance 5 Poitrine 4, Bras 1
Séance 6 Dos 2, Jambes 4, Épaules 2
Séance 7 Poitrine 5, Dos 4
Séance 8 Jambes 3, Épaules 3, Bras 4

Séance 9 Poitrine 5, Bras 1
Séance 10 Dos 1, Jambes 2, Épaules 1
Séance 11 Poitrine 6, Dos 3
Séance 12 Jambes 1, Épaules 2, Bras 3

Séance 13 Poitrine 4, Bras 2
Séance 14 Dos 2, Jambes 4, Épaules 2
Séance 15 Poitrine 5, Dos 1
Séance 16 Jambes 2, Épaules 3, Bras 4

Recommandations nutritionnelles

Il faut fournir assez d'énergie et de nutriments à l'organisme, sinon, vous aurez beaucoup de mal à prendre du volume.

● Les personnes mésomorphes et endomorphes peuvent se contenter de suivre les recommandations nutritionnelles générales, tout en essayant de manger varié et d'inclure principalement des aliments alcalins à faible indice glycémique (*voir pages 34-35*).

● Les hommes doivent consommer environ 3 000 calories par jour et les femmes 2 000, quantités auxquelles il faut ajouter 500 quand on suit ce programme. Ce surplus doit provenir d'hydrates de carbone à faible indice glycémique ou de protéines de bonne qualité, et pauvres en lipides.

● Les personnes ectomorphes doivent prendre de nombreux mini-repas, de façon à étaler la consommation des calories sur la journée entière et fournir une source constante d'énergie à l'organisme.

● Les protéines doivent composer 10 à 20 % de votre alimentation, et autant que possible, provenir de céréales, soja, légumineuses, noix, voire, en moindre quantité, de poulet et de poisson.

● Après une séance, prenez une ration de protéines (noix, poisson…). Il existe aussi des barres hyperprotéinées dans les magasins de diététique.

● Buvez au moins 2 litres d'eau par jour.

Programme « épaules »

Pour avoir de belles épaules, il faut travailler les deltoïdes, muscles arrondis situés sur le sommet et constitués de trois parties musculaires différentes. Lorsqu'on muscle les épaules, l'erreur fréquente est de solliciter principalement la section avant et de négliger les parties médiane et arrière. Les exercices ci-dessous sollicitent l'intégralité des deltoïdes et aident à créer un arrondi parfait. Il ne faut pas non plus oublier les trapèzes, qui partent du haut de la nuque et s'étendent jusqu'au haut du dos et des épaules. Attention, ce groupe musculaire se développe très rapidement, notamment chez les individus mésomorphes et les endomorphes, donnant des résultats peu esthétiques. Toutefois, aucun des exercices présentés n'entraînera ces désagréments. Si, en revanche, vos trapèzes ne sont pas du tout dessinés, leur développement sculptera très joliment vos épaules ; dans ce cas, concentrez-vous particulièrement sur les enchaînements 1 et 4.

Circuit épaules Chacun des enchaînements prend entre 8 et 12 minutes.

Enchaînement n° 1

Élévations latérales	12 rm, pause de 45 s
Presse à épaules	14 rm, pause de 45 s
Tirage vertical	16 rm, pause de 90 s
Élévations latérales	10 rm, pause de 45 s
Presse à épaules	12 rm, pause de 45 s
Tirage vertical	14 rm, pause de 90 s
Élévations latérales	8 rm, pause de 45 s
Presse à épaules	10 rm, pause de 45 s
Tirage vertical	12 rm

Élévations latérales
p. 86

Presse à épaules
p. 88

Enchaînement n° 2

Élévations latérales	12 rm (série légère), pause de 60 s
Élévations latérales	10 rm (série légère), pause de 60 s
Élévations latérales	8 rm (série légère), pause de 60 s
Presse à épaules	16 rm, pause de 45 s
Presse à épaules	18 rm, pause de 45 s
Presse à épaules	20 rm

Tirage vertical
p. 89

Élévations latérales
à la poulie *p. 87*

Enchaînement n° 3

Élévation latérale à la poulie	14 rm, pause de 45 s, 12 rm, pause de 45 s
Écarté latéral	10 rm (série légère), pause de 45 s
Écarté latéral	8 rm (série légère), pause de 45 s
Élévations latérales	10 rm, 8 rm, pause de 60 s entre les séries

Écarté latéral *p. 90*

Élévations latérales,
pouces vers
l'intérieur *p. 87*

Enchaînement n° 4

Presse à épaules	16 rm, 12 rm, 10 rm, 8 rm, 16 rm, pause de 45 s entre les séries
Élévations latérales, pouces vers l'intérieur	14 rm, pause de 45 s
Écarté latéral	10 rm, pause de 45 s
Élévations latérales, pouces vers l'intérieur	12 rm, pause de 45 s
Écarté latéral	8 rm

Programme « bras »

Aujourd'hui, il est de bon ton d'avoir des bras fermes et bien dessinés. Pour y parvenir, on recommande la technique des séries légères (*voir page 80*) et de décomposition, qui consiste à fractionner l'exercice en mouvements complets et partiels. Ici, en l'occurrence, on effectue 7 flexions de biceps complètes puis 7 demi-flexions où l'on stoppe le mouvement quand

le bras est plié à 90°. Il s'agit alors d'effectuer 7 autres flexions en partant de ce point et de terminer le mouvement jusqu'à l'épaule. On termine par 7 flexions complètes (ou autant que l'on peut avant l'épuisement musculaire). Pour une séance plus dense, combinez ces enchaînements de bras avec d'autres sollicitant différents groupes musculaires.

Circuit bras

Chacun des enchaînements prend entre 15 et 20 minutes.

Enchaînement n° 1

Dips	Le plus possible
Flexion des biceps avec barre	12 rm
Dips	Le plus possible
Flexion des biceps avec barre	12 rm
Dips	20
Flex. biceps en prise marteau	12
Dips	20
Flex. biceps en prise marteau	12
Extension verticale des triceps	10
Traction à la barre prise serrée	Le plus possible
Extension verticale des triceps	10
Traction à la barre prise serrée	Le plus possible

Enchaînement n° 2

Triceps à la poulie (pronation)	10 rm, 8 rm
Ext. avant-bras avec haltère	10 rm, 8 rm
Dips	10 rép ou plus
Extension des triceps	10 rép. (série légère)
Flex. des biceps avec barre	12 rm
Flexion des biceps en prise marteau avec soutien	10 rm
Flex. des biceps avec barre	10 rm
Flexion des biceps en prise marteau avec soutien	8 rm
Flex. des biceps avec barre	25 rm

Enchaînement n° 3

Dips	Le plus possible
Pompes mains rapprochées	Le plus possible
Triceps à la poulie (supination)	14 rm, 10 rm, 8 rm, 6 rm, 14 rm
Tirage à la poulie basse	16 rm, 14 rm
Dips	Le plus possible
Pompes mains rapprochées	Le plus possible
Flexion des biceps avec barre	Décomposition (7 fois) (voir ci-dessus)
Flexion de biceps avec ballon	12 rm
Flex. biceps en décomposition	7 répétitions
Flexion des biceps avec barre	12 rm
Traction à la barre prise serrée	Le plus possible

Dips
p. 98

Flexion des biceps avec barre *p. 96*

Triceps à la poulie (pronation) *p. 99*

Flex. biceps en prise marteau *p. 97*

Extension verticale des triceps *p. 98*

Traction à la barre prise serrée *p. 92*

Triceps à la poulie (supination) *p. 99*

Ext. des avant-bras avec haltères *p. 100*

Extension des triceps *p. 101*

Flexion des biceps en prise marteau, avec soutien *p. 97*

Flexion des biceps avec haltères *p. 96*

Pompes mains rapprochées *p. 100*

Flexion des biceps avec ballon *p. 96*

Tirage à la poulie basse *p. 94*

Programme « pectoraux »

Il est impératif de varier à la fois les exercices et les méthodes d'entraînement, et ce afin de solliciter l'intégralité des pectoraux et éviter toute éventuelle dissymétrie.

Certains enchaînements utilisent la technique des séries légères (*voir page 80*), qui consiste à exécuter une série d'un exercice avec une certaine charge, puis de diminuer cette charge de 25 % et répéter le même nombre de mouvements qu'initialement. C'est une technique particulièrement efficace

pour se muscler car elle permet un épuisement musculaire efficace. Certains exercices isolent les pectoraux, tandis que d'autres les sollicitent parallèlement à d'autres groupes musculaires, entraînant alors un meilleur épuisement musculaire puisque l'on peut travailler plus longuement. Attention : ces enchaînements sont recommandés aux sportifs de niveau moyen à confirmé, qui ont suivi un programme de remise en forme général pendant au moins six à huit semaines.

Circuit pectoraux — Chacun des enchaînements prend entre 12 et 16 minutes.

Enchaînement n° 1 — **Moyen**
Écarté-couché — 10 rm (2 fois)
Développé-couché avec barre — 10 rm, 8 rm
Dips — Le plus possible ou 10 rm (2 fois)

Enchaînement n° 2 — **Moyen**
Développé-couché avec barre — 12 rm, 10 rm, 8 rm, pause de 60 s entre les séries
Développé-incliné — 10 rm, 8 rm, pause de 60 s entre les séries
Écarté debout à la poulie — 14 rm, 12 rm, pause de 60 s entre les séries

Enchaînement n° 3 — **Confirmé**
Développé sur machine — 14 rm
Écarté-couché — 12 rm, 10 rm, 8 rm, pause de 60 s entre les séries
Développé-couché avec barre — 10 rm (série légère) (2 fois)
Pompes — Le plus possible

Enchaînement n° 4 — **Confirmé**
Développé-couché avec barre — 14 rm, 10 rm, 8 rm, 6 rm, 16 rm, pause de 60 s entre les séries
Développé-incliné — 12 rm (2 fois)
Développé-décliné — Le plus possible (2 fois), pause de 30 s entre les séries
Dips — Le plus possible ou 10

Enchaînement n° 5 — **Confirmé**
Écarté-couché — 12 rm (série légère), 10 rm (série légère), 8 rm (série légère), pause de 60 s entre les séries
Pompes — Le plus possible
Développé sur machine — 20 rm (2 fois), pause de 90 s entre les séries

Enchaînement n° 6 — **Confirmé**
Développé-couché avec barre — 16 rm (série légère)
Développé-incliné — 8 rm (2 fois)
Développé-décliné — Le plus possible
Dips — Le plus possible (2 fois)

Écarté-couché p. 82 — Développé-couché avec barre p. 83

Dips p. 98 — Développé-incliné p. 84

Écarté debout à la poulie p. 82 — Développé sur machine p. 83

Pompes p. 85 — Développé-décliné p. 84

Programme « dos »

Tout programme de remise en forme se doit d'inclure des exercices pour renforcer le dos. Ce dernier est constitué de nombreux muscles ; ceux qui seront sollicités ici sont les dorsaux, les rhomboïdes et les trapèzes. En développant ces groupes musculaires, on les raffermit, les dessine et obtient un joli dos, musclé et bien proportionné. Généralement, les personnes pratiquant la musculation cherchent à obtenir un dos en « V », ou un dos bien carré, avec plus de volume. Pour le premier, privilégiez les tractions à la barre et le tirage des dorsaux, qui développent ces muscles, et pour le second, les écartés latéraux, tirages à la poulie basse et tirages horizontaux, qui, en plus, atteignent les rhomboïdes.

Circuit dos

Chacun des enchaînements prend entre 12 et 16 minutes.

Enchaînement n° 1	Moyen
Tirage des dorsaux	10 rm (2 fois)
Tirage horizontal	8 rm, 10 rm
Écarté latéral	12 m (2 fois)
Traction à la barre prise serrée	12 (ou plus, si vous vous en sentez capable)

Enchaînement n° 2	Moyen
Tirage horizontal	10 rm
Tirage à la poulie haute	12 rm
Écarté latéral	8 rm
Tirage à la poulie basse	10 rm
Tirage vertical	10 ou le plus possible

Enchaînement n° 3	Confirmé
Écarté latéral	12 rm
Tirage à la poulie basse	10 rm (série légère)
Écarté latéral	10 rm
Tirage à la poulie basse	8 rm (série légère)
Tirage vertical	16 rm

Enchaînement n° 4	Confirmé
Écarté latéral	16 rm
Tirage horizontal à la barre	16 rm, 12 rm, 10 rm, 8 rm, 16 rm
Tirage des dorsaux	10 rm (2 fois)
Extension du dos	15 (2 fois)

Tirage des dorsaux
p. 90

Tirage horizontal
p. 91

Écarté latéral
p. 90

Traction à la barre prise serrée *p. 92*

Tirage à la poulie haute *p. 94*

Traction à la barre prise large *p. 92*

Tirage à la poulie basse *p. 94*

Tirage vertical
p. 89

Tirage horizontal à la barre *p. 91*

Extension du dos
p. 95

Programme « jambes »

Les exercices qui suivent raffermissent et sculptent tout le bas du corps, mais plus particulièrement les jambes. Prendre du volume au niveau des jambes peut se révéler très frustrant, notamment pour les personnes ectomorphes qui parfois, bien qu'en travaillant dur, obtiennent peu ou pas de résultat. En effet, on peut être génétiquement programmé pour avoir des jambes fines… Il est aussi très ardu de développer les mollets mais, malgré un faible volume, ils peuvent être solides et vigoureux. D'une façon ou d'une autre, il est toujours possible de renforcer et de redessiner les jambes, ce qui améliorera leur apparence. Mais cela prendra davantage de temps qu'avec d'autres groupes musculaires.

Circuit jambes Chacun des enchaînements prend entre 15 et 20 minutes.

Enchaînement n° 1

Squat	14 rm, 12 rm, 10 rm, pause 60 s entre les séries
Flexion de jambes	14 rm, 12 rm, 10 rm, pause 45 s entre les séries
Fente avant	12 rm pour chaque jambe (2 fois), pause 60 s entre les séries
Extension isolée des mollets	16 rm, 14 rm, pause 45 s entre les séries

Enchaînement n° 2

Extension de jambes	14 rm
Fente avant dynamique	12 rm pour chaque jambe
Squat	60 s, pause de 60 s
Extension de jambes	10 rm
Steps	20 pour chaque jambe
Squat	60 s, pause de 60 s
Extension de jambes	8 rm
Fente avant dynamique	14 rm pour chaque jambe
Squat	60 s

Enchaînement n° 3

Flexion de jambes	12 rm
Fente avant	10 rm pour chaque jambe
Squat avec ballon	14 rm, pause de 60 s
Flexion de jambes	10 rm
Fente avant	10 rm pour chaque jambe
Squat avec ballon	12 rm

Enchaînement n° 4

Fente avant	14 rm pour chaque jambe
Squat	10 rm
Extension isolée des mollets	14 rm pour chaque jambe, pause de 60 s
Fente avant	12 rm pour chaque jambe
Squat	10 rm
Extension isolée des mollets	12 rm, pause de 60 s
Fente avant	8 rm pour chaque jambe
Squat	8 rm
Extension isolée des mollets	12 rm pour chaque jambe

Squat
p. 108

Flexion de jambes
p. 111

Fente avant
p. 106

Extension isolée
des mollets *p. 112*

Extension de jambes
p. 110

Fente avant
dynamique *p. 106*

Squat avec ballon
p. 108

Steps
p. 109

Les programmes

Programme d'entretien (homme)

On peut chercher à atteindre un objectif très spécifique ou, tout simplement, désirer se maintenir en bonne condition physique. Lorsque vous ne travaillez pas dans la perspective d'atteindre un but particulier, prenez le temps d'entretenir votre corps et de conserver la forme avant de vous attaquer à un nouveau défi.

> **Bénéfices**
>
> Puissance/raffermissement musculaire ✓✓
>
> Perte de poids/amélioration de la capacité aérobique ✓✓
>
> Augmentation de la souplesse ✓✓

Définir ses objectifs

Dans le cadre d'un programme d'entretien, le plus compliqué est de définir des objectifs. Le but principal est, en effet, de maintenir sa condition physique, garder ses muscles fermes et ne pas grossir.

Commencez par prendre des mesures de votre poitrine, taille, hanches, bras et jambes, afin d'avoir des points de références pour le futur. L'inconvénient d'un tel programme d'entretien est d'habituer l'organisme à un certain circuit, donc de le solliciter de moins en moins, et en conséquence, de régresser, même si on ne cesse de s'entraîner. Aussi, attention à ne pas s'enfermer dans une routine. Il faut absolument continuer à augmenter les poids dès qu'ils deviennent trop légers et stimuler son corps continuellement.

Les détails du programme

Le programme est composé de trois circuits, chacun devant être effectué une fois par semaine. Si vous désirez ajouter une quatrième séance, répétez un circuit, mais par roulement, afin d'apporter un peu de variété.

Les exercices de musculation développent la masse musculaire, renforcent le haut du corps, affinent la taille et dessinent les abdominaux pour créer la fameuse « tablette de chocolat ». Dans le circuit n° 2, on exécute les exercices durant une certaine durée (en secondes) plutôt qu'un nombre de répétitions maximums (rm). Effectuez autant de répétitions que vous pouvez, en surveillant bien votre technique et votre posture. Lorsqu'un poids est nécessaire, choisissez-en un qui vous permette de faire le nombre de répétitions indiqué, mais n'oubliez pas que les dernières doivent toujours être un peu difficiles. C'est pour cela qu'il est judicieux de prendre le temps de tester plusieurs charges et trouver la plus appropriée. Une fois le poids initial déterminé, à mesure que vous progresserez, il faudra l'augmenter, tout comme le nombre des répétitions. Le fait de déterminer une durée spécifique vous encourage à vous dépasser. Surveillez bien votre technique et travaillez jusqu'à la dernière seconde.

Associé à une alimentation équilibrée (*voir pages 24-37*), ce programme va vous permettre de stabiliser votre poids.

▶ **Sculptez votre silhouette**
Ce programme fournit des circuits complets pour conserver la ligne et un bon tonus musculaire. Afin d'en optimiser les effets, continuez à travailler de manière régulière et assidue.

Sommaire des exercices

Squat
p. 108

Pompes
p. 85

Flexion de jambes
p. 111

Presse à épaules
p. 88

Extension de jambes
p. 110

Tirage des dorsaux
p. 90

Squat avec ballon
p. 108

Écarté-couché
p. 82

Fente avant
dynamique *p. 106*

Élévations latérales
p. 86

Tirage vertical
p. 89

Extension du dos
p. 95

Relevé simultané
de buste et de bassin
p. 102

Pont oblique
p. 105

Pont
p. 105

Marche *pp. 60-63*
Course *pp. 64-67*

Vélo
pp. 68-69

Rameur
p. 71

Marche fente
avant avec
ballon *p. 107*

Dips
p. 98

Flexion des
biceps avec
barre *p. 96*

Les programmes

Circuit n° 1

Durée totale : 55 min (5 min Échauffement + 35 min Exercices + 5 min Récupération + 10 min Étirements)

Échauffement — 5 min d'aérobic, en élevant graduellement la fréquence cardiaque.

Aérobic	Débutant	Moyen	confirmé
Cross-training	1 min 70 % FCM 1 min 85 % FCM (5 fois)	1 min 70 % FCM 1 min 90 % FCM (6 fois)	1 min 70 % FCM 1 min 90 % FCM (7 fois)
Marche sur plan incliné	10 min 75 % FCM	8 min 85-90 % FCM	5 min 80 % FCM
Rameur	500 m 75 % FCM	1 000 m 80 % FCM	1 500 m 80 % FCM
Course	400 m 80 % FCM	800 m 85 % FCM	1 000 m aussi rapidement que possible

Récupération — 5 min de marche lente, en diminuant graduellement sa fréquence cardiaque.

Étirement — Étirement intégral (*voir page 48*).

Circuit n° 2

Durée totale : 45 min (5min Échauffement + 35 min Exercices + 5 min Récupération)

Échauffement — 5 min d'aérobic, en élevant graduellement la fréquence cardiaque.

Pour les exercices suivants, choisissez une charge qui sollicite les muscles jusqu'à leur quasi-épuisement pendant la période indiquée ; reposez-vous 30 secondes après chaque exercice.

Exercice	Débutant	Moyen	Confirmé
Squat	30 s	45 s	60 s
Pompes	30 s	45 s	60 s
Marche fente avant avec ballon	30 s	45 s	60 s
Presse à épaules	30 s	45 s	60 s
Extension de jambes	30 s	45 s	60 s
Tirage des dorsaux	30 s	45 s	60 s
Steps (page 109)	30 s ch. jambe	45 s ch. jambe	60 s ch. jambe
Écarté-couché	30 s	45 s	60 s
Flexion de jambes	30 s	45 s	60 s
Repos 2 min			
Répétez ces 9 exercices	**3 fois**	**5 fois**	**5 à 6 fois**
Élévations latérales	15 rm	12 rm	12 rm
Tirage vertical	15 rm	12 rm	12 rm
Extension du dos	20	20	30
Relevé buste et bassin	25	40	50
Pont oblique	–	30 s	60 s
Répétez ces 5 exercices	**2 fois**	**4 fois**	**4 fois**

Récupération — Étirement intégral (*voir page 48*).

Élévations latérales

Circuit n° 3 **Durée totale : 45 min (5 min Échauffement + 35 min Exercices + 5 min Récupération)**

Échauffement   5 min d'aérobic, en élevant graduellement la fréquence cardiaque.

	Débutant	Moyen	Confirmé
Marche/Course	6 min 75 % FCM	8 min 75 % FCM	10 min 75 % FCM
Écarté-couché	15 rm	15 rm	15 rm
Extension de jambes	15 rm	15 rm	15 rm
Tirage des dorsaux	15 rm	15 rm	15 rm
Flexion de jambes	15 rm	15 rm	15 rm
Vélo	6 min 75 % FCM	8 min 75 % FCM	10 min 80 % FCM
Écarté-couché	15 rm	15 rm	15 rm
Extension de jambes	15 rm	15 rm	15 rm
Tirage des dorsaux	15 rm	15 rm	15 rm
Flexion de jambes	15 rm	15 rm	15 rm
Rameur	1 000 m 75 % FCM	1 500 m 75 % FCM	2 500 m 80 % FCM
Presse à épaules	15 rm	15 rm	15 rm
Marche en fente avant avec ballon	15 pour chaque jambe	20 pour chaque jambe	25 pour chaque jambe
Dips	15	20	25
Flexion des biceps avec barre	15 rm	15 rm	15 rm
Répétez ces 4 exercices			

Récupération   Étirement intégral (*voir page 48*).

Vélo

Programme d'entretien (femme)

Si vous n'avez pas d'objectif particulier ou que vous venez de terminer un autre programme, rien de tel qu'un petit circuit d'entretien pour vous maintenir en forme et en bonne santé sans vous contraindre à dépenser des efforts inutiles. Et n'hésitez pas à suivre ce programme aussi longtemps que vous le désirerez, sans pour autant sombrer dans la routine !

> **Bénéfices**
>
> Puissance/raffermissement musculaire ✓✓
>
> Perte de poids/amélioration de la capacité aérobique ✓✓
>
> Augmentation de la souplesse ✓✓

Les détails du programme

Ce qui est merveilleux avec le sport, c'est qu'une fois atteint son quotient-forme souhaité, il est relativement simple de le conserver. Ce programme travaille les principaux groupes musculaires, sollicite régulièrement le cœur et les poumons, de façon à ne pas prendre de poids et à maintenir ses acquis. Les exercices ciblent et raffermissent certaines régions à problèmes chez les femmes, comme l'estomac, les hanches, les fessiers, les cuisses et le haut des bras. C'est le programme idéal à faire après le « Postnatal » (*voir pages 186-187*), ou après la réalisation d'un objectif fitness important, comme par exemple après avoir couru un marathon.

Le programme est composé de trois circuits. Un rythme de trois à quatre séances hebdomadaire est recommandé. Chaque semaine, effectuez les circuits 1, 2 et 3, et pour votre quatrième session, répétez-en un, mais par roulement, afin de diversifier votre entraînement.

Parallèlement, suivez les recommandations nutritionnelles des pages 24-37 pour vous aider à contrôler votre poids et vous maintenir en forme.

Définir ses objectifs

Même si vous n'avez pas d'objectif bien déterminé à atteindre dans ce programme, vous devez continuer à surveiller vos progrès. Plutôt que de vous peser, prenez des mesures de votre poitrine, taille, hanches, bras et jambes. Reprenez ces mesures régulièrement pour maintenir votre silhouette et ne pas cesser de progresser. Le danger d'un programme d'entretien est de s'installer dans une routine et ne plus chercher à améliorer ses performances.

▶ **Continuez sur la bonne voie**
Vous n'avez peut-être pas d'objectif précis en tête, mais il est essentiel de continuer à progresser et à en retirer du plaisir.

Sommaire des exercices

Squat
p. 108

Pompes
p. 85

Marche fente avant avec
ballon *p. 107*

Presse à épaules
p. 88

Extension de
jambes *p. 110*

Tirage horizontal
p. 91

Extension des fessiers
p. 113

Écarté-couché
p. 82

Flexion de jambes
p. 111

Extension du dos
p. 95

Relevé de buste
p. 102

Pont
p. 105

Pont oblique
p. 105

Développé-couché avec
haltères *p. 83*

Fente avant
p. 106

Tirage des dorsaux
p. 90

Squat avec ballon
p. 108

Extension des triceps
p. 101

Presse
p.111

Les programmes

Circuit n° 1   Durée totale : 55 min (5 min Échauffement + 35 min Exercices + 5 min Récupération + 10 min Étirements)

Échauffement   5 min d'aérobic, en élevant graduellement la fréquence cardiaque.

Aérobic	Débutant	Moyen	Confirmé
Vélo	5 min 80 % FCM	8 min 85 % FCM	12 min 85 % FCM
Marche/Course	8 min 80 % FCM	10 min 85 % FCM	12 min 85 % FCM
Cross-training	1 min 80 % FCM 1 min de repos (5 fois)	1 min 85 % FCM 1 min de repos (6 fois)	1 min 90 % FCM 1 min de repos (6 fois)
Marche sur plan incliné	10 min 75 % FCM	8 min 80 % FCM	5 min 85–90% FCM
Rameur	500 m	750 m	1 000 m
Course	600 m 80 % FCM	750 m 85 % FCM	1 000 m aussi vite que possible

Récupération   5 min de marche lente, en diminuant graduellement sa fréquence cardiaque.

Étirement   Étirement intégral (*voir page 48*).

Circuit n° 2   Durée totale : 55 min (5 min Échauffement + 35 min Exercices + 5 min Récupération + 5 min Étirement)

Échauffement   5 min d'aérobic, en élevant graduellement la fréquence cardiaque.

Pour les exercices suivants, choisissez une charge qui sollicite les muscles le plus possible pendant la période indiquée ; reposez-vous 30 secondes après chaque exercice.

Exercices	Débutant	Moyen	Confirmé
Squat	30 s	45 s	60 s
Pompes	30 s	45 s	60 s
Marche fente avant avec ballon	30 s	45 s	60 s
Presse à épaules	30 s	45 s	60 s
Extension de jambes	30 s	45 s	60 s
Tirage horizontal	30 s	45 s	60 s
Extension des fessiers	30 s pour chaque jambe	45 s pour chaque jambe	60 s pour chaque jambe
Écarté-couché	30 s	45 s	60 s
Flexion de jambes	30 s	45 s	60 s
Répétez ces 9 exercices	**3 fois**	**5 fois**	**5 à 6 fois**
Extension du dos	20	20	30
Relevé de buste	25	40	50
Pont	–	30	60
Pont oblique	–	30 s	60 s
Répétez ces 4 exercices	**2 fois**	**4 fois**	**4 fois**

Flexion de jambes

Récupération   5 min de marche lente, en diminuant graduellement sa fréquence cardiaque.

Étirement   Étirement intégral (*voir page 48*).

Circuit n° 3

Durée totale : 50 min (5 min Échauffement + 35 min Exercices + 10 min Récupération)

Échauffement — 5 min d'aérobic, en élevant graduellement la fréquence cardiaque.

Exercices	Débutant	Moyen	Confirmé
Marche/Course	6 min 75 % FCM	8 min 75 % FCM	10 min 75 % FCM
Dével.-couché avec haltère	15 rm	15 rm	15 rm
Fente avant	15 rm pour chaque jambe	15 rm pour chaque jambe	15 rm pour chaque jambe
Tirage des dorsaux	15 rm	15 rm	15 rm
Squat avec ballon	15 rm	15 rm	15 rm
Vélo	6 min 75 % FCM	6 min 75 % FCM	10 min 80 % FCM
Dével.-couché avec haltères	15 rm	15 rm	15 rm
Fente avant	15 rm pour chaque jambe	15 rm pour chaque jambe	15 rm pour chaque jambe
Tirage des dorsaux	15 rm	15 rm	15 rm
Squat avec ballon	15 rm	15 rm	15 rm
Rameur	1 000 m 75 % FCM	1 500 m 75 % FCM	2 000 m 80 % FCM
Presse à épaules	15 rm	15 rm	15 rm
Extension des fessiers	15 pour chaque jambe	20 pour chaque jambe	25 pour chaque jambe
Extension des triceps	10 rm	15 rm	20
Presse	15 rm	15 rm	15 rm
Répétez les 4 exercices ci-dessus			

Récupération — Étirement intégral (*voir page 48*).

Spécial « tennis »

Le tennis est un sport fantastique, mais pour le pratiquer sans danger et en tirer parti efficacement, une certaine condition physique s'impose. Autrement dit, ne comptez pas sur ce sport pour vous remettre en forme ! Ce programme améliorera votre condition physique, votre puissance – et votre jeu.

Bénéfices

Puissance/raffermissement musculaire ✓✓

Perte de poids/amélioration de la capacité aérobique ✓✓

Augmentation de la souplesse ✓

Sommaire des exercices

Vélo *pp. 68-69.* Course *64-67.* Cross-training *70-71*

Rameur *p. 71*

Dével.-Couché avec haltères *p. 83*

Tirage à la poulie basse *p. 94*

Écarté-couché *p. 82*

Tirage à poulie basse *p. 94*

Élévations latérales *p. 86*

Dips *p. 98*

Pompes avec ballon *p. 85*

Flexion des biceps *p. 96*

Extension des triceps *p. 101*

Extension de jambes *p. 110*

Flexion de jambe *p. 111*

Fente avant dynamique *p. 106*

Steps *p. 109*

Presse *p. 111*

Fente avant *p. 106*

Renforcement des avant-bras, face avant (*voir ci-contre*)

Renforcement des avant-bras, face avant (*voir ci-contre*)

Pont oblique *p. 105*

Relevé de buste oblique *p. 104*

Relevé de buste *p. 102*

Relevé de buste avec ballon *p. 104*

Relevé de bassin *p. 103*

Rel. de bassin sur plan incliné *p. 103*

Pont *p. 105*

Extension des avant-bras sur banc incliné *p. 93*

Flex. avant-bras sur banc incliné *p. 93*

Compression de balle (*ci-contre.*)

Face avant *Renforce le poignet et la puissance de l'avant-bras*

1 ▲ Saisissez un haltère dans une main. Reposez le bras sur une barre, ou sur un banc, de sorte que la face interne du poignet soit soutenue et que l'avant-bras soit parallèle au sol. Relâchez le poignet pour laisser retomber la main.

2 ▲ En vous servant des muscles de l'avant-bras pour contrôler le mouvement, soulevez le poids aussi haut que possible. Bloquez la contraction pendant 2 secondes, puis revenez à la position initiale. Répétez avec l'autre bras.

Face arrière *Renforce l'avant-bras*

Compression de balle
Renforce la prise de la raquette

1 ▲ Saisissez un haltère dans une main. Reposez le bras sur une barre ou sur un banc, de façon à ce que l'extérieur du poignet soit soutenu et que l'avant-bras soit parallèle au sol. Relâchez le poignet pour étirer l'articulation.

2 ▲ En utilisant uniquement les muscles de l'avant-bras, soulevez le poids aussi haut que possible, puis revenez à la position initiale. Répétez avec l'autre bras.

▲ Saisissez fermement une balle de tennis dans une main. Pressez-la, bloquez la contraction pendant 2 secondes, puis relâchez la pression sur 2 secondes. Répétez l'exercice.

« Spécial tennis »

Ce programme est conseillé à tous ceux qui jouent au tennis, quel que soit leur niveau. L'objectif est de renforcer votre condition physique afin d'améliorer votre jeu, donner plus de puissance à vos volées et prévenir les blessures potentielles.

Aérobic

Un match de tennis peut durer jusqu'à quatre heures. De par sa structure, il y a de nombreux arrêts et reprises, ce qui signifie de brefs sursauts d'énergie et de courtes pauses. On doit être suffisamment souple, capable de se déplacer rapidement sur le court et de changer très vite de direction. Un bon programme d'entraînement doit vous préparer à ces contingences énergétiques et renforcer votre résistance et votre endurance.

Renforcement musculaire

Il est indispensable d'avoir suffisamment de puissance au niveau des muscles posturaux – *erector spinae* (extenseur du rachis) et abdominaux – car les coups droits et revers requièrent un certain équilibre, permis par le buste. Le coup droit réclame de la puissance au niveau des épaules, de la poitrine et des bras, tandis que le revers en nécessite de l'épaule arrière, du dos, des avant-bras, du haut des bras et des cuisses. Un bon service n'est possible que si tous les muscles du corps sont suffisamment forts.

Les blessures les plus fréquentes affectent les coudes, les lombaires, les genoux et les épaules. Un entraînement efficace doit renforcer tous ces muscles et prendre en considération les exigences physiques du jeu.

Mode d'emploi

Le programme est réparti en trois circuits, à effectuer chacun une fois par semaine (d'où trois séances hebdomadaires). Les circuits incluent un bon entraînement aérobic pour renforcer le système cardio-vasculaire, ainsi qu'un renforcement des principaux muscles pour réduire les risques de blessures potentielles. Au fil des semaines, essayez d'améliorer la vitesse à laquelle vous exécutez les exercices, et d'augmenter les charges soulevées.

Circuit n° 1 — Durée totale : 60 min (5 min Échauffement + 45 min Exercices + 10 min Récupération)

| Échauffement | 5 min d'aérobic, en élevant graduellement la fréquence cardiaque. |

Exercices	Débutant	Moyen	Confirmé
Vélo/Course/Cross-training	1 min 80 % FCM 2 min 65 % FCM (5 fois)	1 min 80 % FCM 1 min 65 % FCM (7 fois)	1 min 80 % FCM 1 min 70 % FCM (10 fois)
Rameur	500 m	500 m	500 m
Vélo/Course/Cross-training	1 min 80 % FCM 2 min 65 % FCM (5 fois)	1 min 80 % FCM 1 min 65 % FCM (5 fois)	1 min 80 % FCM 1 min 70 % FCM (7 fois)
Rameur	500 m	750 m	1 000 m
Dével.-couché avec haltères	16 rm	16 rm	16 rm
Tirage à la poulie basse	16 rm	16 rm	16 rm
Écarté-couché	–	16 rm	16 rm
Tirage à la poulie haute	–	16 rm	16 rm
Élévations latérales	15 rm	15 rm	15 rm
Dips	15	20	20
Pompes avec ballon	–	10	15
Flexion des biceps	16 rm	16 rm	16 rm
Flexion des triceps	16 rm	16 rm	16 rm

| Récupération | Étirement intégral (*voir page 48*). |

Circuit n° 2   Durée totale : 55 min (5 min Échauffement + 40 min Exercices + 10 min Récupération)

Échauffement   5 min d'aérobic, en élevant la fréquence cardiaque.

Exercices	Débutant	Moyen	Confirmé
Vélo	5 min 75 % FCM	5 min 80 % FCM	5 min 80 % FCM
Extension de jambes	20 rm	20 rm	20 rm
Dével.-couché avec haltères	16 rm	16 rm	16 rm
Flexion de jambes	16 rm	16 rm	16 rm
Marche/Course	6 min 75 % FCM	6 min 80 % FCM	6 min 80 % FCM
Fente avant dynamique	15 chaque jambe	20 chaque jambe	20 chaque jambe
Tirage à la poulie basse	16 rm	16 rm	16 rm
Steps	15 chaque jambe	20 chaque jambe	20 chaque jambe
Rameur	500 m	750 m	1 000 m
Presse	15 rm	15 rm	15 rm
Dips	15	20	25
Fente avant	15 rm ch. jambe	15 rm ch. jambe	15 rm chaque jambe
Marche/Course	10 min 70 % FCM	10 min 75 % FCM	10 min 75-80 % FCM
Avant-bras, face avant	20 rm	20 rm	20 rm
Avant-bras, face arrière	20 rm	20 rm	20 rm
Pont oblique	–	30 s	45 s
Relevé de buste oblique	15	15	20
Relevé de buste	15	20	20
Relevé de buste avec ballon	–	–	15
Relevé de bassin	10	15	20
Rel. bassin sur banc incliné	–	–	15
Pont	30 s	45 s	60 s

Récupération   Étirement intégral (*voir page 48*).

Circuit n° 3   Durée totale : 65 min (5 min Échauffement + 40-50 min Exercices + 10 min Récupération)

Échauffement   5 min d'aérobic, en élevant la fréquence cardiaque.

Exercices	Débutant	Moyen	Confirmé
Vélo/Course/Croos-training/ Marche	30 min 75 % FCM	35 min 75 % FCM	45 min 75-80 % FCM
Extension avant-bras (p. 93)	20 rm	20 rm	20 rm
Flexion avant-bras (p. 93)	20 rm	20 rm	20 rm
Face avant (p. 165)	20 rm	20 rm	20 rm
Face arrière (p. 165)	20 rm	20 rm	20 rm
Compression de balle	20 (2 fois)	30 (2 fois)	40 (2 fois)

Récupération   Étirement intégral (*voir page 48*).

Les programmes

Spécial « golf »

La plupart des golfeurs cherchent à frapper la balle plus haut et avec davantage de contrôle. Un buste puissant améliorera votre swing et réduira les risques de blessure au niveau du dos. Utilisez ce programme en association avec celui d'« entretien » (*voir pages 156-163*).

Bénéfices
Puissance/raffermissement musculaire ✓✓
Perte de poids/amélioration de la capacité aérobique
Augmentation de la souplesse ✓✓

Circuit golf **Durée totale : 20 min (5 min Échauffement + 10 min Exercices + 5 min Récupération)**

Échauffement 5 min d'aérobic, en élevant graduellement la fréquence cardiaque.

Exercices Les répétitions maximums (rm) ou répétitions pour chaque exercice sont indiquées par ordre de niveau : débutant/moyen/confirmé.

Swing de ballon (*voir ci-contre*) 15/20/30

Tirage latéral (*voir ci-contre*) 15/20/30

Extension du dos p. 95 15/20/25

Écarté latéral p. 90 15/15/15 rm

Inclinaisons latérales (*voir ci-contre*) 15/15/15 rm

Flexion des avant-bras sur banc incliné p. 93 15/15/15 rm

Extension des avant-bras sur banc incliné p. 93 15/15/15 rm

Renforcement des avant-bras p. 165 15/15/15 rm

Récupération Étirement spécial golf (*voir ci-dessous*)

Étirements **Effectuez cet enchaînement d'étirements (durée : 5 min) pour décontracter les muscles avant un parcours de golf ou après le circuit ci-dessus. Les durées de contraction suggérées sont des minimums.**

Dos p. 44 Bloquez 20 s

Muscles glutéaux (fessiers) p. 46 Bloquez 20 s

Rotation vertébrale p45 Bloquez 10 s

Étirement des ischio-jambiers p. 46 Bloquez 20 s

Quadriceps p. 46 Bloquez 15 s

Épaules p. 42 Bloquez 15 s

Pectoraux p. 43 Bloquez 15 s

Swing de ballon
Pour le contrôle du swing

Tirage latéral
Pour une bonne posture

◀ ▼ Debout, pieds écartés largeur des épaules, genoux un peu fléchis. Saisissez le ballon et penchez-vous en avant. Ramenez le ballon vers la gauche, jusqu'à ce que le bras arrière soit à hauteur de l'épaule. Bloquez 1 seconde, puis, lentement, ramenez le ballon du côté droit, en bloquant 1 seconde. Répétez l'exercice.

▲ Placez-vous debout, bras le long du corps, un haltère dans chaque main. Il s'agit de diriger l'haltère vers le genou et de solliciter les obliques pour le remonter. Répétez le mouvement de l'autre côté.

Tirage latéral *Pour le renforcement du swing*

▶ Accrochez un tube Théra-band® à un arbre ou à un poteau, à une hauteur légèrement supérieure à celle des épaules. Placez-vous debout, pieds écartés largeur de bassin, genoux légèrement fléchis, comme pour effectuer un swing.
▶▶ Saisissez la poignée avec les deux mains, et en redressant le dos, tirez le tube devant vous. Revenez lentement à la position de départ. Répétez l'exercice de l'autre côté. À noter : on peut remplacer le tube Théra-band® par l'appareil à poulie de sa salle de sport.

Les programmes

169

Spécial« ski »

Pour beaucoup d'entre nous, le ski n'évoque qu'une activité à laquelle on s'adonne une à deux semaines par an au maximum. Or, à l'abord des pistes, on s'aperçoit de la somme des efforts physiques à fournir et on se reproche de ne pas s'être mieux préparé. Grâce à ce programme, vous serez en meilleure forme et réduirez ainsi les risques potentiels de blessure.

Les détails du programme

L'idéal serait de débuter ce programme au moins quatre semaines avant d'aller skier, car plus on s'y prend tôt, mieux on se prépare. Le programme est constitué de deux circuits à faire trois fois par semaine dans une salle de sport. On effectue deux fois le circuit n° 1, et une fois le n° 2.

Si vous ajoutez une séance, choisissez le circuit n° 2. Ce programme renforce les principaux muscles sollicités dans le ski, notamment ceux situés autour des genoux. La résistance est également développée, puisqu'on travaille pendant de brefs épisodes à une intensité élevée pour récupérer rapidement (comme en situation réelle).

Circuit n° 1 — Durée totale : 55 min (5 min Échauffement + 45 min Exercices + 5 min Récupération)

Échauffement — 5 min d'aérobic, en élevant graduellement la fréquence cardiaque.

Exercices — Les répétitions maximums (rm) ou répétitions pour chaque exercice sont indiquées par ordre de niveau : débutant/moyen/confirmé.

Marche *pp. 60-63*. Course *pp. 64-67*
1 min 80 % FCM, 2min 70 % FCM (5 fois)
2 min 80 % FCM, 2 min 70 % FCM (5 fois)
2 min 80 % FCM, 1 min rest (7 fois)

Squat avec ballon *p. 108*
20/20/20 rm

Flexion de jambes *p. 111*
15/15/15 rm

Steps *p. 109*
15/15/20
pour chaque jambe

Vélo *pp. 68-69*. Cross-tr. *p. 71*
1 min 80 % FCM, 2 min 70 % (4 fois)
2 min 80 % FCM, 2 min 70 % (4 fois)
2 min 85 % FCM, 1 min repos (7 fois)

Extension de jambes *p. 110*
15/15/15 rm

Élévation du genou *p. 110*
10/15/20 ch. jambe

Squat *p. 108*
Bloquez 20/40/60 s

Fente avant dyn. *p. 106* 10 (x2)/15 (x2) 20 (x3) chaque jambe

Relevé de buste *p. 102*
10/15/20

Relevé de bassin *p. 103*
10/15/20

Rel. de buste oblique *p. 104*
10/15/20

Récupération — Étirement des membres inférieurs (*voir page 49*).

Conseils nutritionnels

Préférez des aliments alcalins à faible indice glycémique (*voir pages 34-35*).

Petit déjeuner

Prenez un petit déjeuner composé d'aliments à faible ou moyen indice glycémique pour avoir assez d'énergie et tenir jusqu'au déjeuner. Essayez par exemple du müesli sans blé (*voir page 36*) ou du pain complet grillé.

Buvez beaucoup

N'oubliez pas de vous hydrater, même sur les pistes. Quand il fait froid, l'eau n'est peut-être pas le breuvage le plus réconfortant, mais il est primordial d'en absorber une grande quantité.

◀ En forme pour la glisse !

Pratiquez ces exercices avant de partir afin d'être en pleine forme sur les pistes.

Circuit n° 2 — Durée totale : 55 min (5 min Échauffement + 40 min Exercices + 10 min Récupération)

Échauffement	5 min d'aérobic, en élevant graduellement la fréquence cardiaque.

Exercices	Les répétitions maximums (rm) ou répétitions pour chaque exercice sont indiquées par ordre de niveau : débutant/moyen/confirmé.

Aérobic *pp. 50-73*
20 min 70 % FCM
25 min 75 % FCM
30 min 75 % FCM

Relevé de buste *p. 102*
10/15/20

Extension du dos *p. 95*
10/15/20

Relevé de bassin *p. 103*
10/15/20

Développé-devant à la barre *p. 83*
15 rm (2 fois)/15 rm (3 fois)/ 15 rm (3 fois)

Tirage des dorsaux *p. 90*
15 rm (2 fois)/15 rm (3 fois)/ 15 rm (3 fois)

Élévations latérales *p. 86*
15 rm (2 fois)/15 rm (3 fois)/ 15 rm (3 fois)

Relevé de buste *p. 102*
10/15/20

Extension du dos *p. 95*
10/15/20

Relevé de bassin *p. 103*
10/15/20

Récupération	Étirement intégral (*voir page 48*).

Les programmes

« Agilité et puissance »

Deux facteurs conditionnent les performances et les risques de blessures : l'agilité, c'est-à-dire la capacité à se déplacer rapidement et lestement, et la puissance, autrement dit la force ou l'énergie avec laquelle on initie le mouvement. Tous les athlètes professionnels prennent le temps de développer ces compétences, car ils savent qu'au dernier moment, elles feront la différence.

Bénéfices

Puissance/raffermissement musculaire ✓✓

Perte de poids/amélioration de la capacité aérobique ✓

Augmentation de la souplesse ✓

Le pouvoir de l'agilité

La plupart des sports nécessitent un certain niveau de puissance, mais de nombreux sportifs amateurs ne travaillent pas suffisamment cet aspect, et donc ne progressent pas. Dans certaines disciplines, ce besoin de puissance est évident – un sprinter, par exemple, doit compter sur sa capacité énergétique pour franchir la ligne d'arrivée ; dans d'autres, comme le golf et le tennis, il l'est moins, mais par exemple, si le champion de golf, Tiger Woods, peut lancer la balle plus loin que quiconque, c'est justement grâce à la puissance de son swing. De même, en mettant toute leur énergie à servir, les joueurs de tennis arrivent à frapper la balle à une vitesse pouvant atteindre 225km/h.

L'échec ou la réussite de certaines personnes dans le domaine sportif relève souvent du degré de leur agilité. L'agilité est essentielle. On a beau ne pas être le plus rapide ni le plus doué, si on est agile, on possède un atout non

négligeable. L'agilité est primordiale en athlétisme, mais également au basket et au tennis. Grâce à son agilité, Michael Jordan a dominé sa discipline durant une décennie, et André Aggasi peut renvoyer un service ou rattraper une balle comme personne.

La puissance et l'agilité sont indissociables et si vous prenez la peine de les développer, vous constaterez une amélioration spectaculaire de vos performances.

Les détails du programme

Les cinq premiers exercices font travailler la vitesse et la puissance, et aident à produire des mouvements dynamiques. Quant aux deux derniers, ils ciblent la mobilité et l'agilité. On peut enchaîner tous les exercices, ou bien en sélectionner certains, selon ce que l'on souhaite renforcer. L'objectif est de vous démarquer grâce à votre puissance de jeu, que ce soit en équipe ou individuellement.

L'échauffement et la récupération

Avant de commencer quoi que ce soit, échauffez-vous pendant 8 à 12 minutes avec un exercice aérobic (*voir pages 50-73*). Il est primordial de s'échauffer correctement car tous ces exercices sont intenses et sollicitent énormément les muscles. Faites suivre cet échauffement par un étirement debout (*voir page 49*).

À la fin de votre séance, récupérez graduellement pendant 6 à 10 minutes, par un jogging modéré ou une marche rapide. Enfin, répétez l'étirement debout, en bloquant chaque mouvement pendant 20 à 30 secondes.

Mise en garde

Ces exercices sont de forte intensité. Afin de protéger les articulations, il faut les pratiquer sur une surface qui amortit les mouvements, comme une pelouse. Portez également des chaussures qui absorbent les chocs et soutiennent bien le pied.

Sauts...

en longueur

Pour les sports d'équipe, les sprints et l'athlétisme

◀ **Cet exercice renforce** la puissance des sprinters et améliore leurs foulées. Il s'agit de courir en exagérant les foulées. Disposez des repères (des volants de badminton feront l'affaire) au commencement et à la fin d'une distance déterminée. Courez en exagérant au maximum l'amplitude de votre foulée. Les meilleurs sprinters peuvent atteindre des sauts de presque 4 m (leur plus longue foulée en course étant de 2,5 à 3 m). Essayez de « flotter » dans l'air.

	Moyen	Confirmé
Distance	30-40 m	50-60 m
Nbre de longueurs	8-10	15-20
Pause entre les longueurs	30 s	30 s

en profondeur

Pour le tennis, l'athlétisme, le basket-ball et le volley-ball

▼ **Cet exercice renforce** la puissance et facilite les départs « explosifs » et les accélérations. Montez sur un step, une marche ou un banc d'une hauteur de 50 à 60 cm. Sautez du step et en prenant soin de vous réceptionner sur les deux pieds. Fléchissez les genoux pour aider à amortir les chocs, mais pas au-delà de 90°. Une fois réceptionné, rebondissez le plus haut possible et réceptionnez-vous de nouveau. Remontez sur le step et répétez l'exercice. Réduisez au minimum la durée de contact des pieds sur le sol.

	Moyen	Confirmé
Nbre de répétitions	15	25
Pause	90 s	60 s
Nbre de séries	5	8-10

en hauteur

Pour le basket-ball, l'athlétisme et le football

◀ **Cet exercice développe** la puissance des sauts et améliore les accélérations. Alignez plusieurs repères (des volants feront l'affaire) éloignés de 1 m les uns des autres. À mesure que vous progresserez, remplacez les volants par de petits obstacles. L'exercice consiste à sauter par-dessus chaque repère, en gardant les pieds joints et le dos bien droit. Quand vous sautez, contractez les abdominaux et ramenez les genoux près de la poitrine. L'objectif est de sauter le plus haut possible. Si jamais vous vous arrêtez durant le parcours, recommencez du début.

	Moyen	Confirmé
Nbre d'obstacles	6-8	8-10
Nbre de répétitions	5	6-8
Pause entre les séries	2 min	3 min
Nbre de séries	3	4

Les programmes

Lancer de ballon 1

Pour le tennis, le golf, le football et les sports de plein air

▲ **Cet exercice développe** la puissance du haut du corps. Vous aurez besoin d'un partenaire qui vous renvoie la balle ; éloignez-vous d'environ 1,5 m l'un de l'autre puis, au fur et à mesure, ciblez 2 à 3 m. Placez-vous debout, pieds parallèles, écartés largeur de bassin, ou pour plus d'équilibre, avancez légèrement un pied. Levez la balle en l'air et tenez-la derrière la tête, avec les coudes à peine fléchis. Il s'agit de faire une passe à votre partenaire, un peu à la manière d'un joueur de football. Tendez les bras en ramenant la balle par-dessus la tête, et lancez la balle avec autant de puissance que possible (les triceps seront très sollicités). Lâchez la balle une fois afin qu'elle se trouve juste devant votre tête.

	Moyen		Confirmé	
	Homme	Femme	Homme	Femme
Poids de la balle	4 kg	3 kg	6 kg	4 kg
Nbre de lancers	20	20	20	20
Pause entre les séries	60 s	60 s	30 s	30 s
Nbre de séries	4	4	6	6

Lancer de ballon 2

Pour le tennis, le golf et le rugby

▲ **Cet exercice développe** la puissance des mouvements rotatoires du haut du corps. Pour renvoyer la balle, vous aurez besoin d'un partenaire qui devra s'éloigner de 2 à 3 m. Placez-vous debout, pieds écartés un peu plus que la largeur des épaules, et tenez la balle à deux mains, devant vous. En gardant les bras tendus, faites pivoter la balle d'un côté jusqu'à ce qu'elle soit alignée avec votre épaule (un peu comme si vous vouliez faire un swing de golf). Ramenez alors la balle vers le centre et lancez-la, en diagonale, à votre partenaire. Utilisez le mouvement rotatoire pour donner un maximum de puissance à votre lancer. Répétez l'exercice de l'autre côté.

	Moyen		Confirmé	
	Homme	Femme	Homme	Femme
Poids de la balle	5 kg	4 kg	7,5 kg	5 kg
Nbre de lancers	20	20	20	20
Pause entre les séries	1 min	30 s	30 s	30 s
Nbre de séries	4	4	6	6

Horloge
Pour tous les sports d'équipe et de raquette

▲ **Cet exercice renforce** la mobilité multi-directionnelle et améliore les réflexes. Utilisez des repères, comme des volants, pour tracer une horloge imaginaire sur le sol, d'un rayon de 4 à 6 m. Marquez également le centre de l'horloge. Vous aurez besoin d'un partenaire qui vous donnera les instructions. Commencez au milieu de l'horloge, face à sa partie supérieure (d'ailleurs, vous devrez toujours regarder dans cette direction). Votre partenaire va crier des nombres entre 1 et 12, représentant les heures de l'horloge ; vous devrez alors courir vers ce nombre et revenir au point de départ le plus rapidement possible. Pour les numéros 10, 11, 12, 1 et 2, courez en avant ; pour les numéros 3, 4, 8 et 9, déplacez-vous de profil ; et pour les numéros 5, 6 et 7, courez en arrière. Vous aurez un gage de 10 pompes chaque fois que vous ne suivrez pas la règle ! Il est possible de modifier la circonférence de l'horloge pour l'adapter à vos besoins. Ainsi, celle d'un joueur de badminton sera inférieure à celle d'un tennisman ou d'un footballeur.

	Débutant	Moyen	Confirmé
Durée	45 s	60 s	60 s
Repos entre les séries	2 min	60 s	60 s
Répétitions	4	8	10-12

Mini-sprints
Pour tous les sports d'équipe et de raquette

▲ **Cet exercice renforce** l'agilité et la vitesse. Sur un parcours de 20 m, disposez 5 repères, comme des volants, éloignés chacun de 4 m. Il y a trois façons de faire cet exercice : 1. en courant toujours de face ; 2. en courant de face pour l'aller et en arrière pour le retour ; 3. en courant de profil. On peut également combiner les trois styles, en fonction du sport pour lequel on s'entraîne. Courez vers le premier repère, puis revenez à votre point de départ. Courez ensuite vers le deuxième repère et retournez encore au point de départ. Et ainsi de suite jusqu'à la fin. Quand vous aurez progressé, remplacez les repères par des ballons de rééducation. Il en faudra 5 de poids différents : 2 kg, 4 kg, 6 kg, 8 kg et 10 kg. Le cas échéant, des ballons de même poids feront l'affaire. Disposez le ballon le plus lourd près de vous et le plus léger au loin. Courez vers le premier ballon, ramassez-le et ramenez-le à votre point de départ. Faites de même avec tous les ballons. N'oubliez pas de courir et de pivoter aussi vite que possible entre les repères (ou ballons) afin de réellement renforcer votre agilité.

	Débutant	Moyen	Confirmé
Nbre de séries	4	6	8
Repos entre les séries	2 min	90 s	60 s

Isabelle

Fiche signalétique

Âge : **31 ans**

Profession : **pigiste pour un magazine**

Taille : **1,70 m**

Poids : **63 kg**

Pourcentage de graisse : **29 %**

Taille de vêtements : **40-42**

Objectif

« Ma décision de courir le marathon de Paris fut très rapide, d'autant plus qu'elle résultait d'un pari entre amis… Sur le moment, courir 42 km ne paraissait pas si compliqué. Seulement, j'ai dû vite admettre que mon dernier jogging remontait au collège, c'est-à-dire quinze ans auparavant ! J'avais donc besoin d'un sérieux entraînement. »

Le diagnostic

Isabelle avait décidé de courir un marathon, et cela représentait un sérieux défi. L'objectif était de renforcer ses jambes pour la préparer à l'entraînement intensif qui l'attendait et également pour minimiser les risques de blessures. Nous avons ensuite cherché à augmenter progressivement la durée de ses courses, pour la préparer à l'épreuve proprement dite. Isabelle a dû également quelque peu modifier ses habitudes alimentaires afin de nettoyer son organisme et augmenter son tonus.

L'indispensable récupération
Après la course, quelques étirements décontractent les tensions musculaires.

▶ Semaine 1

Pour commencer, j'ai dû faire des analyses de sang, d'urine et de salive qui ont permis de déterminer un programme d'élimination des toxines : pas de café ni d'alcool, ni de produits à base de blé, mais beaucoup de poisson, de fruits et de légumes. J'ai commencé directement sur le tapis de course. Nous avons attaqué le travail aérobic en salle ainsi que le renforcement des muscles et des articulations, que nous devions alterner avec les courses en plein air. Je me sens encore moins en forme qu'avant de commencer le programme ! J'ai des maux de tête intenables dûs au sevrage de la caféine, et je suis horrifiée à l'idée qu'il me reste tant à faire pour être prête à relever ce défi.

▶ Semaine 2

Mes muscles sont tout à coup durs comme de la pierre. J'ai vraiment peur de ressembler à un lanceur de poids russe. Je n'ai pas perdu un gramme, mais on m'a assuré que ça allait venir.

▶ Semaines 3 et 4

À chaque séance, l'entraînement s'intensifie, si bien que j'ai vraiment du mal à suivre le rythme. Pourtant, je me surprends

à attendre avec impatience mes prochaines séances. Je pense que c'est de pouvoir courir et de savoir qu'ensuite, je me sentirai bien. Je déborde d'énergie, je suis plus alerte et pourtant, je n'ai pas couru plus de 2 km. Je dois toutefois reconnaître que j'ai de grosses envies de mozzarella fondue, de chocolat et d'un bon petit verre de vin.

▶ Semaines 4 à 7

Pour la première fois, j'ai couru toute seule, ce que je n'avais jamais fait de ma vie. À la fin de la septième semaine, j'avais perdu environ 2 kg, je flottais dans mes vêtements, et les gens me complimentaient sur ma bonne mine. Maintenant, je peux courir pendant 1 h 30, ce qui représente un tiers de marathon. Ma fréquence cardiaque reste stable et basse. La course est devenue capitale dans ma vie – j'ai même acheté des chaussures spéciales.

▶ Semaines 8 à 16

Aujourd'hui, je peux courir deux heures, puis trois. Mais, quand les distances sont longues, j'ai mal aux genoux et j'ai l'impression que mes poumons vont exploser. À ce point de l'entraînement, je commence à me faire une idée des difficultés qui m'attendront le jour du marathon. Je me suis tellement investie dans cette préparation que j'espère que mon corps va résister à un effort aussi intense !

▼ ▶ Commencez par de courtes distances
Travaillez pour le grand jour en augmentant progressivement la distance des parcours.

« Je déborde d'énergie. La course a pris une importance capitale dans ma vie. »

Les résultats...

• Isabelle a couru le marathon de Paris en 4 h 44, ce qui représente un excellent temps pour une première participation.
• Après ce succès, elle peut suivre le programme d'entretien femme (*pages 160-163*) ou « Déjeuner » (*pages 126-127*).

Fiche signalétique

Poids : **57 kg**
soit une perte de 6 kg

Taille de vêtement : **38**
soit une perte d'une taille

Pourcentage de graisse : **24 %**
soit une perte de 5 %

Les programmes

« Premier marathon »

Terminer un marathon (42 km) ou même un semi-marathon (21 km) est non seulement un immense accomplissement personnel, mais aussi un effort physique particulièrement éprouvant. Il est donc primordial de suivre un bon programme de préparation qui va conditionner le corps à ce fantastique défi. Il faut compter au minimum quatre mois de préparation.

Bénéfices

Puissance/raffermissement musculaire ✓

Perte de poids/amélioration de la capacité aérobique ✓✓✓

Augmentation de la souplesse ✓

Comment se préparer ?

On ne peut décrire les sensations de joie, de fierté, de soulagement, d'épuisement et de douleurs qui surviennent à la fin d'un marathon. Après leur premier marathon, la plupart des participants attendent le prochain avec impatience.

Il ne faudrait pas terminer son premier marathon totalement épuisé : l'objectif est de franchir la ligne d'arrivée, et non de finir en marchant ou d'abandonner. Pour cela, il faut suivre un entraînement structuré et adapté, qui va conditionner l'organisme pour l'événement. L'erreur la plus fréquente est d'attendre le jour du marathon pour réellement courir sur une très longue distance. On se prépare souvent en courant régulièrement, mais pendant de brefs laps de temps. Même en prévoyant de longues courses une ou deux semaines avant le marathon, on ne permet pas à l'organisme d'acquérir toute l'endurance requise pour accomplir 42 km.

Les détails du programme

Ce programme vise à renforcer les muscles, l'endurance et la vitesse. On commence par courir sur de courtes distances qui, progressivement, augmenteront ; nous avons également inclus une phase de récupération, qui est trop souvent négligée.

L'entraînement pour un marathon est très difficile, et des risques de blessures sont à craindre. Le programme vous guide au jour le jour dans votre préparation pour le grand événement ; il dure quatre mois, et c'est vraiment le minimum requis pour un entraînement valable. À moins d'être en excellente forme, une durée plus courte ne causerait que des déconvenues.

◀ **L'endurance ne s'acquiert qu'avec un entraînement adéquat**
Ce programme renforce les jambes, et développe la capacité aérobic. Commencez par de courtes distances que vous augmenterez peu à peu.

Les recommandations indispensables

Le programme baisse d'intensité à l'approche du jour du marathon, mais veillez cependant à bien vous reposer durant toute la semaine qui précède.

La coutume veut que la veille de la course, on consomme surtout des pâtes.

• Il est, en effet, judicieux de se nourrir d'hydrates de carbones, puisqu'ils libèrent une énergie prolongée, mais préférez du riz complet, sauvage, des pâtes complètes ou sans blé, accompagnés d'une sauce légère, sans crème.

• Buvez beaucoup d'eau la veille ; ainsi, le matin, vous pourrez boire moins. En attendant le départ de la course, il est souvent un peu difficile de trouver des toilettes…

Le jour « J »

Après ce programme, votre organisme devrait être au mieux de sa forme. Voici quelques autres petits conseils.

• Prévoyez au moins 1 h 30 entre votre petit-déjeuner et le début de la course. Prenez un bol de müesli sans blé fait avec des flocons d'avoine, auxquels vous aurez ajouté des fruits à faible indice glycémique comme des pommes, poires, kiwis ou abricots, le tout accompagné de lait écrémé.

• Buvez un peu d'eau avant le départ, afin de partir bien hydraté, et n'oubliez pas de boire beaucoup durant la course. L'idéal serait de se désaltérer tous les 2 ou 3 km.

• Lors du départ, ne suivez pas la foule, car vous risquez de démarrer trop vite, de vous épuiser rapidement et de peiner pour terminer le marathon ; courez à votre propre rythme.

Après le marathon

Il va falloir renouveler l'énergie et minimiser les courbatures.

• Prenez une boisson énergétique et un en-cas à fort indice glycémique comme des bananes ou des fruits secs qui vous permettront de récupérer un peu de tonus.

• Étirez-vous intégralement dès l'arrêt de la course. Vous éviterez ainsi les courbatures éreintantes des jours suivants.

Recommandations nutritionnelles

Durant l'entraînement, suivez les recommandations générales (*voir pages 24-37*). Ce programme est physiquement très dur, aussi, il faut augmenter l'apport calorique, mais en privilégiant les aliments à faible indice glycémique, comme des fruits frais, des légumes, des haricots secs et des légumineuses (*voir pages 34-35*). Hydratez-vous correctement – buvez au minimum 2 litres d'eau par jour. Réduisez ou supprimez les boissons suivantes – trop déshydratantes :

● Thé
● Café
● Boissons sucrées (méfiez-vous des boissons dites « spécial sport »).
● Alcool (surtout dans le mois qui précède le marathon).

Augmentez votre consommation de fruits et de légumes, riches en vitamines A, C et E, car ils contiennent des antioxydants, qui diminuent la formation de toxines dans l'organisme. À privilégier :

● Fruits (fraises, cerises et poires, mais pas agrumes)
● Légumes colorés comme les poivrons, carottes et aubergines.
● Légumes verts, notamment les brocolis, courgettes et épinards.

Mangez des aliments riches en acides gras essentiels, efficaces pour protéger les articulations :

● Poissons gras, en particulier le thon, saumon, maquereau et bar.
● Graines de tournesol, de potiron, amandes et noix.

Mangez dans les 30 minutes qui suivent la fin de votre séance, en privilégiant des fruits à indice glycémique faible, comme les pommes et les poires.

Les programmes

Premier marathon

Commencez chaque séance par 5 min de cardio-training (voir pages 50-73) afin d'élever la fréquence cardiaque. À moins d'instructions spécifiques, terminez toujours par un étirement des membres inférieurs (*voir page 49*) ou intégral (*voir page 48*).

Jour	Exercice

1ère semaine

Jour	Exercice
1	Circuit n° 1, Semaine 3 du programme « jambes parfaites » (*voir page 143*) + 30 min d'aérobic à 65-70 % FCM
2	Repos
3	30 min d'aérobic à 70 % FCM
4	Repos
5	Circuit n° 1, Semaine 3 du programme « jambes parfaites » (*voir page 143*) + vélo ou cross-training (3 min à 75 % FCM, 2 min à 65 % FCM, (5 fois)
6	Repos
7	30 min de marche ou de course à 70-75 % FCM

2e semaine

Jour	Exercice
8	Repos
9	Circuit n° 1 du « spécial ski » (*voir page 170*) + étirement intégral (*voir page 48*)
10	Repos
11	30 min de vélo à 75-80 % FCM
12	Repos
13	Circuit n° 1 du « spécial ski » (*voir page 170*) + étirement intégral (*voir page 48*)
14	Repos

3e semaine

Jour	Exercice
15	45 min de course/marche rapide à 70 % FCM
16	Repos
17	Circuit n° 1 du "spécial ski" (voir page 170) + étirement intégral (voir page 48)
18	Repos
19	35 min d'aérobic à 75 % FCM (mais pas de course)
20	Repos
21	Circuit n° 1 du « spécial ski » (*voir page 170*) + étirement intégral (*voir page 48*)

4e semaine

Jour	Exercice
22	Repos
23	45 min de course/marche rapide à 70 % FCM
24	Repos
25	Circuit n° 1 du « spécial ski » (*voir page 170*) + étirement intégral (*voir page 48*)
26	Repos
27	Repos
28	60 min de course à 70 % FCM

5e semaine

Jour	Exercice
29	Repos
30	Circuit n° 1, Semaine 3 du programme « jambes parfaites » (*voir page 143*)
31	35 min de course/marche rapide à 75-80 % FCM
32	Repos
33	Circuit n° 1 du « spécial ski » (*voir page 170*) + étirement intégral (*voir page 48*)
34	Repos
35	60 min de course à 70 % FCM

6e semaine

Jour	Exercice
36	Repos
37	Repos
38	50 min d'aérobic à 70 % FCM (mais pas de course ni de marche)
39	Repos
40	Circuit n° 1 du « spécial ski » (*voir page 170*) + étirement intégral (*voir page 48*)
41	Repos
42	60 min de course ou marche rapide à 70 % FCM

7e semaine

Jour	Exercice
43	Repos
44	Repos
45	Circuit n° 1 du « spécial ski » (*voir page 170*) + étirement intégral (*voir page 48*)
46	Repos
47	45 min de course à 75 % FCM
48	Repos
49	Repos

8e semaine

Jour	Exercice
50	60 min de course à 70 % FCM
51	Repos
52	45 min d'aérobic à 75 % FCM (mais pas de course)
53	Repos
54	Circuit n° 1 du « spécial ski » (*voir page 170*) + étirement intégral (*voir page 48*)
55	Repos
56	30 min de course à 75 % FCM

9e semaine

Jour	Exercice
57	Repos
58	2 heures de course/marche rapide à 70-75 % FCM

Premier marathon

Après chaque longue course, prenez le temps d'effectuer un étirement intégral (*voir page 48*).

Jour	Exercice
59	Repos
60	Circuit n° 1 du « spécial ski » (*voir page 170*) + étirement intégral (*voir page 48*)
61	Repos
62	45 min d'aérobic à 75 % FCM (mais pas de course)
63	Repos

10e semaine

Jour	Exercice
64	Repos
65	2 heures de course/marche rapide à 75 % FCM
66	Repos
67	Circuit n° 1, Semaine 3 du programme « jambes parfaites » (*voir page 143*) + 30 min d'aérobic à 75-80 % FCM
68	Repos
69	45 min d'aérobic à 75 % FCM (mais pas de course)
70	Repos

11e semaine

Jour	Exercice
71	Repos
72	60 min de course à 70-75 % FCM
73	Repos
74	60 min d'aérobic à 70 % FCM (mais pas de course)
75	Repos
76	Aérobic (5 min à 85 % FCM, 3 min à 70 %, [3 fois])
77	Repos

12e semaine

Jour	Exercice
78	5 min de course, 2 min de marche pendant 25 km
79	Repos
80	Repos
81	Circuit n° 1 du « spécial ski » (*voir page 170*) + étirement intégral (*voir page 48*)
82	Repos
83	60 min de course à 70 % FCM
84	Repos

13e semaine

Jour	Exercice
85	30 min d'aérobic à 75-80 % FCM (mais pas de course)
86	Repos
87	Repos
88	2 heures de course à 70 % FCM
89	Repos
90	Repos
91	60 min de course à 75 % FCM

Jour	Exercice
14e semaine	
93	Repos
94	60 min d'aérobic à 70-75 % FCM (mais pas de course)
95	Repos
96	Circuit n° 1 du « spécial ski » (*voir page 170*) + étirement intégral (*voir page 48*)
97	Repos
98	Repos

15e semaine

Jour	Exercice
99	Repos
100	29 km de course à 70-75 % FCM
101	Repos
102	Repos
103	Repos
104	45 min d'aérobic à 75 % FCM (mais pas de course)
105	Repos

16e semaine jusqu'au jour de l'épreuve

Jour	Exercice
106	30 min de course à 75-80 % FCM
107	Repos
108	Circuit n° 1, Semaine 3 du programme « jambes parfaites » (*voir page 143*)
109	Repos
110	50 min de course à 75 % FCM
111	Repos
112	Repos
113	30 min de course à 75-80 % FCM
114	Repos
115	Repos
116	Circuit n° 1, Semaine 3 du programme « jambes parfaites » (*voir page 143*)
117	Repos
118	Repos
119	30 min de course à 75-80 % FCM
120	Repos
121	Repos
122	Jour du marathon

Les programmes

« Entretien du dos »

En Europe et aux États-Unis, un arrêt de travail sur trois est dû à des problèmes de dos. Nous passons beaucoup de temps assis à un bureau, devant un ordinateur, ce qui place le corps dans des positions peu naturelles, et toutes les tensions qui en résultent se portent sur le dos. Ce programme permet de renforcer les muscles, prévenant ainsi les problèmes éventuels.

Bénéfices

Puissance/raffermissement musculaire ✓✓

Perte de poids/amélioration de la capacité aérobique

Augmentation de la souplesse ✓

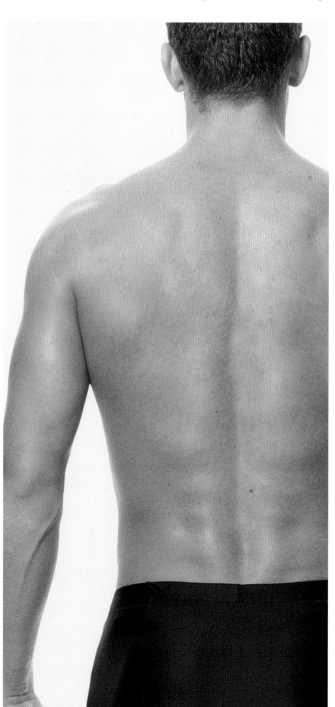

Les causes du mal de dos

Les maux de dos latents causent plus de tort que ceux résultant d'un mauvais mouvement. Par exemple, si on oublie de plier les genoux lorsque l'on soulève un objet lourd, le dos peut en pâtir : de nos jours, les maux de dos sont souvent le lot des gens sédentaires. De longues heures passées d'affilée derrière un bureau peuvent déséquilibrer le corps et provoquer des problèmes de dos chroniques. En position assise, les muscles du dos sont étirés et les épaules basculent en avant, tandis que les ischio-jambiers se rétractent et que les abdominaux s'affaiblissent. À long terme, ces déséquilibres musculaires peuvent entraîner un tassement de la colonne vertébrale, ce qui crée des faiblesses en certains points et donne des maux de dos.

Lors des exercices, une technique incorrecte peut aussi infliger trop de pression sur le dos et déclencher des douleurs. Chaque fois que vous vous entraînez, pensez à la position de votre dos et maintenez toujours une posture correcte.

Si vous souffrez actuellement du dos, consultez un médecin ou un kinésithérapeute avant de commencer ce programme.

Les détails du programme

Ce programme, d'une durée totale de 20 minutes, sollicite tous les muscles du dos. On peut l'effectuer seul, à raison de trois fois par semaine, ou bien l'associer à un autre circuit pour améliorer sa posture et renforcer ses muscles lombaires. Attention : pour les secondes séries des tirages à la poulie basse, écartés latéraux et tirages des dorsaux, allégez les charges car les muscles seront déjà épuisés par les premières.

◀ **Prenez de bonnes habitudes**
Essayez constamment de garder une posture correcte, car cela diminue les tensions inutiles sur le dos.

Circuit **Durée totale : 20 min (5 min Échauffement + 10 min Exercices + 5 min Récupération)**

Échauffement   5 min d'aérobic, en élevant graduellement la fréquence cardiaque.

Exercices   Les répétitions maximums (rm) ou répétitions pour chaque exercice sont indiquées par ordre de niveau : débutant/moyen/confirmé.

| Tirage des dorsaux
p. 90 **15/15/15 rm** | Écarté-latéral p. 90
15/15/15 rm | Tirage à la poulie basse
p. 94 **15/15/15 rm** | Élévation dorsale
p. 95 **15/20/25 rm** | Extension du dos
p. 95 **10/15/20 rm** |

Relevé de bassin
p. 103 **10/15/20**

Pont oblique p. 105
– /30/60 secs

Relevé de buste
oblique p. 104
14 chaque côté / – / –

Relevé de buste
p. 102 **10/15/20**
lentement

Extension du dos p. 95
10/15/20

Élévation dorsale
p. 95 **15/20/25**

Tirage à la poulie basse p. 94
15/15/15 rm

Écarté-latéral p. 90
15/15/15 rm

Tirage des dorsaux
p. 90 **15/15/15 rm**

Récupération   Étirement intégral (*voir page 48*).

Extension du dos

« Entraînement prénatal »

La condition physique et la santé d'une femme enceinte revêtent une importance capitale. Nous savons aujourd'hui que les femmes qui font du sport durant leur grossesse sont souvent mieux préparées pour la naissance – et récupèrent également plus rapidement. Il est néanmoins primordial de demander un avis médical avant de pratiquer ces exercices.

Bénéfices
Puissance/raffermissement musculaire ✓
Perte de poids/amélioration de la capacité aérobique ✓✓
Augmentation de la souplesse ✓

Les détails du programme

Ce programme vous permettra de conserver votre tonus durant toute la grossesse et limitera la prise de poids. Il aidera aussi à maintenir une posture solide et correcte tout en réduisant les troubles circulatoires et de rétention d'eau. Le programme comporte un circuit par trimestre. Il faut cibler deux à trois séances par semaine, sans dépasser cinq. Aux second et troisième trimestres, effectuez les exercices en position assise (à l'exception des extensions de fessiers)

pour éviter de faire fluctuer votre tension artérielle. Ne vous épuisez pas ; ne travaillez pas au-delà de 70 % de votre fréquence cardiaque maximum.

Lorsqu'on est enceinte, il est essentiel de rester à l'écoute de son corps. Dès le moindre signe suspect, arrêtez immédiatement tout exercice. L'utilisation de machines pour les flexions et les extensions de jambes est déconseillée car elles élèvent la tension artérielle, et réduisent alors le flux sanguin apporté au fœtus.

1er trimestre — Durée totale : 50 min (5 min Échauffement + 40 min Exercices + 5 min Récupération)

Échauffement	5 min d'aérobic, en élevant graduellement la fréquence cardiaque.

Aérobic	**Tous niveaux**
Vélo	5 min 70 % FCM
Marche	2 min 75 % FCM, 2 min 65 % FCM (3 fois)
Cross-training	10 min 70 % FCM
Rameur	250 m 70 % FCM

Exercices	**Moyen**	**Confirmé**
Développé-couché avec haltères *p. 83*	15 rm	15 rm
Extension des triceps *p. 101*	15 rm	15 rm
Demi-pompes *p. 85*	à 80 % de votre capacité et du nombre des répétitions	
Squat (sans haltères) *p. 108*	20	20
Marche fente avant (sans ballon) *p. 107*	20	20
Extension des fessiers, debout *p. 113*	25 chaque jambe	25 chaque jambe
Abduction de la hanche *p. 112*	25 chaque jambe	25 chaque jambe
Répétez ces 7 exercices		
Relevé de buste (pieds sur un banc) *p. 112*	30	30
Relevé de buste oblique *p. 104*	20 de chaque côté	20 de chaque côté
Extension du dos *p. 95*	15	15
Répétez ces 3 exercices	**2 fois**	**3 fois**

Récupération	Bref étirement debout (*voir page 49*).

Squat

Extension des triceps

Les programmes

2e trimestre

Durée totale : 60 min (10 min Échauffement + 45 min Exercices + 5 min Récupération)

Échauffement — 10 min d'aérobic, en élevant graduellement la fréquence cardiaque.

Aérobic	Tous niveaux
Vélo	5 min 65 % FCM
Marche	2 min 70 % FCM, 2 min 60 % FCM (4 à 5 fois)
Cross-training	2 min 70 % FCM, 1 min 60 % FCM (4 fois)

Exercices	Moyen	Confirmé
Squat (sans haltères) *p. 108*	20	20
Développé-couché avec haltères *p. 83*	20	20
Tirage des dorsaux (derrière la nuque) *p. 90*	15	15
Dos rond *p. 45*	15	15
Extension des fessiers, debout *p. 113*	20 chaque jambe	20 chaque jambe
Pause de 30 secondes		
Répétez ces 5 exercices	**3 fois**	**4 fois**
Flexion des biceps *p. 96*	20 rm	20 rm
Extension des triceps *p. 101*	20 rm	20 rm
Élévations latérales *p. 86*	15 rm	15 rm
Presse à épaules *p. 88*	15 rm	15 rm
Répétez ces 4 exercices	**2 fois**	**3 fois**

Récupération — Bref étirement debout (*voir page 49*).

Dos rond

3e trimestre

Durée totale : 60 min (10 min Échauffement + 40 min Exercices + 10 min Récupération)

Échauffement — 10 min d'aérobic, en élevant graduellement la fréquence cardiaque.

Aérobic	Tous niveaux
Marche	15 à 20 min 65 % FCM
Cross-training	10 à 12 min 65 % FCM

Exercices	Moyen/Confirmé
Développé-couché avec haltères *p. 83*	15 rm
Tirage des dorsaux *p. 90*	15 rm
Répétez ces 2 exercices	**3 fois**
Flexion de biceps *p. 96*	15 rm
Extension des triceps *p. 101*	15 rm
Répétez ces 2 exercices	**3 fois**
Squat (sans haltères) *p. 108*	Pause de 20 secondes toutes les 30 secondes
Dos rond *p. 45*	20 (bloquez chaque position pendant 5 secondes)
Répétez ces 2 exercices	**3 fois**
Élévations latérales *p. 86*	20 rm
Extension des fessiers, debout *p. 113*	20 chaque jambe
Répétez ces 2 exercices	**3 fois**

Récupération — Bref étirement debout (*voir page 49*).

Extension des fessiers, debout

Les programmes

« Entraînement postnatal »

Si vous vous étiez entraînée avant votre grossesse, vous serez probablement impatiente de reprendre l'entraînement. Il est toutefois conseillé de ne pas reprendre l'entraînement pendant les quatre premières semaines suivant l'accouchement. Attention : demandez toujours conseil à votre médecin avant de débuter un programme d'exercices.

Bénéfices

Puissance/raffermissement musculaire ✓

Perte de poids/amélioration de la capacité aérobique ✓✓

Augmentation de la souplesse ✓

Si vous n'avez pas subi de césarienne, vous pouvez commencer un programme de remise en forme modéré dès la cinquième semaine suivant l'accouchement. Entre la cinquième et la huitième semaine, vos articulations seront encore trop souples, en raison des effets de la relaxine (*voir page 40*). Lors de la neuvième semaine, vous pourrez accélérer un peu le rythme, mais dans la limite du raisonnable.

Le programme est divisé en deux phases : de la cinquième à la huitième semaine après l'accouchement et de la neuvième à la douzième. Chaque phase comprend deux circuits que vous devrez effectuer chacun deux fois par semaine, donc un total de quatre séances hebdomadaires. L'objectif est de vous permettre de renouer avec la mobilité et de vous remettre progressivement en forme. À la fin de la douzième semaine, vous n'aurez peut-être pas retrouvé votre silhouette, mais vous serez suffisamment d'attaque pour entreprendre un autre programme que vous choisirez en fonction de vos objectifs.

Ne faites aucun régime durant ce programme ; il faut surveiller la qualité de votre alimentation, pas son apport calorique. L'organisme a besoin de nombreux nutriments issus des produits laitiers, que ce soit pour allaiter votre bébé, ou apporter à votre organisme l'énergie dont il a besoin.

Sem. 5 à 8

Circuit n° 1. Durée totale : 45 min (5 min Échauffement + 30 min Exercices + 10 min Récupération)
Circuit n° 2. Durée totale : 60 min (5 min Échauffement + 45 min Exercices + 10 min Récupération)

Circuit n° 1

Échauffement	5 min d'aérobic, en élevant graduellement la fréquence cardiaque.		
	Tous niveaux		
Marche rapide	20-30 min 75 % FCM		
Exercices	**Débutant**	**Moyen**	**Confirmé**
Squat *p. 108*	20	25	30
Pompes ou demi-pompes *p. 85*	12-15	15-20	20-30
Fente avant *p. 106*	15 chaque jambe	20 chaque jambe	25 ch. jambe
Tirage vertical *p. 89*	15 rm	15 rm	15 rm
Ext. de jambes *p. 110*	12 rm	12 rm	12 rm
Presse à épaules *p. 88*	20 rm	20 rm	20 rm
Marche fente avant (sans haltères) *p. 107*	20	30	30
Repos	1 min	1 min	1 min
Répétez ces 7 exercices	**2 fois**	**3 fois**	**4 fois**
Récupération	Étirement intégral (*voir page 48*).		

Circuit n° 2

Échauffement	5 min d'aérobic, en élevant graduellement la fréquence cardiaque.		
	Tous niveaux		
Cross-training	1 min 80 % FCM, 1 min 70 % FCM (10 fois)		
Marche	1 min 80 % FCM, 1 min 70 % FCM (10 fois)		
Rameur	1 000 m 75-80 % FCM		
Exercices	**Débutant**	**Moyen**	**Confirmé**
Relevé de buste *p. 112*	25	40	50
Relevé de bassin *p. 103*	15	20	25
Extension du dos *p. 95*	12	15	20
Répétez ces 3 exercices	**3 fois**	**4 fois**	**5 fois**
Récupération	Étirement intégral (*voir page 48*).		

Sem. 9 à 12

Circuit n° 1. Durée totale : 70 min (5 min Échauffement + 55 min Exercices + 10 min Récupération)
Circuit n° 2. Durée totale : 70 min (5 min Échauffement + 55 min Exercices + 10 min Récupération)

Circuit n° 1

Échauffement 5 min d'aérobic, en élevant peu à peu la fréquence cardiaque.

	Tous niveaux		
Jogging ou Marche rapide	45 min 75-80 % FCM		
Exercices	**Débutant**	**Moyen**	**Confirmé**
Relevé de buste *p. 112*	30	50	60
Pont *p. 105*	20 s	45 s	60 s
Extension du dos *p. 95*	20	25	30
Repos	30 s	30 s	30 s
Répétez les 3 exercices ci-dessus	3 fois	4 fois	5 fois

Extension du dos

Récupération Étirement intégral (*voir page 48*).

Circuit n° 2

Échauffement 5 min d'aérobic, en élevant peu à peu la fréquence cardiaque.

	Tous niveaux		
Jogging ou Marche rapide	30 min 75-80 % FCM		
Exercices	**Débutant**	**Moyen**	**Confirmé**
Squat *p. 108*	20	25	30
Marche fente avant *p. 107*	20 chaque jambe	30 chaque jambe	30 chaque jambe
Flexion de jambes *p. 111*	15 rm	15 rm	15 rm
Steps *p. 109*	30 s	45 s	60 s
Pompes *p. 85*	12-15	15-20	20 ou +
Tirage des dorsaux *p. 90*	15	12	12
Élévations latérales *p. 86*	12	12	12
Presse à épaules *p. 88*	20 rm	20 rm	20 rm
Rameur	250 m	250 m	250 m
Repos	2 min	90 s	60 s
Répétez ces 9 exercices	2 fois	4 fois	4 fois
Vélo	6 min 75 % FCM	10 min 75 % FCM	12-15 min 75 % FCM
Relevé de buste *p. 112*	30	50	60
Pont *p. 105*	20 secs	45 secs	60 secs
Extension du dos *p. 95*	20	25	30
Repos	30 s	30 s	30 s

Tirage des dorsaux

Récupération Étirement intégral (*voir page 48*).

« Plein air »

Quand il fait beau dehors, pourquoi ne pas transformer un parc en salle de sport ? Ce programme propose un bon entraînement aérobic qui conditionne le cœur, ainsi qu'un renforcement musculaire. Il s'agit d'alterner de brefs épisodes d'aérobic et des séquences de musculation, de façon à maintenir une fréquence cardiaque à un niveau déterminé.

Bénéfices

Puissance/raffermissement musculaire ✓✓

Perte de poids/amélioration de la capacité aérobique ✓

Augmentation de la souplesse ✓

Les détails du programme

On effectue les exercices de musculation de ce programme selon le principe de l'action cardiaque périphérique (ACP) détaillé page 56. Cela consiste à enchaîner la musculation du haut du corps et celle du bas, dans le but de solliciter davantage le cœur.

Lorsque l'on travaille les jambes, le cœur doit leur fournir du sang ; si l'on fait suivre cet exercice d'un travail des pectoraux, le cœur doit immédiatement modifier la direction du flux sanguin. C'est ce changement de direction du flux sanguin qui renforce le cœur tout en raffermissant les muscles. Finalement, on effectue deux entraînements en un !

Mode d'emploi

Essayez de passer aussi rapidement que possible d'un exercice à l'autre, de façon à maintenir sans cesse une fréquence cardiaque élevée. Si vous utilisez un cardio-fréquencemètre, ciblez une fréquence entre 65 et 85 % de votre fréquence cardiaque maximum (FCM). Il y a quelques épisodes de course et de marche rapide auxquels les débutants doivent travailler à 75 % FCM, les sportifs moyens et confirmés, à 80 %.

Ce programme offre un entraînement d'une intensité élevée. Pratiqué trois fois par semaine, il renforcera votre résistance et brûlera les graisses. Les plus avancés d'entre vous voudront peut-être allonger la durée du circuit. Dans ce cas, répétez deux fois tout le programme.

Pour éviter tout risque de blessure, allez sur une pelouse ou une autre surface qui amortisse bien les chocs et minimise les tensions au niveau des articulations.

À noter : même s'il est conçu pour être pratiqué en plein air, ce programme peut naturellement être réalisé en salle.

▲ **Échappez-vous de la salle de sport** et, si le temps le permet, allez vous entraîner dans la nature.

Le circuit

Durée totale : 45-60 min (5 min Échauffement + 35-50 min Exercices + 5 min Récupération)

Échauffement   5 min d'aérobic, en élevant graduellement la fréquence cardiaque.

Exercices   Les répétitions maximums (rm) ou répétitions pour chaque exercice sont indiquées par ordre de niveau : débutant/moyen/confirmé.

Course p. 64-67. Marche p. 60-63 5 min 75 % FCM
7 min 80 % FCM/10 min 80 % FCM

Pompes p. 85
10/20/30

Fente avant p. 106
10/15/20 chaque jambe

Tractions p. 92
10/15/20

Steps p. 109
10/15/20 ch. jambe

Élévations latérales p. 86
15/20/25 rm

Course pp. 64-67.
Marche pp. 60-63
5/7/10 min

Flexion des biceps
p. 96 15/20/25 rm

Fente avant
dynamique p. 106
10/15/20 ch. jambe

Dips p. 98
10/20/25

Squat p. 108
15/20/25

Presse à épaules
p. 88 15/20/25

Course p. 64. Marche p. 60
5/7/10 min

Pompes p. 85
10/20/30

Fente avant p. 106
10/15/20 ch. jambe

Tractions p. 92
10/15/20

Steps p. 109
10/15/20 ch. jambe

Élévations latérales p. 86
15/20/25

Course p. 64. Marche p. 60
5 min 75 % FCM
7 min 80 % FCM
10 min 80 % FCM

Récupération   3 min d'aérobic, en diminuant graduellement la fréquence cardiaque.

Étirement   Étirement intégral (voir page 48).

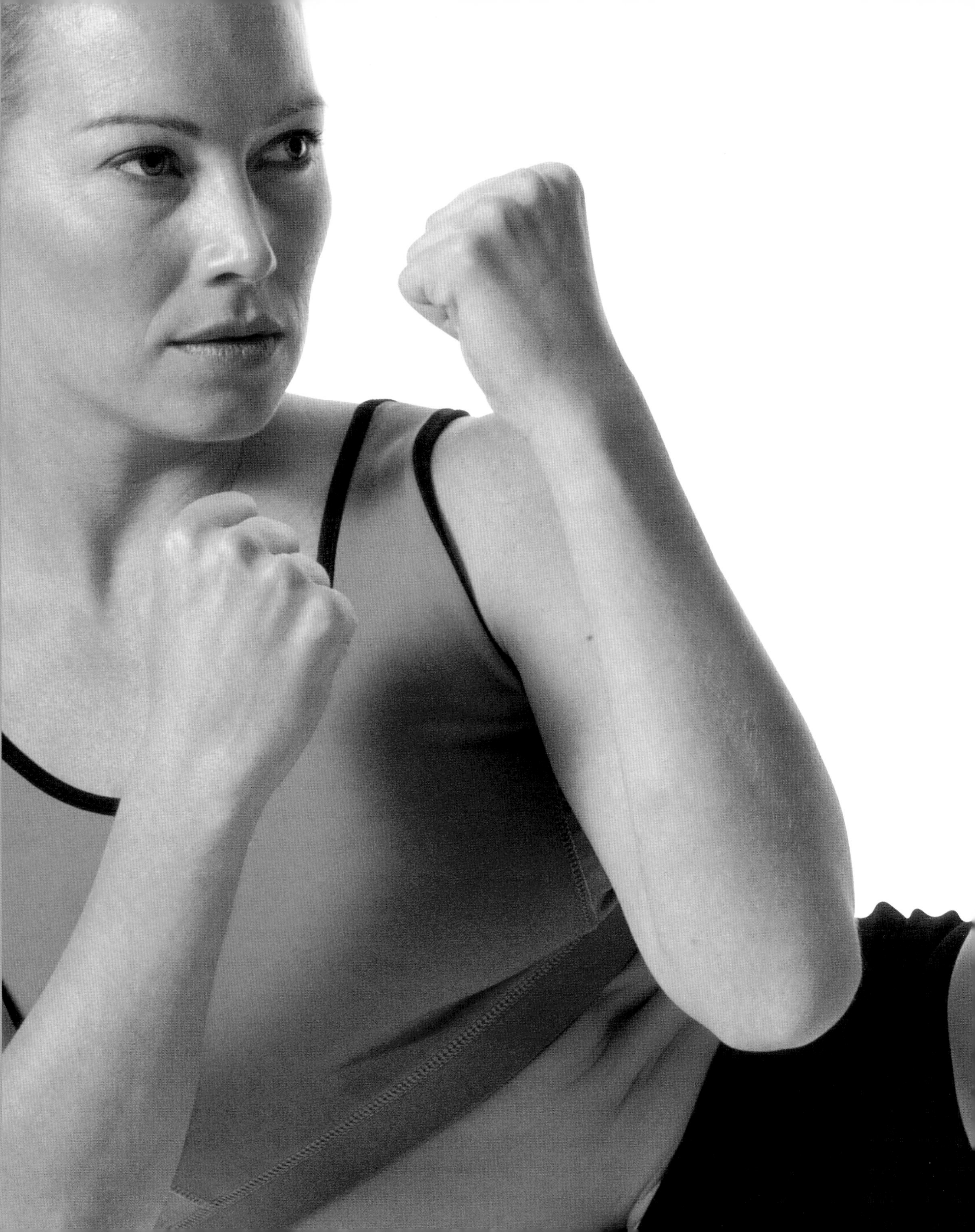

Les cours
en salle

Prendre des cours est un moyen excellent et très convivial de garder la forme. De plus, l'émulation permet de maintenir la motivation. Ce guide indique ce qu'on est en droit d'attendre d'un cours et évalue son efficacité à faire perdre du poids, renforcer la capacité aérobic, gagner du volume musculaire, améliorer la souplesse et raffermir les muscles. Le degré de coordination nécessaire est également pris en compte. L'efficacité des cours est notée comme ceci : correct ✓ bon ✓✓ excellent ✓✓✓.

L'aérobic

Même si l'aérobic reste une des techniques d'entraînement les plus populaires, il existe aujourd'hui une multitude de cours qui utilisent la musique pour motiver les participants et rendre la séance plus agréable. En voici une sélection.

Aérobic

Combustion graisses ✓✓   Renf. capacité aérobic ✓✓
Prise musculaire ✓   Amélioration souplesse ✓
Raffermissement musc. ✓ Coordination nécessaire ✓✓

L'aérobic est très efficace pour intensifier votre entraînement.

Organisation du cours. Après un échauffement, on atteint graduellement une certaine intensité que l'on maintient entre 20 et 40 minutes, selon le niveau du cours. Les mouvements sont de grande et de faible amplitude. On consacre les 5 à 10 dernières minutes à une récupération progressive. Le travail abdominal est souvent laissé pour la fin de la séance et devrait toujours être suivi par une série d'étirements.

Bénéfices. Ce cours améliore le système cardio-vasculaire, brûle les graisses, développe endurance et résistance musculaires dans tout le bas du corps. La coordination est nettement améliorée.
Vêtements. Short en coton ou dans un mélange coton/lycra, t-shirt, bustier ou gilet en coton. Les chaussures doivent bien absorber les chocs et protéger les chevilles.
Évaluation. Un bon professeur doit prendre en considération les risques de blessures potentiels et prodiguer des conseils généraux et personnalisés.

À savoir : la pratique intensive de ces cours peut entraîner des blessures au niveau des articulations et des muscles, un instructeur qualifié devra donc veiller à éviter ces problèmes.

Déconseillé à ceux et celles qui ont des problèmes de genoux (cartilage ou ligaments), de dos ou de tendon d'Achille. Les personnes souffrant d'ostéoporose doivent demander conseil à leur médecin.

Cycling

Combustion graisses ✓✓   Renf. capacité aérobic ✓✓✓
Prise musculaire ✓   Amélioration souplesse
Raffermissement musc. ✓ Coordination nécessaire ✓

Le cycling est une activité intense, pratiquée en salle, sur des vélos fixes.

Organisation du cours. Après avoir réglé les vélos, on fait un échauffement doux. Ensuite, l'instructeur entraîne les participants dans des simulations de montées, sprints, courses contre la montre ou groupées. Certains cours incluent également un travail du haut du corps et des abdominaux. Une séance dure entre 45 et 60 minutes, et englobe 5 à 50 élèves.
Bénéfices. Un cours de cycling permet un entraînement très intense du cœur et des poumons, ainsi qu'un renforcement musculaire des jambes. C'est une des meilleures activités pour perdre du poids.
Public. Pour ceux qui ont déjà un très bon niveau fitness et veulent encore progresser. Il faut aussi se sentir à l'aise sur un vélo. Public généralement mixte.
Vêtements. Choisissez une tenue aérée ou plusieurs vêtements superposés que vous pourrez facilement retirer. Un cuissard de cyclisme est recommandé. N'oubliez pas de boire beaucoup d'eau.
Évaluation. Au début du cours, un bon professeur devrait s'assurer qu'aucun participant n'a de contre-indication et que les vélos sont tous bien réglés.
Déconseillé à tous ceux qui manquent d'entraînement ou sont en condition physique moyenne.

« Low impact »

Combustion graisses ✓✓ Renf. capacité aérobic ✓✓

Prise musculaire   Amélioration souplesse ✓

Raffermissement musc.   Coordination nécessaire ✓

Variante de l'aérobic.

Organisation du cours. Après un
échauffement, on atteint graduellement une
certaine intensité à laquelle on travaille de
20 à 40 minutes, selon le niveau du cours.
L'objectif principal est d'élever la fréquence
cardiaque et de travailler sans avoir recours à
des mouvements trop agressifs. On consacre
les 5 à 10 dernières minutes à une
récupération progressive. Le travail
abdominal est souvent laissé pour la fin et
devrait toujours être suivi d'étirements.
Bénéfices. Identiques à ceux de l'aérobic,
avec moins d'impact sur les articulations.
Vêtements. Comme pour l'aérobic.
Évaluation. Comme pour l'aérobic.
Déconseillé à à tous ceux qui ont
des problèmes de genoux (cartilage
ou ligaments).

Modern jazz

Combustion graisses ✓   Renf. capacité aérobic ✓

Prise musculaire   Amélioration souplesse ✓

Raffermissement musc. ✓ Coordination nécessaire ✓✓

Chorégraphie et aérobic.

Organisation du cours. On commence
par s'échauffer et s'étirer en musique, par
de simples pas, puis on passe au cours
proprement dit. Ce dernier consiste en
une série de pas de danse, appris un par
un, puis assemblés pour former un long
enchaînement. À l'issue de l'enchaînement,
on récupère avec des mouvements plus
lents et on termine par des étirements.
Bénéfices. Même si au début, lors de
l'assimilation des pas, cet exercice paraît
lent, il s'agit d'une bonne activité de
cardio-training. La concentration nécessaire
à l'apprentissage des enchaînements peut
plaire à ceux qui s'ennuient dans les cours
plus académiques. Le modern jazz n'a pas
de réel impact sur le haut du corps et
seulement un léger sur le bas. Il vaut mieux
considérer cette activité comme un « plus »
dans un programme général.
Public. Tous ceux qui aiment danser
et possèdent une bonne coordination.
Vêtements. À la convenance de chacun :
vêtements de danse, t-shirts amples…
Évaluation. Un bon professeur doit être
capable de maintenir une certaine
homogénéité dans son cours, mais aussi
de prendre en compte les différents niveaux
de chacun des participants.

Salsa

Combustion graisses ✓   Renf. capacité aérobic ✓

Prise musculaire   Amélioration souplesse ✓

Raffermissement musc.   Coordination nécessaire ✓✓

Combinaison de danse et d'exercices
physiques.

Organisation du cours. La salsa implique
beaucoup de danse et nécessite une bonne
coordination. L'échauffement est constitué
de mouvements d'aérobic, de pas de salsa,
puis d'un bref étirement. Le cours en
lui-même consiste à enchaîner
progressivement de nouveaux pas de salsa
jusqu'à constituer une longue séquence.
Cette partie dure entre 20 et 30 minutes,
et sa difficulté varie en fonction du niveau
du groupe. Un bref étirement clôt la séance.
Bénéfices. Pour les amateurs de danse,
c'est un bon moyen de solliciter le système
cardio-vasculaire. Les séances ne sont
jamais très intenses, mais une pratique
régulière les rend efficaces.
Public. Surtout féminin, de tous âges.

Step

Combustion graisses ✓✓ Renf. capacité aérobic ✓✓

Prise musculaire ✓   Amélioration souplesse ✓

Raffermissement musc. ✓ Coordination nécessaire ✓✓

Enchaînement chorégraphié qui mêle
« pump et step », « jazz et step » ou
« step et raffermissement musculaire ».

Organisation du cours. Le cours doit
toujours débuter par un échauffement
au sol qui n'implique pas immédiatement
d'actions intenses ni de montées ou de
descentes de steps. Cet échauffement
est suivi d'un premier étirement.
Bénéfices. Ce cours améliore la capacité
cardio-vasculaire, brûle les graisses,
développe l'endurance musculaire
et la résistance du bas du corps. La
coordination est également renforcée.
Public. Le step est une activité assez
intense, déconseillée aux débutants.
Public majoritairement féminin.
Vêtements. Portez des vêtements aérés ;
short en coton ou coton/lycra, t-shirt,
bustier ou gilet en coton. Les chaussures
doivent bien absorber les chocs et protéger
les chevilles.
Évaluation. Un bon professeur doit prendre
en considération les risques de blessures
potentielles et prodiguer des conseils
à la fois généraux et personnalisés.

Stomp

Combustion graisses ✓✓ Renf. capacité aérobic ✓✓✓

Prise musculaire   Amélioration souplesse ✓

Raffermissement musc. ✓ Coordination nécessaire

Comme le cycling, le stomp nécessite
une machine, en l'occurrence,
un Stairmaster (ou « step »).

Organisation du cours. L'échauffement
débute une fois que tous les participants

se sont correctement installés sur leur machine. Il s'agit d'un cours de step à faible intensité, qui se termine par un bref étirement.

Bénéfices. Le plus gros avantage est la motivation que ce cours suscite. Même s'il y a quelques mouvements de bras, on ne peut pas vraiment parler de raffermissement musculaire du haut du corps.

Public. Le stomp est une activité assez intense, déconseillée aux débutants. Le public est généralement mixte.

Vêtements de sport superposés que l'on peut facilement retirer.

Évaluation. De la personnalité et beaucoup de créativité sont indispensables.

Tae bo

Combustion graisses ✓✓	Renf. capacité aérobic ✓✓
Prise musculaire ✓	Amélioration souplesse ✓
Raffermissement musc. ✓✓	Coordination nécessaire ✓✓

Le tae bo est une invention de Billy Blanks, et associe arts martiaux et pas d'aérobic.

Organisation du cours. Il s'agit d'un cours de culture physique normal que l'on pratique sur de la musique. On commence par s'échauffer avec des pas de danse funk, des frappers de jambes et de bras de faible amplitude. Le cours lui-même est composé de différents types de kicks (frappers de jambes), mouvements de boxe et de tae kwon do, que l'on enchaîne par séquences. Il s'agit alors d'alterner ces rapides mouvements d'arts martiaux avec des pas de danse moderne, très intenses. Après la récupération, on clôt la séance par quelques exercices de renforcement abdominal.

Bénéfices. Ce cours offre une séance d'aérobic, efficace et de forte intensité. Très motivant, le tae bo permet de brûler les graisses, mais a une efficacité limitée sur le raffermissement musculaire.

Public. En théorie mixte, mais avec un peu plus de femmes. Certains mouvements demandent une bonne coordination.

Vêtements de sport et bonnes chaussures car de nombreux mouvements nécessitent une bonne stabilité au niveau des chevilles.

Raffermissement

L'objectif de ces cours est de raffermir, renforcer ou dessiner certains groupes musculaires. À inclure dans un programme général qui sollicite le système cardio-vasculaire, même si, pratiqués seuls, ils donnent de bons résultats sur les zones à problèmes.

Abdo-fessiers

Combustion graisses	Renf. capacité aérobic
Prise musculaire ✓	Amélioration souplesse ✓
Raff. musc. ✓✓✓	Coordination nécessaire

Les cours d'abdo-fessiers sont systématiquement proposés dans les salles de sport. Il s'agit de travailler les fessiers et la sangle abdominale.

Organisation du cours. Le cours débute généralement par un échauffement de type aérobic, suivi d'un bref étirement des zones ciblées. L'organisation du cours varie selon l'instructeur. Toutefois, la plupart des cours commencent par des exercices dynamiques à faire debout, comme les fentes avant et les squats. On se contente du poids du corps, mais certains cours avancés ajoutent parfois des haltères ou des barres pour intensifier l'exercice. Puis on passe au sol pour des exercices d'abdominaux et de fessiers. On enchaîne alors tous les exercices assez rapidement, ce qui épuise vite les muscles. Une fois l'entraînement terminé, on allonge les muscles sollicités par une longue série d'étirements.

Bénéfices. Si l'enseignement est correct, ces cours sont parfaits pour entretenir la structure musculaire, et raffermir et sculpter ces zones du corps.

À noter : il est important de comprendre que ces cours, à eux seuls, ne peuvent transformer radicalement la forme des fessiers ou des abdominaux, et qu'un entraînement aérobic en parallèle est indispensable. On ne peut obtenir de réel résultat qu'en associant élimination des graisses et raffermissement musculaire. Mais si vous incluez ce cours dans un programme qui contient beaucoup de cardio-training, vous améliorerez nettement vos chances de réussite. Prenez toutefois garde à ne pas trop abuser de ces cours, ils pourraient avoir un effet inverse de celui désiré (faire gonfler les fessiers, par exemple).

Vêtements. Vêtements de sport confortables, par exemple un short, un caleçon et un t-shirt.

Évaluation. Le professeur doit enchaîner rapidement les exercices, en alternant les groupes musculaires sollicités, afin de ne pas en épuiser un avant les autres.

Public. Majoritairement féminin, de tous âges et de toute condition physique.

Abdominaux

Combustion graisses	Renf. capacité aérobic
Prise musculaire ✓	Amélioration souplesse ✓
Raffermissement musc. ✓✓	Coordination nécessaire

Il s'agit d'un cours pratiqué sur un bref laps de temps. Il cible la sangle abdominale et convient parfaitement aux personnes qui souhaitent renforcer leurs abdominaux, dans le cadre d'un programme déjà défini.

Organisation du cours. Un cours dure généralement entre 30 et 40 minutes. L'organisation est variable, mais comprend toujours un échauffement aérobic, qui va préparer l'organisme à la sollicitation musculaire qui suit. On passe ensuite à des exercices abdominaux de relativement faible intensité. Puis on poursuit en augmentant leur intensité et en incluant des exercices d'isolation (concentration unique sur les abdos) et composés (sollicitation de plusieurs groupes musculaires en plus de la sangle abdominale). Ainsi, on sollicite la région abdominale par des cycles modérés et intensifs. Le cours affine également le buste en faisant travailler les groupes musculaires alentours, notamment les obliques (sur les côtés) et les lombaires, ce qui permet aux abdominaux de se reposer, récupérer et repartir à forte intensité.

La séance s'achève par un étirement du dos, des abdominaux et des autres muscles éventuellement sollicités.

Bénéfices. Le renforcement de la sangle abdominale tient une place prépondérante dans tout entraînement sérieux. Il faut savoir que ce cours, s'il ne fait pas partie d'un programme, n'est pas très efficace. En effet, pour effectivement raffermir les abdominaux et perdre du poids autour de la ceinture, il faut combiner le travail abdominal à un programme de cardio-training. Ce cours permet aussi de renforcer le buste, ce qui améliore vos performances quelle que soit l'activité pratiquée. C'est effectivement le buste qui fournit stabilité et équilibre.

Vêtements. Mieux vaut porter des vêtements confortables, superposés, par exemple short, caleçon et t-shirt, que vous retirerez ou rajouterez pour maintenir votre corps à une bonne température.

Évaluation. Deux faits sont à vérifier. D'abord, le professeur doit concevoir son cours en alternant les exercices intensifs et les récupérations. Ensuite, durant les 8 à 10 dernières minutes, la séance doit progressivement devenir plus facile afin que, même fatigué, vous puissiez travailler jusqu'au bout toutes les fibres musculaires.

Déconseillé aux femmes enceintes à partir du second trimestre de leur grossesse, et à toutes les personnes souffrant de maux chroniques au dos, à la nuque ou aux épaules.

« Callanetics »

Combustion graisses	Renf. capacité aérobic
Prise musculaire	Amélioration souplesse ✓
Raffermissement musc. ✓✓	Coordination nécessaire

Il s'agit d'un exercice très populaire outre-Atlantique, inventé par une Américaine, Callan Pinckney, pour résoudre ses propres problèmes de dos et de genoux. Son objectif était de concevoir un exercice de raffermissement et renforcement musculaire, sans traumatismes pour les articulations.

Organisation du cours. Le cours débute par des mouvements fluides, de grande amplitude, pour échauffer les muscles et les préparer au travail qui suit. Cette phase de la séance n'est pas très fatigante, mais reste efficace.

Après cet échauffement, on passe à des petits mouvements répétitifs, qui ciblent différents groupes musculaires bien déterminés.

L'originalité des callanetics est de travailler avec une très faible amplitude de mouvement, et avec de longues séries (jusqu'à 100 répétitions).

Les cours en salle

Les petits mouvements déclenchent une forte accumulation d'acide lactique dans les muscles, entraînant alors une sensation de brûlure. Progressivement, on travaille ainsi les différentes zones ciblées.

La séance s'achève par une série d'étirements pour décontracter et bien relâcher tous les muscles sollicités.

Bénéfices. Les callanétics ont un effet raffermissant sur les muscles qui n'ont pas été sollicités depuis longtemps mais, à cause de la faible amplitude de mouvement des exercices, on ne peut espérer de résultat spectaculaire. La sensation de brûlure – et de fatigue – qui suit la formation d'acide lactique peut laisser penser que les muscles ont été énergiquement sollicités. Or, ce n'est qu'un effet psychologique car, en fait, les résultats physiques sont moindres.

Public. Ce cours est généralement suivi par des débutants ou des personnes qui reprennent le sport après un long arrêt.

Vêtements. Une tenue de sport confortable, par exemple un caleçon et un t-shirt.

« Lower body toning »

Combustion graisses	Renf. capacité aérobic
Prise musculaire ✓	Amélioration souplesse ✓
Raffermissement musc. ✓✓	Coordination nécessaire

Cette série d'exercices vise à raffermir et à renforcer les muscles des jambes et des fessiers.

Organisation du cours. L'organisation du cours est relativement standardisée, même s'il peut y avoir quelques variations, selon les préférences de l'instructeur. On débute par 5 à 10 minutes d'échauffement du bas du corps, en pratiquant des mouvements de marche et d'aérobic chorégraphiés qui sollicitent les muscles principaux.

Cet échauffement est conçu dans le but d'augmenter le flux sanguin vers les muscles et les conditionner au travail qui les attend. Il est suivi de rapides étirements, debout.

Le cours lui-même est constitué d'exercices à faire debout et au sol. On commence par ceux qui se pratiquent debout : les squats, les fentes avant, et par quelques variations comme des steps sur un banc et des squats latéraux, tous enchaînés rapidement, pour solliciter les muscles dans différentes positions et les faire davantage travailler en alternant pauses et mouvements. Ces enchaînements peuvent être intenses et vous sentirez certainement vos muscles « brûler » car vous devrez constamment soulever votre propre poids. Parce qu'ils sollicitent tant de muscles à chaque mouvement, ces exercices comptent parmi les plus complets.

Viennent ensuite les exercices au sol, qui concentrent le travail sur les adducteurs (intérieur des cuisses), abducteurs (extérieur des cuisses) et fessiers.

Ajoutons que certains petits mouvements sollicitent également d'autres muscles secondaires et bien spécifiques.

Si elle est enseignée correctement, cette phase, très intense, doit être rapidement enchaînée, de sorte que les exercices difficiles soient suivis de pauses pour pouvoir ensuite être répétés.

Le cours lui-même peut durer entre 15 et 40 minutes, selon l'instructeur et le niveau du groupe.

Une fois le travail musculaire achevé, on effectue une longue série d'étirements pour relâcher toutes les tensions accumulées au cours de ces exercices, somme toute relativement éprouvants.

Bénéfices. Ce cours est conçu pour raffermir chaque muscle du bas du corps, et qui peut être très efficace si l'instructeur est qualifié.

Le seul risque serait d'abuser de ces cours dans le but de ne travailler qu'une certaine partie du corps.

En effet, on risque alors de surdévelopper ces muscles, sans pour autant perdre de poids là où on devrait. Et dans ce cas, les problèmes peuvent s'accentuer ; on obtient finalement l'opposé de ce que l'on souhaitait.

Public. Ce cours convient à tout le monde, même s'il est suivi en majorité par des femmes.

Vêtements. Au choix : un t-shirt ample et un caleçon long, ou encore une tenue en lycra.

Évaluation. Un bon professeur saura motiver le groupe et enchaîner rapidement les exercices pour éviter qu'on ne s'ennuie. Ces cours peuvent être monotones, voire lassants si l'instructeur ne montre aucune créativité pour maintenir l'intérêt des élèves.

« Pump »

Combustion graisses ✓	Renf. capacité aérobic
Prise musculaire ✓✓	Amélioration souplesse ✓
Raff. musc. ✓✓✓	Coordination nécessaire

Le « pump » est un cours originaire de Nouvelle-Zélande, et conçu par une légende du fitness, Les Mills. L'objectif est d'associer des mouvements d'aérobic à une activité de musculation.

Organisation du cours. Ce cours a pour objectif de raffermir les muscles aussi efficacement qu'une séance de musculation. Pour cela, on utilise le poids du corps et une barre afin d'augmenter l'intensité des exercices.

Après un échauffement, on s'étire, puis on commence le programme proprement dit. On enchaîne rapidement les exercices de musculation contrôlés, en ne cessant de changer les groupes musculaires sollicités. Cela permet de travailler un certain groupe musculaire, puis de le laisser reposer pendant qu'on en sollicite un autre. Les exercices utilisés sont très variés : squats, presse à épaules, flexions de biceps, fentes avant et presse sur banc. Même si on peut augmenter les charges soulevées, ce cours raffermit plus qu'il ne fait prendre de volume puisque les répétitions des exercices sont nombreuses. Une fois le travail musculaire accompli, on récupère et on s'étire.

Bénéfices. Si l'instructeur est qualifié, ce cours offre une bonne alternative à la musculation individuelle en salle. L'utilisation d'haltères et de barres raffermit considérablement les muscles du haut du corps et sculpte harmonieusement les bras et les épaules. Ce programme n'est peut-être pas aussi efficace qu'un circuit aérobic, mais il renforce quand même le cœur et élève la fréquence cardiaque grâce au surplus de sang qui doit être apporté aux muscles.

Public. L'avantage de ce cours est de convenir aussi bien aux femmes qu'aux hommes. Aucune coordination spéciale n'étant nécessaire, il est ouvert à tous.

Vêtements. Une tenue de sport et une bonne paire de chaussures de cross-training.

Évaluation. Ce cours peut s'avérer difficile à enseigner car les exercices sont plutôt statiques et n'impliquent que peu de mouvements. Il faut donc s'automotiver. Un bon professeur devra veiller à maintenir la motivation et l'intérêt des participants.

On peut adapter ce cours pour qu'il convienne à tout le monde. Toutefois, en cas de problèmes d'articulations, ou lors d'une grossesse, préférez les variantes de certains exercices (quand il y en a).

Par ailleurs, les personnes souffrant d'hypertension doivent impérativement demander un avis à leur médecin avant de débuter tout programme. Et même s'ils reçoivent un avis favorable, il convient d'informer l'instructeur de leur problème.

Aérobic et musculation

Ces cours, qui combinent aérobic et musculation intégrale, sont parmi les plus populaires. Ils sont notamment plébiscités par ceux et celles qui ne disposent que de peu de temps ou souhaitent solliciter l'intégralité de leur corps en même temps.

Aqua-gym

Combustion graisses ✓	Renf. capacité aérobic ✓
Prise musculaire ✓	Amélioration souplesse ✓
Raffermissement musc. ✓✓	Coordination nécessaire ✓

C'est la résistance de l'eau qui donne aux mouvements leur efficacité.

Organisation du cours. Bien que le cours se déroule dans l'eau, il s'agit en fait d'une séance d'aérobic basique. Après un échauffement, on passe à l'aérobic qui inclut de la course, des sauts, ainsi que des mouvements dynamiques contre la résistance de l'eau afin d'élever la fréquence cardiaque. Pour augmenter l'intensité, on peut utiliser des planches ou des gants de flottaison, ou encore des rames. Vient ensuite la phase de raffermissement qui est incroyablement efficace car l'eau ajoute de la résistance dans toutes les directions ; d'ailleurs, de nombreux exercices sollicitent deux groupes musculaires dans un même mouvement. Le cours se termine par un bref étirement. Il faut savoir que les étirements dans l'eau ne sont pas très efficaces car le corps se refroidit vite.

Bénéfices. Ce cours raffermit les muscles, mais ne vous laisse pas en nage, grâce à l'effet rafraîchissant de l'eau. On peut avoir l'impression de ne pas travailler

intensément, ce qui est faux. De plus, comme on est plus léger dans l'eau, il y a moins de pression sur les articulations, ce qui rend le cours très accessible. Tous ces facteurs en font un excellent exercice pour les femmes enceintes, même durant le dernier trimestre de leur grossesse.

Vêtements. Votre maillot de bain habituel, mais les petits bikinis sont déconseillés…

Évaluation. Le cours doit être dirigé depuis le bord de la piscine, car si le professeur est dans l'eau, on ne pourra pas voir ses mouvements. Pour garder le groupe motivé, l'instructeur doit impérativement veiller à la rapidité des enchaînements.

Camp d'entraînement

Combustion graisses ✓✓   Renf. capacité aérobic ✓✓

Prise musculaire ✓✓   Amélioration souplesse ✓

Raff. musc. ✓✓✓   Coordination nécessaire ✓

Ce programme imite réellement les manœuvres des soldats dans les camps d'entraînement.

Organisation du cours. On cible des exercices basiques, comme des squats, sauts, sprints et relevés de buste. Le cours débute par un échauffement suivi d'un étirement debout. Le reste est un circuit qui vous demande d'effectuer un certain nombre de répétitions (ou une durée précise) de séries d'exercices. Un cours peut durer de 45 minutes à 2 heures, avec jusqu'à quatre instructeurs différents à la fois. Et juste avant de vous écrouler de fatigue, on fait une série d'étirements, qui clôt la séance.

Bénéfices. Ce cours sollicite le cœur, les poumons et les muscles, et ce, de façon intensive. En terme de résultats, c'est excellent pour renforcer son système cardio-vasculaire, raffermir ses muscles et rester motivé, mais il faut aimer la méthode militaire ! Sinon, c'est un peu extrême… Avant tout, il est essentiel de se sentir à l'aise dans les exercices que l'on vous demande. De plus, pour vous obliger à vous dépasser, les instructeurs peuvent parfois vous entraîner à faire des mouvements potentiellement dangereux.

Public. Les participants sont généralement en pleine forme et cherchent à dépasser leurs limites. Le cours est mixte, et la moyenne d'âge varie entre 25 et 40 ans pour les hommes et 20 et 35 pour les femmes.

Vêtements de sport.

Évaluation. Un bon professeur va diriger le cours dans des limites raisonnables.

À déconseiller aux femmes enceintes, et aux personnes souffrant d'hypertension ou avec une condition physique médiocre.

« Cardio-pump »

Combustion graisses ✓✓   Renf. capacité aérobic ✓✓

Prise musculaire ✓   Amélioration souplesse ✓

Raffermissement musc. ✓✓   Coordination nécessaire ✓

Cette activité, également appelée « aéro-pump » et « Tonerobics » (entre autres), est une combinaison d'aérobic traditionnel et de musculation.

Organisation du cours. La structure du cours peut varier, mais les règles de base ne changent pas. On débute par un échauffement chorégraphié d'une durée de 5 à 10 minutes. Le cours associe exercices de musculation et d'aérobic. Le plus souvent, on alterne élévation de la fréquence cardiaque et travail musculaire. Il est toutefois possible de séparer séance d'aérobic et séance de raffermissement musculaire. Dans les deux cas, on utilise le poids du corps, des haltères, et des élastiques pour la phase de musculation.

Le cours se termine par un étirement intégral pour allonger les muscles sollicités.

Bénéfices. Bien dirigé, cet excellent cours rassemble en une séance les avantages du cross-training : renforcement cardio-vasculaire et musculaire, élimination des graisses et amélioration de la souplesse. Ce cours est également très motivant, surtout s'il est pratiqué en fractionné, c'est-à-dire

en alternant tout le long exercices d'aérobic et de musculation. L'avantage du cours est de solliciter l'intégralité du corps, et non simplement une région particulière. Ce détail est important lorsqu'on veut éviter de développer une certaine zone au détriment des autres.

Public varié, mais attention à bien choisir le niveau du cours.

Vêtements aérés, car le cours fait beaucoup transpirer. Prenez des chaussures de cross-training avec un très bon amorti.

Évaluation. Ce cours peut être difficile à diriger, mais un bon professeur doit pouvoir sans cesse contrôler les mouvements du groupe. Il doit se déplacer, encourager et corriger individuellement chaque participant, et non pas rester statique sur l'estrade.

Déconseillé aux femmes enceintes car la température corporelle tend à s'élever, et aux personnes ayant des problèmes de cheville ou d'articulation. En cas de doute, demandez l'avis de votre médecin.

Entraînement en circuit

Combustion graisses ✓   Renf. capacité aérobic ✓✓

Prise musculaire ✓   Amélioration souplesse ✓

Raffermissement musc. ✓✓   Coordination nécessaire

Ce cours est très motivant.

Organisation du cours. On débute par un échauffement aérobic. Le cours lui-même est constitué d'un circuit d'exercices sollicitant différents groupes musculaires. Les exercices sont pratiqués dans un laps de temps déterminé. Il est recommandé d'alterner travail du haut du corps et travail du bas du corps, afin de bien répartir les plages de repos. Notez que certains circuits peuvent cibler uniquement le haut ou le bas, ou comprendre essentiellement des exercices de musculation ou d'agilité.

Bénéfices. On fait souvent appel au travail en circuit car il peut s'adapter aux objectifs souhaités (raffermissement ou renforcement musculaire, cardio-training, souplesse).

Vêtements. Portez des vêtements aérés et des chaussures qui absorbent bien les chocs.

Évaluation. Un bon professeur doit être capable de motiver le groupe et l'aider à affronter les phases les plus longues ou les plus ardues du circuit. De plus, le circuit conçu doit répondre à vos objectifs et à vos besoins personnels.

Ce cours est accessible à tous, mais en cas de doute sur vos capacités d'endurance, demandez son avis à l'instructeur ou à votre médecin.

Step et « pump »

Combustion graisses ✓✓	Renf. capacité aérobic ✓✓
Prise musculaire ✓	Amélioration souplesse ✓
Raffermissement musc. ✓✓	Coordination nécessaire ✓

Il s'agit d'une combinaison de cours de step et de « pump » pour un raffermissement intégral.

Organisation du cours. Ce cours débute par un échauffement suivi d'un étirement. On peut alterner mouvements intensifs de step et exercices de musculation, ou commencer par une séance de step et poursuivre par celle de « pump ». Le cours se termine par une longue série d'étirements.

Bénéfices. Bien enseigné, ce cours possède tous les éléments d'un entraînement de cross-training. L'efficacité peut être renforcée par l'utilisation d'élastiques et d'haltères pendant la partie musculation. Comme la phase aérobic se pratique sur un step, le besoin de coordination est moindre.

Public d'habitués ; le cours peut devenir très intense.

Vêtements aérés et chaussures qui soutiennent bien le pied et la cheville.

Évaluation. Un bon professeur doit veiller à l'homogénéité du groupe, quels que soient les différents niveaux des participants, et doit se déplacer dans la salle plutôt que de rester sur l'estrade.

Ce cours convient à tous, sauf peut-être aux femmes enceintes, au début de leur grossesse (à ce stade, il est important de ne pas élever la température corporelle).

Arts martiaux, sports de combat

Ces cours sont excellents car ils combinent entraînement aérobic, renforcement musculaire et évacuation du stress, d'où leur popularité croissante. De plus, ils sont très vivants et tout à fait modernes, malgré leur aspect un peu académique.

Body-attack

Combustion graisses ✓✓	Renf. capacité aérobic ✓✓
Prise musculaire ✓	Amélioration souplesse ✓✓
Raffermissement musc. ✓✓	Coordination nécessaire ✓

Associe mouvement de boxe et exercices d'aérobic et de raffermissement musculaire.

Organisation du cours. Ce cours, conçu comme une séance d'aérobic, débute par un échauffement suivi d'une phase d'aérobic intense, et se termine par une période de récupération et d'étirements. Le body-attack offre un moyen agréable de profiter des avantages de la boxe sans les contacts. Le cours peut s'avérer très intense et comporter des exercices pour conditionner les abdominaux, le haut et le bas du corps.

Bénéfices. Le body-attack permet un entraînement intégral. Même s'il n'y a pas de contact physique avec l'adversaire, on évacue très bien le stress. Le système cadrio-vasculaire est intensément sollicité, tout comme le haut du corps.

Vêtements. Short, caleçon, t-shirt et chaussures qui amortissent bien les chocs.

Body-combat

Combustion graisses ✓   Renf. capacité aérobic ✓✓

Prise musculaire ✓   Amélioration souplesse ✓

Raffermissement musc. ✓✓   Coordination nécessaire ✓✓

Le body-combat est une appellation très générique, qui va d'un cours d'aérobic à une séance de combat de contact.

Organisation du cours. La plupart des exercices d'échauffement sont des répétitions du programme principal, constitué de kicks de jambes et de coups droits, qui augmentent en intensité et en rapidité. Ce cours réclame une très bonne coordination pour suivre les changements rapides d'exercices et d'enchaînements. Quand on augmente la vitesse des exercices, la fréquence cardiaque s'élève et le cours devient une séance d'aérobic. Afin d'améliorer la mobilité, on effectue également des étirements des jambes et du dos.

Bénéfices. Le body-combat constitue une bonne séance d'aérobic, améliore la coordination et renforce le bas du corps.

Vêtements. Short, t-shirt et chaussures qui protègent bien les chevilles.

Évaluation. Le professeur doit être diplômé dans cette discipline.

Déconseillé aux femmes enceintes et aux personnes ayant des problèmes d'articulation.

Boxe

Combustion graisses ✓✓   Renf. capacité aérobic ✓✓

Prise musculaire ✓✓   Amélioration souplesse ✓

Raffermissement musc. ✓✓   Coordination nécessaire ✓✓

La boxe peut être de contact ou non, selon vos préférences personnelles.

Organisation du cours. Le cours comprend du saut à la corde, palettes et sac de frappe, plus beaucoup de renforcement musculaire. Vous vous exercerez surtout en groupe mais devrez parfois travailler en solitaire. Le cours est ponctué de périodes de faible et forte intensités où l'on sollicite différemment les groupes musculaires.

Bénéfices. On sollicite énormément le système cardio-vasculaire et le haut du corps. Le travail est concentré au niveau du buste et des épaules, car ce sont les muscles sollicités dans les actions de frappe. On fait beaucoup appel à la coordination entre les yeux et les mains afin d'améliorer la précision des mouvements du corps, des jambes et des poings.

Vêtements. Short, t-shirt et des chaussures qui soutiennent correctement les chevilles.

Évaluation. Le professeur doit être diplômé d'une association de boxe et être couvert par son assurance. Il doit prendre en compte le niveau de chacun et non aligner le cours sur un niveau unique.

Déconseillé aux personnes ayant des problèmes de dos ou d'épaules ainsi qu'aux femmes enceintes.

Capoeira

Combustion graisses ✓   Renf. capacité aérobic ✓✓

Prise musculaire   Amélioration souplesse ✓✓

Raffermissement musc. ✓   Coordination nécessaire ✓✓✓

Originaire du Brésil, cet art martial se pratique en musique et s'apparente à une danse.

Organisation du cours. La capoeira se déroule à l'intérieur d'un cercle délimité où les protagonistes s'affrontent par des mouvements de gymnastique et de roue. Un grand sens de l'équilibre et une forte puissance musculaire sont indispensables. Avant d'être prêt pour le combat, les débutants doivent d'abord apprendre les mouvements de base et savoir s'équilibrer sur les mains et les pieds.

Bénéfices. Cet art martial dépense beaucoup de calories, mais demande énormément de patience. En conséquence, les débutants peuvent s'inquiéter de la lenteur de leurs progrès. Toutefois, après les premières séances, la maîtrise de la technique s'affirme et la condition physique s'améliore.

Vêtements amples et aérés.

Évaluation. Le professeur doit être diplômé d'une école de capoeira.

Déconseillé à tous ceux qui manquent de patience et de coordination.

Jet kun do

Combustion graisses ✓   Renf. capacité aérobic ✓✓

Prise musculaire ✓   Amélioration souplesse ✓✓

Raffermissement musc. ✓   Coordination nécessaire ✓✓

C'est Bruce Lee qui a inventé le jet kun do, en mariant plusieurs arts martiaux à des techniques de combat.

Organisation du cours. Après un bref échauffement, on pratique des mouvements de combat, comme des frappers de jambes et de bras et des prises défensives, que l'on répète à un rythme rapide. Ce travail épuise rapidement les muscles. Vient ensuite le moment de mettre tous ces mouvements en pratique contre un adversaire de votre niveau.

Bénéfices. Ce cours qui mixe karaté, boxe, tae kwon do et autres arts martiaux, peut être un sport passionnant. Le jet kun do augmente la résistance du corps, améliore la souplesse et renforce la puissance, mais ne raffermit pas les muscles.

Vêtements. Pour débuter, des vêtements amples suffisent. Si vous continuez, un kimono sera nécessaire.

Public. Les deux sexes sont représentés, avec toutefois une dominante masculine.

Évaluation. Il existe des écoles de jet kun do, mais il faut savoir que cette discipline n'est pas reconnue comme art martial à part entière.

Jiu jitsu

Combustion graisses ✓✓   Renf. capacité aérobic ✓✓
Prise musculaire ✓   Amélioration souplesse ✓
Raffermissement musc. ✓ Coordination nécessaire ✓

Le jiu jitsu combine la technique de lutte du judo, les frappers de pieds et de bras du tae kwon do et les armes du kendo.

Organisation du cours. Pour vaincre son adversaire, on utilise notamment des blocages d'articulations et des compressions digitales des artères. Les mouvements de neutralisation sont pratiqués avec un partenaire ou un instructeur jusqu'à leur assimilation. Puis ils sont mis en pratique contre un adversaire. Le cours se termine par le maniement des armes.

Bénéfices. Les situations de combat sont extrêmement intenses et améliorent certainement la résistance. Toutefois, les débutants ne font pas beaucoup de combat, aussi, il est préférable de commencer ces cours une fois en bonne forme, plutôt que de les considérer comme classes de fitness.

Public. Généralement masculin, entre 20 et 35 ans, mais cet art est accessible à tous.

Vêtements très amples, jusqu'à ce que vous décidiez d'acheter la tenue de rigueur.

Judo

Combustion graisses ✓✓   Renf. capacité aérobic ✓✓
Prise musculaire ✓   Amélioration souplesse ✓✓
Raffermissement musc. ✓ Coordination nécessaire

Le judo est un art martial de contact qui utilise les prises et mises à terre contre un adversaire.

Organisation du cours. Une séance de judo débute toujours par un échauffement musculaire et une élévation de la fréquence cardiaque. Pour le cours proprement dit, on apprend chaque mouvement l'un après l'autre, puis on s'entraîne à les répéter pendant environ 5 minutes. Cette alternance de travail à forte intensité et de périodes de repos renforce la résistance. Les prises et mises à terre nécessitent une puissance importante du haut du corps.

Bénéfices. Le judo renforce la puissance dynamique du buste et constitue un excellent entraînement aérobic grâce à la constance des épisodes de forte intensité. Le judo convient bien à tous ceux qui manquent de patience et souhaitent rapidement mettre en pratique les mouvements qu'ils apprennent.

Vêtements. Pour commencer, des vêtements amples conviendront. Si vous persévérez, le kimono et ses ceintures de différentes couleurs seront indispensables.

Évaluation. Un bon professeur doit avoir un diplôme officiel de judo.

Karate

Combustion graisses ✓   Renf. capacité aérobic ✓✓
Prise musculaire ✓   Amélioration souplesse ✓
Raffermissement musc. ✓ Coordination nécessaire ✓✓

Le karaté permet aux personnes non armées de se défendre en utilisant un mouvement du corps.

Organisation du cours. Le karaté est basé sur le contrôle et la pratique ininterrompue de différents mouvements effectués seul ou avec un partenaire, jusqu'à leur maîtrise parfaite. Le karaté a pour règle de ne jamais blesser un adversaire d'entraînement. Cet art enseigne également comment utiliser sa propre énergie et l'optimiser pour donner plus de puissance aux mouvements.

Bénéfices. C'est plus une activité de contrôle que de réel combat. Le karaté augmente la résistance et renforce, dans une certaine mesure, le haut du corps.

Public. Le karaté ne requiert pas autant de combat que d'autres arts martiaux, ce qui le rend accessible à un vaste public.

Vêtements. Commencez avec des vêtements amples, puis, si vous décidez de continuer, achetez un kimono.

Kendo

Combustion graisses ✓✓   Renf. capacité aérobic ✓✓
Prise musculaire ✓   Amélioration souplesse ✓
Raffermissement musc. ✓✓ Coordination nécessaire ✓✓

Le kendo est une méthode de combat, mais aussi d'un code de vie fondé sur des enseignements japonais antiques.

Organisation du cours. Cette sorte d'escrime se pratique avec des épées en bambou et de lourdes armures. Les mouvements sont très vigoureux. Le cours se partage entre pratique et combat. Tous les mouvements sont décomposés en courts enchaînements, qui sont pratiqués et répétés jusqu'à leur totale assimilation. Vu le poids de l'armure, ces mouvements sont vite épuisants. Une fois les mouvements maîtrisés, on passe à la phase de combat, qui se pratique au centre de la pièce, entre deux adversaires placés face à face. L'intensité de la confrontation élève la fréquence cardiaque et cause une grande dépense d'énergie.

Bénéfices. Le kendo est l'art martial le plus intense, et le poids de l'armure oblige l'organisme à travailler à plein régime, ce qui renforce le haut du corps et le torse. Un contrôle physique et une discipline mentale parfaits sont indispensables.

Public. Ces cours attirent des gens sérieux et motivés. Ils sont généralement disciplinés et attirés aussi bien par l'aspect spirituel que physique du kendo. L'âge et le sexe ne constituent aucun obstacle à l'apprentissage de cet art martial.

Vêtements amples ; les protections vous seront distribuées au début du cours. On peut acheter sa propre armure, mais elle est très onéreuse.

Tae kwon do

Combustion graisses ✓	Renf. capacité aérobic ✓✓
Prise musculaire ✓	Amélioration souplesse ✓
Raffermissement musc. ✓✓	Coordination nécessaire ✓✓

Le tae kwon do est, en terme d'art martial, une discipline relativement moderne et dynamique.

Organisation du cours. Le tae kwon do combine des mouvements de combat du karaté, du judo et de la boxe thaïlandaise.

La séance débute par un échauffement général et se poursuit par l'apprentissage des mouvements, puis par les combats, un peu comme pour un cours de judo.

Cependant, au tae kwon do, les périodes de travail sont plus longues, et les sauts et les kicks de jambes sont considérablement plus dynamiques. Un cours niveau débutant ou intermédiaire dure entre 60 et 90 minutes, et est très intense.

Bénéfices. Le tae kwon do est principalement un exercice de résistance qui fait alterner phases de travail intensif et temps de repos.

Vêtements. Short, t-shirt et chaussures qui protègent bien les chevilles.

Évaluation. Le professeur doit être diplômé de tae kwon do.

Déconseillé aux femmes enceintes et aux personnes ayant des problèmes d'articulation.

Corps et esprit

Les cours de cette section, notamment le yoga, de plus en plus populaire, permettent de réduire le stress, d'améliorer la posture et d'accroître la souplesse ; ils sont donc recommandés à quiconque passe beaucoup de temps assis derrière un bureau.

Méditation

Combustion graisses	Renf. capacité aérobic
Prise musculaire	Amélioration souplesse
Raffermissement musc.	Coordination nécessaire

Le principe de base de la méditation est d'exploiter le pouvoir de l'esprit et d'être capable de se « couper » du monde. De nombreuses personnes pensent que contrôler son esprit permettrait d'éviter certaines maladies et d'améliorer ses performances.

Organisation du cours. La méditation revêt différentes formes et peut être enseignée de bien des façons, que ce soit par le yoga

chantant ou les techniques de visualisation. Il est donc important de déterminer la technique qui vous correspond le mieux et de choisir vos cours en conséquence.

Dans un cours de méditation à la façon yoga, on commence par apprendre à contrôler sa respiration. On prend alors davantage conscience de son corps, ce qui est la première étape vers le contrôle de l'esprit. Une fois en état de respiration contrôlée, on dirige ses pensées vers un chant. Ces chants sont issus de textes de yoga.

Grâce à ces répétitions de mots, on arrive à circonscrire les pensées. Et finalement, le contrôle de la respiration

associé à ces chants permet de se couper totalement du monde extérieur et de bien se relaxer.

La méditation par la visualisation débute par une technique de respiration contrôlée pour ralentir l'organisme et solliciter l'esprit. le professeur va alors guider les participants à travers une série de visualisations dans lesquelles ils vont s'immerger. Cette méditation n'est pas limitée dans la durée et peut faire appel à des aides sensorielles comme des sons ou de la musique.

Bénéfices. On sous-estime trop souvent la valeur de la vraie méditation et la capacité à vider son esprit des pensées quotidiennes. Une bonne séance de méditation constitue un excellent moyen de s'échapper, d'oublier ses tracas et serait bénéfique à tout le monde. Certaines personnes sont gênées d'assiter à ce genre de cours, mais si on se laisse aller, on peut obtenir des résultats spectaculaires.

Public. Absolument accessible à tout le monde, indépendamment du sexe, de l'âge ou de la condition physique.

Vêtements. Portez des vêtements confortables qui vous tiendront chauds.

Méthode Pilates

Combustion graisses	Renf. capacité aérobic
Prise musculaire ✓	Amélioration souplesse ✓✓
Raffermissement musc. ✓✓	Coordination nécessaire ✓

La méthode Pilates (prononcez « Pilatès ») a été conçue par Joseph Pilates pour permettre aux danseurs professionnels de soigner rapidement leurs blessures au dos. Cette méthode est devenue un exercice populaire, profitable à tout le monde, danseur ou pas. L'objectif du cours est principalement de renforcer la sangle abdominale et les muscles du dos.

Organisation du cours. Il existe de nombreuses façons d'enseigner la méthode Pilates, mais la plus authentique doit se pratiquer dans une salle équipée de plusieurs machines pour intensifier la résistance des exercices et le travail effectué. Pour commencer, on vous présentera les principes Pilates (posture adéquate, respiration correcte…). Une fois ces principes assimilés, on passe d'un appareil à un autre, en exécutant une série de mouvements contre la résistance de la machine ; cela oblige à faire des mouvements de grande amplitude qui sollicitent intensément les abdominaux et les lombaires. Tous les gestes doivent être exécutés de manière contrôlée, et répétés un certain nombre de fois pour faire travailler les muscles appropriés.

La méthode Pilates a aussi été conçue pour être pratiquée en salle, où les exercices sont effectués sur un tapis de sol, sans aucun autre accessoire, sinon parfois un anneau de métal rembourré pour augmenter la résistance. Tous les mouvements visent à développer et à maintenir la puissance corporelle.

Les puristes de ce sport risquent de ne pas apprécier les adaptations des cours en salle. Toutefois, pour un large public, ces cours sont plus accessibles que la méthode traditionnelle.

Bénéfices. À condition de travailler avec un professeur qualifié et de se conformer strictement aux recommandations, la méthode Pilates est incroyablement efficace pour renforcer les muscles posturaux, et donne de très bons résultats dans le raffermissement et le remodelage de la silhouette.

À long terme, cette méthode améliore également la souplesse, mais n'est pas efficace pour perdre du poids et n'a que peu d'impact aérobic.

Public. La méthode traditionnelle est toujours très populaire auprès des danseurs et recherchée par les personnes désirant résoudre leurs problèmes de dos. Les interprétations modernes de la méthode attirent autant les hommes que les femmes.

Vêtements amples, confortables, qui vous tiennent aussi chaud. En effet, le cours est lent et on ne se réchauffe donc pas beaucoup.

Qi gong

Combustion graisses	Renf. capacité aérobic
Prise musculaire	Amélioration souplesse ✓
Raffermissement musc. ✓	Coordination nécessaire ✓

Le qi gong est une méthode antique, héritée de la médecine chinoise. Ses mouvements ressemblent à ceux du taï chi, mais son histoire culturelle est légèrement différente, tout comme son objectif.

Organisation du cours. De par ses sources, ancrées dans la médecine, le qi gong vise particulièrement à stimuler les tissus, muscles et organes du corps. Pour cela, il fait appel à la respiration et à la méditation. Le cours débute par des techniques de respiration très relaxantes, destinées aux zones inférieure, médiane et supérieure de l'estomac. L'objectif est de se sentir en phase avec son corps et de pouvoir contrôler sa respiration et le flux d'énergie – ou *qi*. On exécute ensuite de plus grands mouvements afin de stimuler les organes et les centres d'énergie qui, selon le qi gong, sont situés à différents endroits du corps. Généralement, les mouvements sont nettement plus simples et possèdent un aspect plus méditatif que ceux du taï chi.

À la fin de la séance, on se sent décontracté, plein d'énergie, et empreint d'une merveilleuse sensation de bien-être.

Bénéfices. Ce cours vous apprend à canaliser vos pensées pour échapper aux tracas quotidiens, ce qui peut s'avérer très profitable et, après quelques séances, vous redonner du tonus.

Du fait que le qi gong est plus facile d'accès que le taï chi, on n'a pas besoin d'autant de patience pour apprécier le cours et sentir que l'on exécute correctement les mouvements.

Si vous ressentez le besoin de vous relaxer mais que vous trouvez le yoga trop difficile et le taï chi trop prenant, le qi gong est la méthode idéale.

Vêtements. Un pantalon de jogging ou une tenue chaude pour éviter d'avoir froid ; les mouvements sont lents, aussi, on n'élève que très peu la température corporelle. Le mieux est aussi de rester pieds nus.

Évaluation. Le professeur doit être diplômé d'une école de qi gong chinoise.

Stretching et relaxation

Combustion graisses	Renf. capacité aérobic
Prise musculaire	Amélioration souplesse ✓✓✓
Raffermissement musc.	Coordination nécessaire

C'est un cours qu'il serait judicieux d'inclure dans un programme de fitness. Le stretching et la relaxation ont deux objectifs : d'abord étirer et allonger tous les principaux muscles du corps, ensuite utiliser la respiration contrôlée pour calmer l'organisme et diminuer ou éliminer le stress.

Organisation du cours. Ce cours débute toujours par un échauffement qui apporte du sang aux muscles, de sorte qu'ils puissent être étirés plus facilement et plus efficacement.

L'échauffement dure normalement entre 5 et 8 minutes, et peut varier : marche avec mouvements de bras, exercice d'aérobic en musique, etc.

Ensuite, dans la première partie du cours, on effectue tous les étirements possible en position debout (bras, poitrine, dos et jambes). Ces étirements doivent être exécutés de façon lente et contrôlée, et chacun doit être maintenu pendant un minimum de 10 secondes. Une fois ces exercices réalisés debout, on passe aux exercices au sol.

C'est là que l'on va effectuer les étirements les plus intenses des jambes et du dos, et également les plus importants pour la protection des lombaires et des muscles posturaux. Il faudra tenir chaque étirement jusqu'à 40 secondes, de façon à en optimiser les effets.

À l'issue de ces longs étirements, on reste allongé sur le sol et on respire profondément ; on peut également effectuer un exercice de relaxation soit par visualisation, soit par des contractions musculaires qui seront suivies de relâchements.

Bénéfices. Ce cours offre d'excellentes opportunités de relaxation tout en améliorant la souplesse et en allongeant les muscles, ce qui est profitable à tout le monde.

Public. Généralement composé de femmes et d'hommes de tous âges et de toutes conditions physiques.

Vêtements confortables, élastiques ou très amples qui n'entravent pas le mouvement. Le cours est lent, donc on ne transpire pas beaucoup. Emportez un pull au cas où vous auriez froid.

Évaluation. Le professeur doit être très qualifié, sûr de lui, et tous les étirements doivent être effectués de manière lente et contrôlée. Choisissez un instructeur en qui vous avez confiance et qui connaît vos objectifs.

Taï chi

Combustion graisses	Renf. capacité aérobic
Prise musculaire	Amélioration souplesse ✓
Raffermissement musc.	Coordination nécessaire ✓

Il s'agit d'un exercice chinois antique, caractérisé par des mouvements lents et gracieux, et pratiqué chaque matin par des millions de Chinois. Dans la philosophie chinoise, le « chi » est la force énergétique qui procure au corps sa vitalité. Le taï chi est supposé entretenir les canaux « chi » de l'organisme, et ainsi permettre bonne santé et bien-être. Le taï chi n'est pas un exercice épuisant, aussi inutile d'espérer transpirer. C'est au contraire un exercice méditatif, qui cible la santé intérieure.

Organisation du cours. Le cours débute par un échauffement initial pour stimuler des points d'acuponcture ainsi que les systèmes internes de l'organisme. Le professeur indique ensuite différentes « formes » ou séquences de mouvements et de poses, qui nécessitent, pour la plupart, une forte puissance et beaucoup de concentration pour les tenir.

Bénéfices. Chaque mouvement est conçu pour travailler harmonieusement avec un système interne spécifique – par exemple le système nerveux ou cardio-vasculaire –, de façon à stimuler le flux énergétique de l'organisme. La concentration requise pour effectuer chaque mouvement de façon lente et très contrôlée exclut le monde extérieur et a un effet très apaisant sur l'esprit. Le taï chi améliore également l'alignement corporel, l'équilibre, et aide à mieux comprendre le rythme et les mouvements de l'organisme.

Quel que soit votre niveau, vous devriez vous sentir nettement plus calme après une séance de taï chi.

Public. Hommes et femmes, quel que soit leur âge ou leur condition physique. Autrefois discipline assez confidentielle, le taï chi fait aujourd'hui de plus en plus d'adeptes.

Vêtements. Choisissez-les un peu amples afin qu'ils vous tiennent chaud. Pas de chaussures, à part si elles sont très souples.

Évaluation. Votre professeur doit impérativement vous aider à comprendre votre corps par le mouvement, et expliquer la philosophie qui se cache derrière les différentes poses.

Déconseillé à tous ceux et celles qui manquent de concentration et de patience.

Yoga Ashtanga

Combustion graisses ✓	Renf. capacité aérobic
Prise musculaire ✓	Amélioration souplesse ✓✓✓
Raffermissement musc. ✓✓	Coordination nécessaire ✓✓

Cette variante fluide du yoga est également appelée yoga dynamique.

Organisation du cours. Le cours débute généralement par un bref échauffement, constitué de petits mouvements de yoga. En fonction de votre niveau, on augmente la variété des postures et la vitesse à laquelle elles sont exécutées, ce qui intensifie nettement la séance, par rapport au yoga traditionnel. Certaines postures peuvent être très délicates à exécuter et demandent une souplesse extrême.Comme pour tout cours de yoga, le contrôle de la respiration est primordial dans le yoga Ashtanga. Chaque séance se termine généralement par des exercices de méditation et d'étirements.

Bénéfices. Renforce votre puissance naturelle, vous assouplit et constitue une petite séance d'aérobic de faible niveau.

Vêtements. Pantalons de jogging, caleçon (de préférence en coton) et t-shirt.

Évaluation. Le professeur doit diriger les participants individuellement, et les aider à se placer pour les postures compliquées. Avant le début du cours, il doit vous examiner et prendre en compte les éventuelles blessures ou problèmes de santé.

Déconseillé à tous ceux qui ont des problèmes de dos, hanches, genoux ou qui souffrent d'hypotension.

Yoga Hatha (ou Hata yoga)

Combustion graisses	Renf. capacité aérobic
Prise musculaire	Amélioration souplesse ✓✓✓
Raffermissement musc. ✓	Coordination nécessaire ✓✓

Le Hatha yoga est le plus populaire des cours de yoga ; son objectif est d'accroître la mobilité et le flux sanguin dans l'organisme, au moyen de postures diverses et de techniques de respiration contrôlée.

Organisation du cours. Les mouvements de Hatha yoga sont à la base de toutes les variantes de yoga. On passe progressivement d'une posture à une autre, qu'on accomplit debout ou assis. Ces exercices deviennent lentement plus complexes, mais n'impliquent pas de changements aussi rapides entre les postures que le yoga Ashtanga. Cela explique sans doute sa popularité. Chaque séance se termine par un exercice de méditation et de relaxation.

Bénéfices. Baisse de la tension artérielle et du stress, et amélioration de la mobilité.

Vêtements. Pantalons de jogging, caleçon (de préférence en coton) et t-shirt.

Évaluation. Le professeur doit être techniquement irréprochable et vous aider à vous positionner correctement. Avant le début du cours, il ou elle doit vous examiner et modifiera vos postures en fonction des éventuelles blessures ou problèmes de santé.

Déconseillé aux personnes souffrant de troubles chroniques au dos, aux hanches ou aux genoux.

Yoga Iyengar

Combustion graisses	Renf. capacité aérobic
Prise musculaire ✓	Amélioration souplesse ✓✓✓
Raffermissement musc. ✓	Coordination nécessaire ✓✓

C'est une variante très précise de yoga dont l'objectif est d'améliorer chacune des postures.

Organisation du cours. L'objectif étant la précision, les postures sont enseignées de manière très stricte et doivent être conservées pendant une longue durée, de façon à entièrement les exploiter et les améliorer. Pour vous aider à exécuter certaines postures – notamment quand on manque de souplesse – ce type de yoga fait appel à différents accessoires, comme une ceinture, une couverture roulée, un bloc de bois ou encore une chaise.

L'importance des détails implique que l'on enseigne le yoga Iyengar à un rythme nettement moins soutenu que le yoga Ashtanga, le but du cours étant un entraînement de faible intensité, sans aucune compétition. Le fait de maintenir longtemps les postures donne suffisamment de temps aux muscles pour s'étirer et réellement développer leur élasticité.

Bénéfices. Excellent pour renforcer la souplesse corporelle et permettre une meilleure connaissance de son corps. De tous les types de yoga, c'est celui-ci qui cible le plus l'amélioration des postures.

Public très varié, mais qui doit avoir les capacités d'accomplir les exercices.

Vêtements. Ils doivent être chauds, amples et superposés pour qu'on puisse les retirer facilement.

Les cours en salle

Les bons choix

La lecture de cet ouvrage vous a peut-être incité à adopter une hygiène de vie plus saine et à pratiquer une activité sportive de façon régulière. Vous pouvez également être tenté de vous inscrire dans une salle de sport, d'engager un instructeur particulier, ou encore de faire l'acquisition d'appareils pour les utiliser chez vous. L'objectif de ce chapitre est de vous aiguiller dans la bonne direction, en soulignant les détails à prendre en compte et les questions à se poser avant d'arrêter une quelconque décision. Vous serez alors sûr d'avoir fait de bons choix qui affecteront positivement votre santé, votre silhouette et votre bien-être.

Choisir une salle de sport

Il existe aujourd'hui une telle abondance de salles de sport qu'il est parfois difficile de se faire une idée précise des cours et des services proposés dans le but d'arrêter un choix. Il est pourtant essentiel d'en découvrir une qui réponde à vos attentes et dans laquelle vous vous sentiez à l'aise ; cela vous évitera plus tard de trouver des prétextes pour ne pas y aller. En ayant une vision à long terme et en définissant bien vos besoins, vous devez pouvoir trouver le club qui rendra vos séances agréables et efficaces.

Définissez vos besoins

Si vous hésitez entre plusieurs salles de sport, demandez une séance d'essai avant de vous engager. Visitez la salle à l'heure où vous comptez y aller habituellement et testez ainsi plusieurs structures. Cette démarche vous évitera plus tard de perdre du temps et beaucoup d'argent.

La superficie

Il faut prendre en compte des facteurs comme la superficie du club, la diversité des équipements et la présence du personnel. Voici quelques points à considérer :
• L'aspect relationnel. Allez-vous au sport autant pour vous entraîner que pour faire des connaissances ? Les autres peuvent-ils vous motiver ? Un grand club vous permettra sans doute d'entrer en contact avec davantage de personnes aux intérêts très variés.
• L'intimité. Il est crucial que les instructeurs puissent vous accorder suffisamment d'attention. Si vous savez vous motiver, une grande salle fera l'affaire. Par contre, si vous avez besoin d'être guidé et conseillé, mieux vaut vous inscrire dans une structure plus petite, où les professeurs sont plus disponibles.
• Le taux de fréquentation. Demandez toujours le nombre de membres inscrits et le taux de fréquentation les jours où vous comptez vous entraîner. Même les meilleures structures ont une capacité d'accueil maximale, et le fait de devoir attendre pour se servir d'un appareil est très désagréable ; assurez-vous donc que vous ne travaillerez pas dans une salle comble.

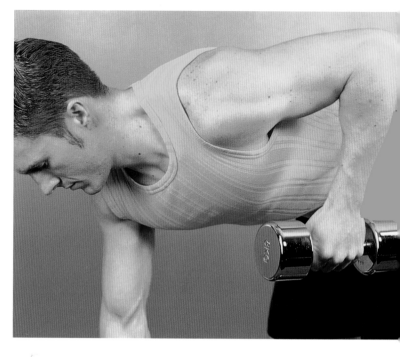

▲ **Les haltères**
Pour le raffermissement et le renforcement musculaire, votre club doit offrir un vaste choix d'haltères et d'appareils de musculation.

Les équipements et les activités

Pour atteindre vos objectifs, il faut choisir une salle qui corresponde à vos attentes et à votre mode de vie.
• Vos objectifs personnels. Si vous visez une prise musculaire, choisissez une salle qui propose de nombreuses machines de musculation et un large choix d'haltères. Si votre objectif est de perdre du poids, préférez-en une offrant un équipement de cardio-training (tapis de course, vélos, rameurs…). Si vous préparez un triathlon, vous aurez besoin d'une piscine ; et si vous appréciez les cours, le club devra en offrir plusieurs.
• Vos objectifs à court et long terme. Ces objectifs évolueront naturellement, tout comme vos intérêts, vos engagements et votre mode de vie ; la salle de sport doit donc proposer de nombreuses alternatives, surtout si vous y êtes lié par contrat pour une durée relativement longue.
• Accessibilité. Ce point est très important. Les horaires d'ouverture – y compris durant les soirées et les week-ends – vous conviennent-ils ?

• Existe-t-il un parking ? Est-il payant ? Le club est-il situé près d'une station de métro ? Vous fournit-on des serviettes et du savon pour les douches ? Les instructeurs sont-ils disponibles et à votre écoute ?

Le rapport qualité-prix

Même si vous avez décidé de ne pas regarder à la dépense, il est important de considérer attentivement les implications financières du contrat et de bien le lire – y compris les petits caractères – avant de signer quoi que ce soit.

• Le budget. Définissez un budget et respectez-le. Attention : vous pouvez être lié par contrat pour une certaine durée. N'oubliez pas de prendre en compte les frais de dossier.

• Les frais de dossier et prélèvements mensuels. Pour vous simplifier la vie, vérifiez si votre club offre des facilités de paiement. Négociez également les tarifs et les frais de dossier.

• Vigilance de rigueur. Méfiez-vous des offres promotionnelles et autres tactiques commerciales, et veillez à connaître le montant total exact de votre abonnement avant de signer un contrat.

Le personnel

Un personnel attentif et compétent peut faire toute la différence, aussi liez connaissance et faites-vous une idée.

• L'accueil. Les hôtesses ou hôtes d'accueil savent-ils répondre à toutes vos questions ? Ce sont eux qui vous dirigent vers les activités du club, et une mauvaise réception peut vous empêcher de tirer tout le profit de la salle.

• Les professeurs. Sont-ils tous diplômés ? Choisissez toujours un club qui emploie des instructeurs certifiés. Si votre condition physique ou vos objectifs nécessitent une attention constante, demandez si le club propose les services d'un entraîneur particulier.

Vous avez tout intérêt à trouver le club de sport qui corresponde le mieux à vos attentes et besoins ; aussi, définissez clairement vos priorités.

▼ **Les appareils de cardio-training**
Ils sont souvent extrêmement populaires. Assurez-vous que votre salle de sport en possède suffisamment afin d'éviter de devoir faire la queue pour les utiliser.

Les bons choix

Choisir un instructeur particulier

Il y a peu, seules les célébrités pouvaient s'offrir les services d'un instructeur particulier. Aujourd'hui, les coaches sont plus nombreux et ce service est devenu accessible à un plus large public. Il n'y a rien de mieux que de travailler avec un moniteur pour optimiser les résultats de son entraînement. Un bon instructeur doit vous motiver et vous inciter à atteindre de nouveaux objectifs.

Vos considérations personnelles

Quels sont vos objectifs ? Si vous souhaitez apprendre la boxe ou vous préparer à un marathon, choisissez un instructeur spécialisé. Généralement, préférez un professeur qui comprenne vos objectifs et vos besoins personnels, mais qui possède également une vaste connaissance générale du monde du fitness. À mesure que vous progresserez, vos objectifs évolueront, et il est judicieux d'avoir une personne à l'aise dans de nombreux domaines et qui puisse gérer efficacement les changements de direction.

La rencontre avec l'instructeur

Il est indispensable de rencontrer le coach en personne avant de l'engager. Le bouche à oreille est encore le meilleur moyen de trouver un instructeur compétent.

• Avant la rencontre, demandez à l'instructeur d'apporter un exemple de programme conçu pour un client aux objectifs similaires aux vôtres. Cela vous permettra de découvrir ses méthodes d'enseignement. Un professeur compétent doit concevoir un nouveau programme pour chacun de ses clients, aussi, il ne devrait avoir aucun problème à vous le montrer. S'il refuse, méfiance...

• Vérifiez les qualifications de l'instructeur et sa police d'assurance. Le formidable essor de l'industrie de la santé et du sport s'est malheureusement accompagné d'une baisse de la qualité des services. En effet, les nouveaux instructeurs ne sont pas toujours certifiés ni correctement couverts par une assurance. Dans de nombreux pays, il n'existe pas d'organisme de contrôle des instructeurs particuliers, aussi, vous devrez effectuer les recherches vous-même. Un diplôme de science du sport ou de biomécanique est généralement un bon critère de qualité. Ne choisissez pas un moniteur sur ses prouesses sportives passées, car cela ne signifie par forcément qu'il saura travailler avec vous en tête-à-tête.

• Réclamez des références d'autres clients pour vérifier que l'instructeur est bien compétent.

• N'hésitez pas à questionner en détail vos instructeurs potentiels. Ils ont autant besoin de votre clientèle que vous de leur aide et de leurs conseils.

• Il doit y avoir un réel échange entre vous et votre instructeur de façon à définir exactement vos attentes. Avant tout, vous devez clairement déterminer vos objectifs et votre quotient forme (fitness, souplesse et capacités). Méfiez-vous aussi des coaches qui veulent vous faire débuter immédiatement un programme sans avoir évalué vos compétences.

▶ **Déterminez votre motivation personnelle**
Avec les conseils d'un professeur compétent, vous atteindrez plus rapidement vos objectifs. Veillez à votre technique car c'est elle qui rendra vos séances efficaces et réduira les risques de blessures.

◀ Conseils d'expert
Un bon instructeur particulier
doit non seulement vous
enseigner les bonnes
techniques, mais également
concevoir un programme
personnalisé. Il doit aussi vous
expliquer les fonctions des
exercices et vous faire
progresser.

La définition de vos besoins

Même si l'instructeur possède de bonnes références, posez-vous les questions suivantes :

• Le cours a-t-il lieu dans une salle ou à domicile ? En général, il est préférable – et certainement plus efficace – de se déplacer à l'extérieur. En effet, dans un espace spécifiquement aménagé, l'entraînement sera plus intense, plus motivant, et vous obligera à davantage de concentration, loin des distractions de votre environnement familier. En outre, suite à la multiplication des centres aménagés, où l'on dispense des cours particuliers, les visites à domicile se font de plus en plus rares.

• L'alimentation joue-t-elle un rôle important dans votre vie ? Si oui – c'est d'ailleurs le cas pour une grande majorité – faites appel à un expert en diététique, qui puisse vous conseiller, vous motiver et vous soutenir. Pour cela, testez les connaissances nutritionnelles des candidats et leurs avis sur la diététique en général. Auparavant, vous aurez lu quelques articles de diététique, afin de vérifier les réponses qui vous seront données.

La personnalité de l'instructeur

Vous risquez de passer trois à quatre heures par semaine avec votre entraîneur. Si vous ne vous sentez pas à l'aise avec lui, vous risquez de vous démotiver. Vous n'avez pas besoin de devenir très familiers, mais il est tout de même préférable de choisir une personne avec laquelle vous ayiez certaines affinités.

Le coût de l'entraînement

On règle un certain nombre de séances dès le début, mais n'oubliez pas que plus leur nombre est important, plus vous pourrez obtenir une ristourne ; en tout cas, vous ne perdrez rien à négocier. Dans un cours particulier, ce que vous récoltez dépend de ce que vous payez. Si un instructeur est bon marché, c'est qu'il y a une raison. Des prix élevés témoignent généralement d'une clientèle loyale et d'un planning chargé et réservé longtemps à l'avance. Une fois votre choix arrêté, considérez votre professeur comme une source d'information constante et réévaluez régulièrement vos progrès et vos objectifs avec lui. Un coach qualifié et compétent le fera de lui-même. Mais s'il oublie, n'hésitez pas à le lui rappeler.

Les bons choix

Équipement personnel

Les vingt dernières années ont vu l'explosion du marché des équipements personnels. Certains de ces appareils sont compliqués, difficiles d'usage, même s'ils promettent des résultats spectaculaires et immédiats. Il est cependant possible d'acheter quelques accessoires peu onéreux, d'un faible encombrement, et parfaits pour travailler un groupe musculaire spécifique et optimiser son entraînement.

Opter pour la simplicité

La règle est de privilégier la simplicité. Plus l'équipement est compliqué à utiliser ou à entretenir, moins vous serez tenté de vous en servir. Les accessoires indiqués ici sont simples à utiliser, adaptables, faciles à entreposer et de prix raisonnable.

▲ **Les haltères**
De par leur polyvalence, les haltères constituent un excellent achat pour la maison. On les utilise pour solliciter des groupes musculaires spécifiques ou intensifier certains exercices.

◄ **Le ballon de stabilité ou de rééducation**
Ces accessoires durables et relativement peu onéreux rendent le travail à la maison plus motivant et plus varié.

Les ballons de stabilité

Généralement présents dans les salles de sport, ces ballons fournissent un bon support pour de nombreux exercices.
• Souvent utilisés pour le travail abdominal, ces ballons servent avantageusement de banc pour le travail avec haltères, et sont très efficaces pour les exercices de jambes, comme les squats (*voir page 108*).
• On les utilise également pour intensifier certains exercices d'isolement musculaire comme les pompes (*voir page 85*).

Le tube Théra-Band®

Bien qu'il permette une utilisation moins variée que les haltères, le tube Théra-Band® (appelé aussi « x-tube ») est léger et prend peu de place, ce qui est un avantage non négligeable lorsque l'on est contraint de travailler loin d'une salle de sport ou au cours d'un voyage.

• Le tube Théra-Band convient à tous, quel que soit le niveau, car il est disponible en plusieurs tailles, selon l'intensité de la résistance.

• Le seul léger inconvénient est que plus l'exercice devient difficile, plus le tube se détend et perd de son efficacité.

Les haltères

Les haltères pour la maison sont très similaires à ceux utilisés en salle ; la seule différence est que la gamme de ceux de la salle de sport est plus étendue. Si les haltères occupent une grande place dans votre entraînement, leur acquisition pour votre usage personnel est vivement recommandée.

• Analysez votre programme et déterminez la valeur des poids les plus utilisés. Choisissez environ cinq paires d'haltères, en commençant par une charge légère, adaptée, par exemple, aux extensions de triceps (*voir page 101*) et en terminant par une maximale que vous utiliserez pour les écarté-couchés (*voir page 82*) ou les flexions de biceps (*voir page 96*). Les haltères modulables peuvent paraître une solution économique, mais le fait de sans cesse s'arrêter pour changer les poids réduira considérablement l'efficacité de l'entraînement. De plus, une bonne paire d'haltères traditionnels est quasi-inusable, et on peut toujours en acheter de plus lourds lorsque l'on progresse.

▼ Le tube Théra-Band (ou x-tube)

Le x-tube – un concept simple mais très efficace – est constitué de deux poignées reliées par un élastique tubulaire. Il existe différents niveaux de résistance, symbolisés par des couleurs.

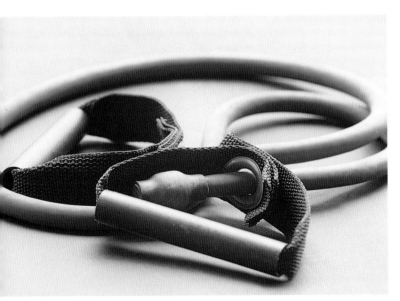

Le ballon de rééducation

On ne pense pas immédiatement à cet accessoire. Et pourtant, il est très utile pour le travail du haut et du bas du corps, et peut même servir dans les exercices d'abdominaux.

• Choisissez un ballon de 3 ou 5 kg.

• On peut l'utiliser pour des relevés de buste (*voir page 104*), des squats (*voir page 107*) ou même dans certains circuits. L'usage d'un ballon intensifie les exercices. De plus, les passes de balle à un partenaire (*voir page 101*) et celles lancées par-dessus la tête ou par rotations (*voir page 174*) permettent de renforcer efficacement le haut du corps.

Le cardio-fréquencemètre

Le cardio-fréquencemètre est un accessoire très important, qui trouve sa place partout, que ce soit à la salle de sport ou chez soi. Il permet une lecture immédiate très précise et ininterrompue de l'intensité de l'entraînement.

• Si vous ne savez pas à quelle intensité travaille votre cœur (et par conséquent votre organisme), il vous sera difficile de progresser.

• Choisissez un cardio-fréquencemètre basique qui indique lisiblement la fréquence cardiaque. Les fonctions annexes sont quelque peu superflues et un modèle haut de gamme n'est pas forcément nécessaire.

▼ Le cardio-fréquencemètre

Certains cardio-fréquencemètres possèdent des fonctions qui vous permettent d'enregistrer vos performances sur votre ordinateur ; néanmoins, un modèle tout simple suffit amplement.

Les bons choix

Bilan personnel

On ne peut savoir si
un programme d'exercices
a été réellement efficace que
si on a déterminé des objectifs
bien précis avant de le commencer.
Un bilan personnel vous aidera
à connaître votre niveau de forme
et vous guidera vers des buts réalistes.

Résultats des questionnaires

Les questionnaires des pages 20 à 23 permettent de définir votre type d'alimentation et votre quotient forme, donc, d'établir vos points de départ nutritionnel et physique, et ainsi optimiser vos programmes. Les réponses mettent en évidence les points qui nécessitent une amélioration. Une fois un programme accompli ou un objectif atteint, répondez de nouveau aux questionnaires.

Le fait de surveiller vos progrès augmentera votre motivation. Mais attention, il est inutile de se tester et de modifier l'intensité de son entraînement avant d'avoir effectivement achevé un programme. Chaque programme comprend plusieurs niveaux et vous aidera à atteindre les objectifs fixés.

Questionnaire nutritionnel

Comptez pour chaque réponse :

a = 3 points

b = 2 points

c = 1 point

Votre score final révèle l'efficacité du système digestif et donne une mesure de l'équilibre acido-basique (alcalin) de l'organisme. Plus l'organisme est alcalin, et mieux vous vous porterez ; les recommandations nutritionnelles de cet ouvrage encouragent la consommation d'aliments alcalins et à faible indice glycémique.

Un total de **26 points ou moins** indique un bon équilibre acido-basique. Si vous avez **plus de 27 points**, l'organisme est trop acide et vous devriez adopter une alimentation plus alcaline (*voir pages 34-35*). **Au-delà de 45 points**, une alimentation alcaline associée à une activité sportive améliorerait radicalement votre qualité de vie.

Questionnaire physique

Comptez pour chaque réponse :

a = 1 point

b = 2 points

c = 3 points

Le résultat correspond à l'intensité de votre d'entraînement : débutant, moyen ou confirmé. On obtient de bien meilleurs résultats en travaillant au niveau adéquat.

Entre 5 et 8 points, il est temps de réformer en profondeur votre hygiène de vie. Commencez les programmes au niveau débutant. Vous obtenez ce score car, durant de nombreuses années, vous n'avez probablement pas beaucoup prêté attention ni à votre forme ni à votre santé. Choisissez un programme avec un objectif motivant – vous partez peut-être en vacance à la mer ou désirez vous acheter une nouvelle tenue - qui marquera un tournant dans votre existence. Il existe, à l'évidence, quelques lacunes que les programmes vous aideront à combler. À vous de jouer !

Un score **entre 9 et 13 points** indique un niveau moyen. Vous devez déjà pratiquer assez régulièrement une activité physique. Suivre un programme aujourd'hui vous évitera certains soucis de santé dans le futur.

Entre 14 et 18 points, vous êtes en très bonne condition physique et suivrez les programmes pour sportifs confirmés. Vous êtes très motivé et pratiquez activement et assidûment un sport depuis longtemps. Choisissez un programme adapté à vos objectifs : vous resterez ainsi au top de votre forme et de votre bonne humeur.

Carnets de bord

Un des meilleurs moyens d'atteindre ses objectifs et de rester motivé est de tenir un carnet de bord. Utilisez ces modèles pour concevoir le vôtre, ou photocopiez ces pages vierges où vous intégrerez vos progrès jusqu'à l'accomplissement de votre objectif. Définissez des objectifs clairs à court et long terme qui vous permettront d'atteindre votre but ultime.

Pensez à faire la distinction entre vos objectifs aérobic et ceux de musculation. Le carnet nutritionnel doit vous faire prendre conscience de votre alimentation. On a souvent tendance à oublier tous les aliments que l'on grignote : le fait de les noter noir sur blanc les mettra en évidence, ce qui vous aidera à modifier petit à petit vos habitudes alimentaires.

Carnet de bord d'entraînement

Objectif aérobic   à court terme   à long terme

Objectif musculation   à court terme   à long terme

Objectif du programme

Date						Date					
Musculation	Rep	Séries	**Aérobic**	Durée	Intensité	**Musculation**	Rep	Séries	**Aérobic**	Durée	Intensité

Carnet de bord nutritionnel

Date

Consommation quotidienne d'eau

Consommation quotidienne de fruits

Consommation quotidienne de légumes

Date	Commentaires/Tonus
Petit déjeuner	
Déjeuner	
Dîner	
En-cas	
Boissons	

Date	Commentaires/Tonus
Petit déjeuner	
Déjeuner	
Dîner	
En-cas	
Boissons	

Bilan personnel

Les blessures les plus courantes

Voici les blessures sportives les plus fréquentes, et comment les identifier, les traiter et – dans l'idéal – les éviter. D'une manière générale, écoutez votre corps et, dès la moindre douleur ou gêne, arrêtez-vous sur-le-champ. Si la douleur persiste, consultez un médecin.

Douleur à la hanche ou à la cuisse

La BIT (Bandelette Ilio-Tibiale) est constituée de tissus fibreux qui vont du haut de la hanche jusqu'à l'extérieur du fémur (os de la cuisse). Elle stabilise la hanche et le genou quand on se trouve en position debout, et permet les flexions et les extensions de la jambe.

La BIT peut s'enflammer lorsque les genoux sont fléchis de façon répétée à un angle de 20 à 30° tout en supportant une lourde charge. C'est ce qui arrive en course, notamment lorsque l'on court sur des routes accidentées et que le pied touche le sol sur un mauvais angle, ou encore lorsque l'on accélère rapidement et/ou qu'on change d'inclinaison. De même, des chaussures mal adaptées ou trop usées, qui n'amortissent pas suffisamment les chocs, peuvent entraîner une blessure de la BIT.

L'application de crèmes anti-inflammatoires soulage la douleur, mais pour éviter la récurrence des blessures, surveillez votre parcours de course, vérifiez l'état de vos chaussures et évitez de courir sur des terrains accidentés. Les étirements des muscles glutéaux et des quadriceps en position debout (*voir page 46*) peuvent aussi vous soulager.

Douleur au genou

Chacun des quadriceps (ensemble de quatre muscles situés à l'avant de chaque cuisse) est rattaché par le haut à la hanche. Par le bas, ils convergent en un seul tendon qui part de la rotule et s'attache au bas de la jambe. Leur rôle principal est de permettre les extensions puissantes des genoux; les quadriceps sont également très importants pour la marche, pour tous les mouvements de jambes et pour le contrôle de la posture.

▶ **La synovite du coude (ou « tennis elbow »)**
Cette blessure du coude n'affecte pas seulement les joueurs de tennis. Même si la moitié des tennismen souffrent d'une synovite du coude à un moment ou un autre de leur carrière, ils ne représentent que 5 % de la totalité des cas rapportés. Le meilleur traitement est le repos du bras.

◀ **La course aux problèmes**
La course à pied est un excellent moyen de se mettre en forme, mais c'est aussi un sport traumatisant pour les muscles et les articulations. Portez de bonnes chaussures qui soutiennent les pieds et les chevilles. Essayez de courir sur des surfaces aussi planes que possible.

La combinaison d'un mouvement de flexion et de rotation de l'avant-bras est parfaitement normale. Néanmoins, les muscles peuvent frotter contre la partie osseuse du coude. Cette action, associée à des mouvements répétitifs, augmente les tensions et les pressions sur les muscles du poignet et du coude, provoquant ce qu'on appelle une synovite du coude. La synovite des tennismen est due à leurs revers, qui infligent trop de pression aux tendons, alors qu'ils se trouvent dans une position vulnérable. On peut de la même façon ressentir des douleurs en exécutant des choses simples, comme tourner la poignée d'une porte ou serrer la main de quelqu'un.

Le traitement consiste à reposer le coude et le bander. On reprend ensuite progressivement son entraînement, en pratiquant le programme spécial « tennis » (*voir pages 164-167*).

Douleur à l'épaule

L'articulation de l'épaule, c'est-à-dire le pivot et les muscles qui l'entourent, permet les mouvements des bras. Il est très important de surveiller ses épaules, surtout quand on fait du sport. On a souvent tendance à travailler les muscles superficiels de la poitrine et du dos, et pourtant, ce sont les plus petits muscles, plus profonds, qui permettent la meilleure mobilité des épaules.

On appelle le groupe des quatre muscles de l'épaule le rotateur de l'humérus. Sa principale fonction est de stabiliser les épaules, à la fois pour le contrôle de la posture et pour la mobilité des bras.

Une blessure du rotateur de l'humérus peut être due à un entraînement trop intensif ou à un accident. On surutilise les muscles lors d'actions répétées de tirages vers le haut. Un accident peut survenir lorsque l'on soulève de lourdes charges tout en basculant et en pivotant l'épaule.

La douleur se situe dans l'épaule, lorsque le bras est fléchi à 90° et que le pouce est tourné vers le sol. Pratiquez les exercices de flexions et d'extensions des avant-bras (*voir page 93*) parce qu'ils renforcent les muscles des épaules et du dos. En revanche, évitez les tirages au-dessus de la tête car ils placent les épaules dans une position vulnérable, et l'état de la blessure ne peut que s'aggraver.

Les douleurs à l'avant du genou sont souvent causées par un placement incorrect de la patella par-dessus le genou, lui-même provoqué par un déséquilibre musculaire dans cette région. On risque d'aggraver ces problèmes, si on inflige trop de poids à un genou plié ou que l'on reste trop longtemps assis. La douleur se manifeste généralement sous la rotule, même si on peut la ressentir dans le genou, derrière la rotule.

Le traitement consiste à renforcer les quadriceps. Essayez les extensions de jambes avec rotation intérieure. Ce sont des extensions de jambes normales (*voir page 110*), mis à part que les pointes de pieds sont tournées vers l'intérieur. Les étirements d'ischio-jambiers (*voir page 46*) sont également efficaces. On peut aussi vous conseiller de bander la patella afin de limiter son mouvement.

Synovite du coude

Le coude est une articulation pivot, ce qui signifie que l'on peut monter et descendre l'avant-bras sur un plan d'espace unique. Il existe aussi un autre groupe musculaire qui croise la partie osseuse du coude et permet la rotation du poignet et du coude.

Glossaire

Vous trouverez ci-dessous une liste des termes utilisés dans cet ouvrage et leur définition.
Quand un terme, déjà employé dans une définition, possède sa propre entrée, il est en italique.

Abdominaux. Muscles de l'estomac. Ce groupe musculaire s'étend de la cage thoracique au bassin et comprend trois muscles principaux : le grand droit de l'abdomen (la « plaquette de chocolat » du ventre), les obliques (muscles à la périphérie de l'estomac) et le droit de l'abdomen (muscle profond, très important pour la posture, qui entoure le milieu du torse).

Action Cardiaque Périphérique (ACP). Une technique de musculation qui sollicite également le cœur. Alterne exercices du haut et du bas du corps, de façon à forcer le cœur à travailler dur pour faire circuler le sang.

Aérobic. Signifie « avec oxygène »; renforce le système cardio-vasculaire ainsi que la capacité de l'organisme à absorber l'oxygène; permet une meilleure oxygénation du sang, et donne du tonus. À long terme, favorise une meilleure circulation sanguine et une diminution de la tension artérielle et des problèmes cardiaques. Prévient et lutte contre les effets du vieillissement.

Anaérobic. Signifie « sans oxygène »; travail vigoureux qui ne peut être soutenu que très peu de temps. Utilise l'énergie anaérobic, peu efficace, et valable seulement sporadiquement.

Anti-oxydants. Nom donné aux nutriments et autres substances qui combattent la formation de radicaux libres.

Biceps. Muscles frontaux du haut des bras. Sollicités pour plier les bras.

Capacité aérobic. Capacité de l'organisme à absorber et à utiliser l'oxygène. Des séances d'*aérobic* améliorent la capacité aérobic.

Circuit d'entraînement. Méthode où l'on effectue une série d'exercices, chacun pendant une courte durée. Sollicite à la fois les muscles et le système cardio-vasculaire.

Circuit pyramidal. Méthode qui force le corps à travailler dur quelle que soit la série, cherchant l'*épuisement* pour plus de résultats.

Deltoïdes. Les trois muscles des épaules, sollicités quand on lève les bras sur les côtés.

Dorsaux. Principaux muscles du dos, sollicités à chaque mouvement qui tire vers le bas ou vers le buste.

Entraînement à vitesse constante. Forme d'entraînement cardio-vasculaire où la fréquence cardiaque est élevée à un niveau spécifique et maintenue ainsi pendant une certaine durée.

Entraînement fractionné. Méthode d'entraînement cardio-vasculaire qui sollicite le cœur dans sa *zone d'entraînement optimale*. Le cœur travaille dans la partie supérieure de cette zone, puis récupère dans la partie inférieure; développe l'endurance cardio- vasculaire.

Épuisement. Pour de meilleurs résultats, le principe est de pousser le corps au-delà de ses limites physiques habituelles. Dans tout entraînement, il faut viser l'épuisement musculaire.

Fessiers. Muscles du postérieur et de la région du bassin, sollicités quand on rejette la jambe vers l'arrière.

Fléchisseur de la hanche. Muscles de la région des hanches; sollicités dès qu'on lève le genou ou qu'on le ramène vers la poitrine.

Fréquence Cardiaque Maximum (FCM). Niveau maximum auquel une personne peut élever son rythme cardiaque; est fonction de l'âge et est calculé en battements par minute (bpm)

Graisses saturées. Graisses et huiles solides à température ambiante; contenues dans les viandes et les produits raffinés. Les plus mauvaises graisses, responsables de tension artérielle trop élevée et de troubles cardio-vasculaires.

Graisses insaturées. Graisses et huiles (comme l'huile d'olive) liquides à température ambiante; contenues dans les poissons, les noix, les graines et les céréales. Les meilleures graisses, indispensables au bon fonctionnement de l'organisme.

Indice de Masse Corporelle (IMC). Un bon indicateur pour savoir si le poids est proportionnel à la morphologie. Définit le poids en fonction de l'ossature du sujet en considérant son poids total et sa masse graisseuse.

Ischio-jambiers. Muscles arrières des cuisses; sollicités pour plier les jambes.

Musculation. Méthode qui utilise des poids pour raffermir et développer les muscles.

Pectoraux. Muscles de la poitrine, sollicités quand on bouge le bras en avant ou quand on éloigne quelque chose du corps.

Pronation. Tendance d'un individu à reporter son poids sur l'intérieur des pieds; usure des chaussures concentrée sur l'arête interne. Des chaussures de sport adaptées peuvent aider à corriger ce problème de pronation.

Quadriceps. Muscles frontaux des cuisses, sollicités quand on tend les jambes.

Radicaux libres. Molécules d'oxygène qui apparaissent naturellement dans l'organisme et s'y déplacent en détruisant les cellules. Une mauvaise alimentation, le stress et le manque d'exercice favorisent l'accumulation des radicaux libres. De nombreux aliments recommandés dans ce livre aident justement à lutter contre cette accumulation.

Rapport hanche-taille. Chiffre que l'on obtient en divisant la mesure de la hanche par celle de la taille; utile pour déterminer le quotient santé d'une personne en fonction de la distribution de sa masse graisseuse.

Répétition (rep). En musculation, une répétition est l'unité d'un exercice, du début du mouvement à sa fin. Si vous devez faire 14 répétitions, cela signifie que vous devez exécuter le mouvement 14 fois.

Répétitions Maximum (rm). Nombre de répétitions d'un exercice qui va conduire à l'épuisement musculaire.

Série. Dans un exercice, nombre de répétitions à faire d'une traite, sans s'arrêter. Vous devez souvent exécuter plusieurs séries; dans ce cas, entre les séries, une pause est permise.

Série légère. Une méthode de musculation où vous fatiguez le muscle avant de réduire la charge à 75 % du poids initial et de reprendre l'exercice jusqu'à épuisement.

Supination. Tendance d'un individu à reporter son poids sur l'extérieur des pieds; usure des chaussures concentrée sur l'arête externe. Des chaussures de sport adaptées peuvent aider à corriger ce problème de supination.

Zone d'entraînement optimale. Éventail de *fréquences cardiaques* idéales pour brûler les graisses et développer le système cardio-vasculaire; généralement comprise entre 75 et 90 % de la *fréquence cardiaque maximum*.

Index

Remerciements

Remerciements de l'auteur

À chaque nouveau livre, la liste des personnes ayant joué un rôle dans sa conception ne cesse de s'allonger. Une fois de plus, j'ai eu la chance d'être entouré d'une équipe formidable et je suis réellement enthousiasmé par le résultat final. J'aimerais remercier tous ceux chez Dorling Kindersley qui se sont dévoués au projet, et plus particulièrement Mary Clare Jerran qui nous a considérablement facilité la tâche. Passons maintenant à l'équipe « Saint-Tropez » avec laquelle nous avons passé plusieurs semaines à prendre des photos du matin au soir. Tracy Killick, notre génie artistique, qui a survécu aux séances sans la moindre blessure (ce qui est une première) et qui est imbatable en matière de maillots de bain et sarongs ! Nasim Mawji, qui a eu la témérité de se faire conduire par Tracy chaque matin, et qui a accompli un travail éditorial titanesque. Franchement, je ne comprends toujours pas comment elle a pu déchiffrer et retranscrire mes brouillons. Sophie, Charlotte, Isabelle, Antoine et Patrick, nos superbes modèles. John Davis, notre talentueux photographe qui a dû composer avec un ciel bleu parfait, le soleil, la chaleur, un nombre incalculable de jeunes femmes dénudées sur la plage, et Saint-Tropez ! John, comme la vie de photographe est ingrate ! Merci à Claire et John – assistants photographes – qui ont dû tous nous supporter !

J'aimerais aussi remercier la Cendrillon de l'équipe, Gillian Roberts, qui n'a pu nous rejoindre sur la côte d'Azur, mais qui n'a cessé de travailler en Angleterre.

Un grand merci à Sylvain Ercoli, directeur de l'hôtel Byblos, à Saint-Tropez, pour nous avoir permis d'utiliser son hôtel et compléter les séances photos. Merci aussi à Patrick du Club 55 où nous avons pris de fabuleux déjeuners – enfin, je veux dire où nous avons beaucoup travaillé !

On dit qu'un bon livre se vend sans effort. Personnellement, je pense que cela est surtout le fruit des fantastiques équipes commerciales et marketing de DK, ainsi que des attachées de presse comme Fiona Allen, Katherine Bell et Vivien Watten !

Un énorme merci à nos extraordinaires « études de cas » qui se sont prêtées de bonne grâce au jeu et m'ont permis d'exploiter les différents résultats dans cet ouvrage. Enfin, je remercie Helen Young et toute l'équipe Ralph Lauren pour leurs fabuleux vêtements et leur soutien.

Je dois également remercier tout spécialement mon frère Jon, co-auteur de cet ouvrage, et qui n'a cessé de travailler dur pour initier ce projet et en assurer son succès.

Merci à Nick, Richard, Jason, Ayo et toute mon équipe londonienne qui ont tous joué un rôle dans la conception de ce livre (informations ou simplement encouragements – très appréciés !).

Merci à Helen de m'avoir supporté durant tout ce temps !

Matt

Remerciements de l'éditeur

Recherche photographique : Cheryl Dubyk-Yates
Bibliothécaire : Hayley Smith

L'éditeur remercie les sociétés suivantes pour lui avoir permis de reproduire certaines photos (abréviations : h = haut, b = bas, d = droit, g = gauche, c = centre)

Powerstock Photolibrary/ Zefa : 192 cg, 197 cd
Corbis Stock Market : John Henley 194 bg ; Rob Lewine 202 bd ; Anthony Redpath 199 bg.
Toutes les autres photographies © Dorling Kindersley.
Pour plus de détails : www.dkimages.com
Jacket Superstock Ltd/Joan Glase : rabat intérieur avant bg
Jacket DK Picture Library: rabat intérieur avant cg

Pour plus d'informations sur les activités Matt Roberts :

www.personaltrainer.uk.com
www.healthhub.com